De spelregels van de democratie

De spelregels van de democratie

Kiesstelsels en politieke systemen in Europa

Stefaan Fiers & Steven Van Hecke

ASP

Coverontwerp: Frisco, Oostende
Boekverzorging: Style, Hulshout
Druk: Wilco, Amersfoort

© 2013 ASP nv (Academic and Scientific Publishers nv)
Ravensteingalerij 28
B-1000 Brussel
Tel. + 32 (0)2 289 26 50
Fax + 32 (0)2 289 26 59
info@aspeditions.be
www.aspeditions.be

ISBN 978 90 5718 333 1
NUR 754
Wettelijk depot D/2013/11.161/096

Inhoudstafel

Lijst van tabellen en figuren

Tabellen

Figuren

VOORWOORD

Dit boek is een volledig geactualiseerde en op meerdere plaatsen uitgebreide versie van 'De spelregels van democratie: Kiesstelsels en politieke systemen in Europa' (Stefaan Fiers, ASP, 2009).

Wij wensen Stef Commers te bedanken voor de deskundige hulp bij de actualisering en de uitbreiding van deze editie. Ook dank aan Steven Verbanck en Pieter-Jan Mattheus voor hun opmerkingen bij de eerdere versies van het manuscript, aan Wouter Wolfs voor de hulp bij de eindredactie, aan Patricia Massetti en Julie Gusman voor hun morele ondersteuning, en aan onze studenten in Leuven en Kortrijk voor hun pertinente opmerkingen en suggesties voor verbetering.

Wij hopen dat dit boek hen maar ook alle andere lezers zal inspireren en motiveren om zich verder te verdiepen in één van de meest fascinerende domeinen van de politieke wetenschap: de studie van verkiezingen, kiesstelsels en politieke systemen.

Leuven, 23 september 2013

INLEIDING

I. 'Eenheid in verscheidenheid'

Elke vier jaar worden alle stemgerechtigde inwoners van ons land uitgenodigd om deel te nemen aan de verkiezingen van het *federale* parlement, bestaande uit de Kamer van Volksvertegenwoordigers en de Senaat.[1] Daarnaast valt ons om de vijf jaar een soortgelijke uitnodiging in de bus om deel te nemen aan de verkiezingen voor het deelstaatparlement van de regio waarin we wonen (Vlaanderen, het Waalse Gewest of het Brusselse Hoofdstedelijke Gewest). Deze *regionale verkiezingen* vallen sinds 1999 samen met de *Europese verkiezingen* die sinds 1979 om de vijf jaar georganiseerd worden tijdens het tweede weekend van de maand juni.[2] Ten slotte stuurt ook de gemeente ons om de zes jaar een oproepingsbrief met de vraag om ons te melden aan het kiesbureau en zo deel te nemen aan de verkiezing voor de *gemeente-* en de *provincieraden*.[3]

In een klein landje als België is er dus aan verkiezingen geen tekort. Men zou dus, redelijkerwijs, kunnen verwachten dat er een zekere mate van eenvormigheid zou bestaan in de wijze waarop deze verkiezingen verlopen en de stemmenuitslag wordt omgezet in een zeteluitslag. Zowel de kiezers als de partijen en de kandidaten kunnen er maar wel bij varen. Wie dát verwacht, komt evenwel van een kale reis thuis. Enkele algemene basisbepalingen uitgezonderd, zoals de proportionele verdeling van het aantal zetels op basis van het aantal stemmen, *verloopt geen enkele van deze verkiezingen volgens exact dezelfde spelregels*. Zo kan het aantal zetels dat er te verdelen is, verschillen van kieskring tot kieskring. In Vlaams-Brabant bijvoorbeeld kiest men vanaf 2014 vijftien vertegenwoordigers voor de federale Kamer van Volksvertegenwoordigers, en duidt men twintig vertegenwoordigers aan wanneer het om regionale verkiezingen voor het Vlaams Parlement gaat. Bijgevolg varieert ook het aantal 'effectieve kandidaten' dat op de lijst staat, evenals de volgorde waarin de opvolgers in aanmerking komen voor opvolging van een effectieve kandidaat die in de loop van de legislatuur uit de ver-

---

1. Het zogenaamde Vlinderakkoord dat in het najaar van 2011 werd bereikt, voorziet o.a. in de afschaffing van de rechtstreekse verkiezing van de senatoren, de verkiezing van de Kamerleden voor de duur van vijf jaar en het samenvallen van de federale verkiezingen met de Europese stembusslag. Dit luik van de zesde staatshervorming zou al in 2014 worden toegepast, maar was op het moment van de publicatie nog niet gestemd.
2. In 2014 wordt de datum vervroegd naar einde mei.
3. In Antwerpen vinden sinds 2000 districtsraadsverkiezingen plaats en in sommige faciliteitengemeenten worden ook de OCMW-raden rechtstreeks verkozen.

tegenwoordigende assemblee verdwijnt. Op het gemeentelijke niveau bestaan dergelijke opvolgerslijsten evenwel niet, en worden de opvolgers op een andere manier aangeduid.[4] Bij de provincieraadsverkiezingen die op dezelfde dag worden georganiseerd, wordt het opvolgerssysteem daarentegen wel gebruikt.

Die opvolgerslijsten zijn overigens de voorbije jaren erg belangrijk geworden, omdat we op het bovengemeentelijke vlak een steeds groter verloop onder de gekozen politici vaststellen. Dat heeft deels te maken met een algemeen maatschappelijke trend van kortere carrières die we ook in de privé-sector vaststellen, en deels met het feit dat het in België steeds vaker voorkomt dat personen die bovenaan de lijst van de effectieven staan, en dus verkozen worden door de bevolking, niet eens de intentie hebben om te gaan zetelen. Dit fenomeen van de zogenaamde *schijnkandidaten* vindt men in geen enkele andere Westerse democratie terug.[5]

Als kiezer kan het gebeuren dat we uitgenodigd worden om te stemmen voor een zeer lokale lijst van kandidaten (bij de gemeente- en provincieraadsverkiezingen), een lijst die in de hele provincie dezelfde is (bij de regionale verkiezingen in het Vlaamse Gewest en de verkiezingen voor de Kamer van Volksvertegenwoordigers) of een lijst die voor het hele Vlaamse grondgebied van De Panne tot Maaseik dezelfde is (voor de Europese verkiezingen en tot in 2010 voor de verkiezingen voor de Senaat). Tot 1994 mocht men bovendien voor de 'bovengemeentelijke' verkiezingen maar één voorkeurstem uitbrengen, terwijl men nog tot 1976 'bont' mocht stemmen bij de gemeenteraadsverkiezingen. Dit wil zeggen: meerdere kandidaten aanduiden, over de verschillende partijgrenzen heen. Dat 'bont' stemmen was op het nationale niveau al in het jaar 1900 afgeschaft maar bleef dus nog driekwart eeuw van kracht op het gemeentelijke vlak. Voor de regionale, federale en provinciale verkiezingen mogen burgers van een EU-lidstaat niet stemmen, maar voor de gemeenteraads- en Europese verkiezingen mogen ze dat wél. En zo kunnen we nog wel even verder gaan met het opsommen van ettelijke verschillen in de organisatie van de verschillende verkiezingen in België.

Het vreemde is dat we ons zelf nooit veel vragen stellen waarom de regels zijn zoals ze zijn, en waarom onze 'democratie' in zoveel verschillende spelregels is gegoten. Ook politici durven die vraag niet altijd luidop te stellen. Onder impuls van zijn toenmalige voorzitter Norbert De Batselier (sp.a)

---

4. Bij ontslag of overlijden van een zetelend gemeenteraadslid gaat de zetel naar de eerstvolgende niet-gekozen partijgenoot met de meeste voorkeurstemmen.

5. De zesde staatshervorming maakt vanaf 2014 met deze praktijk komaf door verkozen kandidaten te verplichten hun zetel op te nemen en dubbele kandidaturen (als effectieve kandidaat en als opvolger of voor twee parlementen bij samenvallende verkiezingen) te verbieden.

werd aan het begin van de 21ste eeuw nog wel een *benchmarkproject* opgezet om de werking van het Vlaams Parlement te toetsen aan die van andere regionale parlementen. De federale regering-Verhofstadt I voerde in 2002 een aantal belangrijke hervormingen door van het Belgische kiesstelsel, en de Vlaamse regering onder impuls van Vlaams minister voor Binnenlandse Aangelegenheden Marino Keulen (Open Vld) gaf vorm aan een vernieuwde kieswet voor de verkiezingen waarvoor de Vlaamse regering bevoegd is. Maar daarna verwaterde dat denkwerk over de invulling van een eigentijdse democratie, afgezien van het luik 'politieke vernieuwing' als onderdeel van de zesde staatshervorming dat vooral op vraag van Groen en Ecolo tot stand kwam. Een enkele keer dat het wel nog gebeurde, veroorzaakte het voorwaar grote commotie. Zo bepleitte Vlaams Parlementsvoorzitter Marleen Vanderpoorten (Open Vld) einde maart 2009 onomwonden dat haar instelling evengoed zou kunnen functioneren met minder parlementsleden. Effectief, de 124 leden van het Vlaams Parlement voor een totale bevolking van iets meer dan 6,3 miljoen Vlaamse inwoners, plus een beperkt aantal Vlaamse Brusselaars, levert een behoorlijk scherpe verhouding op van één zetel per ca. 50 000 inwoners. In Nederland, Frankrijk en het Verenigd Koninkrijk stelt men het met ongeveer één parlementslid per 100 000 inwoners. In Duitsland loopt de ratio op tot ongeveer één zetel in de Bundestag per 135 000 inwoners. Maar ook andere deelstaatparlementen hebben doorgaans lagere ratio's, vergelijkbaar met die van het Vlaams Parlement: een doorsnee Schots parlementslid vertegenwoordigt ongeveer 40 000 inwoners, een Catalaans parlementslid 54 000 inwoners. De leden van de Belgische Kamer van Volksvertegenwoordigers bevinden zich daartussenin, met een verhouding van één zetel per 70 000 inwoners.

Maar los van de opmerkelijke vraag om het aantal parlementsleden te verminderen, was er de ontnuchterende stelling dat Vanderpoorten meteen al vraagtekens plaatste bij de uitvoerbaarheid van haar rationele overweging: 'Alleen is het niet zo makkelijk om te proberen het aantal parlementsleden te verminderen. (...) [Vlaams minister] Marino Keulen heeft ooit geprobeerd om het aantal schepenen te verminderen, er zijn er inderdaad veel te veel. Maar ze vormen wel een politieke realiteit. Als je het aantal mandatarissen wil verminderen, plaats je elke partij voor een gigantisch probleem, want wie moet er dan weg?' (*De Standaard*, 24 maart 2009). Met andere woorden: een betere benutting van de middelen en organisatie van het institutionele systeem dringen zich eigenlijk wel op, maar zullen onvermijdelijk botsen op praktische bezwaren van de politieke partijen, die het aan moed ontbreekt om te snoeien in hun politieke personeel. Zelfs als dit overtollig blijkt te zijn.

Deze uitspraak van Vanderpoorten is bijzonder leerrijk. Ten eerste maakt het ons duidelijk dat men zich in 1995, toen het aantal parlementszetels in de regionale parlementen werd vastgelegd, niet heeft laten leiden door 'standaard'-gegevens over het aantal zitjes dat een parlement idealiter zou moeten tellen. Dergelijke standaarden bestaan ook helemaal niet. Elk land vult dat op zijn eigen manier in, vaak geleid door tradities, berekeningen van de partijen die de regeringsmeerderheid vormen, en de zorg om een voldoende vertegenwoordiging van deelregio's en etnische minderheden van het land. De spelregels van de democratie zijn met andere woorden *lokaal bepaalde spelregels*.

Ten tweede getuigt de uitspraak van een realistisch defaitisme. De ratio haalt in ons politieke systeem niet steeds de bovenhand op de emotie en het eigenbelang. Het zijn de politieke partijen die de centrale actoren zijn in ons politieke bestel, en daartegen vermag zelfs de voorzitter van het grootste, belangrijkste en meest actieve deelstaatparlement niets. Het zijn deze politieke partijen die in de gefederaliseerde Belgische context het kader bepalen van wat wij gemeenzaam 'onze democratie' noemen. Het hoeft dus geen verwondering te wekken dat in de internationale politiek-wetenschappelijke literatuur België nog steeds bestempeld wordt als typevoorbeeld van een *particratie*. Zowel de wetgevende macht (dit zijn de verschillende parlementen die ons land rijk is) als de uitvoerende macht (de regeringen) zitten in de greep van de politieke partijen.

Deze vaststelling, ondersteund en bevestigd in talloze van zijn analyses, bracht de Leuvense politicoloog Wilfried Dewachter (2001) er enkele jaren geleden toe om de Belgische parlementaire democratie als een mythe te bestempelen. Uit de context van zijn omstandig onderbouwde argumenten geplukt, klinkt zijn analyse bijzonder rauw: 'De uitkomst van deze indringende analyse staat veraf van de officiële leer over de 'parlementaire democratie'. (…) De institutionele voorzieningen, vooral deze van het parlement als 'wetgevende macht', staan niet alleen in grote mate haaks op de besluitvormingspatronen, zij zijn er grotendeels door ontledigd. Vijf van de zes besluitvormingstypes verlopen tamelijk tot zeer los van de 'parlementaire democratie' of van de 'representatieve democratie'. In vele gevallen worden zij alleen nog formeel goedgekeurd door het parlement. (…) Als de wetgevende macht door de zes besluitvormingswijzen ontledigd wordt, hoe is het dan gesteld met de officiële staatsleer van België als 'democratie want parlementaire democratie'? (…) Deze leer van de 'parlementaire democratie' is een politieke mythe' (Dewachter, 2001, pp. 468-473).

De zesde staatshervorming die uitvoering geeft aan het Vlinderakkoord van september 2011 tussen de partijen die nadien de regering-Di Rupo vormen aangevuld met de groenen, lijkt deze stellingen te bevestigen. De politieke partijen spelen hier de eerste viool. De partijvoorzitters maken de politieke akkoorden en de parlementen stemmen de nodige grondwettelijke amendementen en wetten. Afgezien van het wegwerken van enkele misstanden (zoals de schijnkandidaten) en politieke anomalieën (de afschaffing van de rechtstreekse Senaatsverkiezing wegens niet in verhouding tot het belang van deze assemblee), is van een echt debat over de vormgeving van onze democratie op basis van de kiesregels geen sprake.

II.   Verkiezingen en/in democratieën

De vraag is of dit ook voor de andere Europese landen opgaat. Of springt de wijze waarop de Belgische democratie de voorbije 185 jaar geëvolueerd is er dermate uit ten opzichte van de andere democratieën? De centraliteit van de politieke partijen is wellicht geen exclusief Belgisch gegeven? Net zo min de dominantie van de uitvoerende op de wetgevende macht dat is, of de wijze waarop de politici eigenhandig het politieke systeem vorm geven?

Precies die verschillen en gelijkenissen in de wijze waarop er in verschillende Europese landen vorm gegeven wordt aan 'democratie', vormt de kern van dit boek. Daarbij zetten we de wijze waarop onze democratie is uitgetekend af ten opzichte van de wijze waarop de democratie in andere landen in specifieke regels en gebruiken wordt vertaald. Uiteraard richten we onze focus daarbij in de eerste plaats op de verschillende *kiesstelsels*. Kiesstelsels zijn het geheel aan regels die bepalen hoe de verdeling van de stemmen tussen de partijen kan omgezet worden in een verdeling van het beschikbare aantal zetels onder die partijen. Zoals we in dit boek omstandig zullen uiteenzetten, zijn de soorten kiesstelsels legio, en zetten zij de toon voor de wijze waarop de democratieën functioneren. Bovendien merken we dat die verschillen repercussies hebben op veel meer aspecten van het politieke bestel dan louter de omzetting van stemmenaantallen in zetelaantallen. De kiesstelsels bepalen immers evenzeer *de organisatie van het politieke systeem van een staat* in het algemeen: de rol en de onderlinge verhouding tussen parlement en regering, de plaats van de (georganiseerde of ongeorganiseerde) bevolking, de drukkingsgroeperingen en de politieke partijen in de politieke besluitvorming, enz. Alleen op de wijze waarop de rechterlijke macht toezicht houdt op de naleving van de wetten, één van de fundamenten van elke democratie, heeft het kiesstelsel geen rechtstreekse invloed.

In dit boek vertrekken we van dit verband tussen het kiesstelsel enerzijds en het 'politieke systeem' anderzijds, en gaan we op zoek naar de verschillen in de spelregels in een aantal democratische staten. Het is belangrijk erop te wijzen dat we ons in dit boek beperken tot de analyse van democratische landen. Een democratie onderscheidt zich namelijk van een totalitair regime of een dictatuur precies doordat ze op regelmatige tijdstippen open, vrije en geheime verkiezingen organiseert. Hoewel de bepaling 'democratie', net als 'open en vrije verkiezingen' voor interpretatie vatbaar is. Sommige dictaturen hielden of houden zich namelijk in stand door schijnverkiezingen te organiseren, of door de verkiezingsuitslag te vervalsen. Als voorbeeld kunnen we verwijzen naar Egypte, een land dat in het begin van het huidige millennium over het algemeen beschouwd werd als één van de meer westerse staten op het Afrikaanse continent. Maar pas in de nasleep van de Arabische Lente werden er midden 2012 voor het eerst vrije verkiezingen georganiseerd waaraan meerdere kandidaten konden deelnemen (zie tabel 1).[6]

Tabel 1:   De Arabische Lente

	Tunesië	Egypte	Libië
Begin van de opstand	18 december 2010	25 januari 2011	17 februari 2011
Dictator verdreven	(president Ben-Ali) 14 januari 2011	(president Mohammed Hosni Said Mubarak) 11 februari 2011	(kolonel Moammar Mohammed al-Qadhafi) 23 augustus 2011
Eerste vrije verkiezingen voor...	Grondwetgevende Vergadering 23 oktober 2011	Wetgevende Volksassemblee 28 november 2011	Libische Nationale Overgangsraad 7 juli 2012

Evenmin voldoen alle zelfverklaarde democratieën aan alle voorwaarden om effectief als democratie gecatalogeerd te worden. Of hoe democratisch is de *Democratische* Republiek Congo, als de bevolking pas in juli 2006 voor het eerst, sinds de onafhankelijkheid in 1960, naar de stembus mocht om de eigen president te verkiezen? Noch Mobutu (staatsgreep in november 1965), noch Laurent Kabila (staatsgreep in mei 1997), noch Joseph Kabila (stille opvolging van zijn vermoorde vader in januari 2001) waren via open en vrije verkiezingen aan de macht gekomen. Ook op andere manieren wordt de benaming 'democratie' vaak lichtvaardig gebruikt. Denk aan de officiële benaming van het vroegere Oost-Duitsland: *Deutsche Demokratische Republik* (DDR), hoewel het systeem, naar onze hedendaagse westerse invulling van de term, maar bitter weinig kenmerken van een democratisch regime vertoonde.

We moeten met andere woorden omzichtig omspringen met het epitheton 'democratie' wanneer we de meer dan 200 onafhankelijke staten en territoriale entiteiten die er op dit ogenblik in de wereld zijn, onder de loep nemen. Tevens is het onmogelijk om in het bestek van dit boek álle democratieën even gedetailleerd te behandelen. In onze selectie van landen die we meer in detail bespreken, laten we ons leiden door twee criteria. Enerzijds is er de relevantie van het kiesstelsel en het politieke stelsel in comparatief perspectief, en anderzijds geldt als tweede criterium dat het land sterke gelijkenis-

---

6.   De presidentsverkiezingen die door toenmalig president Mubarak in de zomer van 2005 werden georganiseerd, kunnen bezwaarlijk echte vrije verkiezingen genoemd worden, ondanks het feit dat – op papier althans – voor het eerst meerdere kandidaten konden meedingen naar het hoogste ambt.

sen of verschilpunten moet hebben met het politieke stelsel waarmee wij met zijn allen ongetwijfeld het meest vertrouwd zijn, met name het Belgische. Uiteraard zal in de eerste plaats aandacht uitgaan naar de West-Europese stelsels, met name de kiesstelsels en de politieke systemen van het Verenigd Koninkrijk, Frankrijk, Nederland en Duitsland. Maar we kijken ook naar andere werelddelen en welke kiesstelsels daar frequent voorkomen. Op die manier verkrijgen we een overzicht van het geheel aan politieke systemen en de meest courante kiesstelsels in de wereld.

III. Verkiezingen en verkiezingen is twee

Wanneer we alleen nog maar naar het aspect 'verkiezingen' kijken, stellen we al grote verschillen vast tussen de 118 landen die door de Amerikaanse ngo *Freedom House* (Freedom in the World, 2013, p. 28) worden gedefinieerd als *electoral democracies*. Er zijn ten eerste verschillen qua *frequentie van de verkiezingen*. In de meeste landen worden de parlementsverkiezingen om de vier jaar georganiseerd. Dat is bijvoorbeeld het geval in Nederland, Oostenrijk, Denemarken, Finland, Duitsland, Noorwegen, Portugal, Spanje, Zwitserland en Zweden, en tot in 2014 ook in België. Andere landen, zoals Frankrijk, Italië, Luxemburg en het Verenigd Koninkrijk, houden hun parlementsverkiezingen (in principe) om de vijf jaar. Vanaf 2014 zal dat ook in België het geval zijn.

Toch zijn er ook heel wat landen die kortere electorale cycli kennen. In Australië, Mexico, Nieuw-Zeeland, de Filipijnen, Taiwan en El Salvador wordt het parlement om de drie jaar verkozen. Dit betekent uiteraard ook dat elke regering er slechts een beperkte tijd heeft om haar beleid om te zetten in beleidsacties. Aan het begin van de eeuw spande Bosnië-Herzegovina wat dat betreft de kroon: omwille van de precaire situaties tussen de verschillende bevolkingsgroepen vonden de parlementsverkiezingen er om de twee jaar plaats (2000, 2002). Ook in de Verenigde Staten vinden er om de twee jaar verkiezingen voor het Congres plaats. Telkens wordt het volledige Huis van Afgevaardigden (435 leden) vernieuwd en wordt een derde van de honderd senatoren gekozen. Op die manier blijft elke senator zes jaar in functie. Deze tweejaarlijkse verkiezingen zorgen telkens voor hoogspanning in het Witte Huis. Het is immers niet ondenkbaar dat een president die eerst over een meerderheid in het parlement beschikte, na dergelijke verkiezingen met een vijandige meerderheid in het parlement geconfronteerd wordt. Dit gebeurde onder meer in november 2010, toen de Republikeinse partij een klinkende overwinning boekte en in het Huis van Afgevaardigden een meerderheid behaalde op de Democraten van president Barack Obama. President Obama bleek al gauw veel hinder te ondervinden van de Republikeinse meerderheid, onder meer bij zijn poging een nieuwe, strengere wapenwet te laten goedkeuren door het Congres. Overigens werd ook zijn Democratische voorganger Bill Clinton (1992-2000) tijdens de laatste zes jaar van zijn regeerperiode met een Republikeinse en dus vijandige meerderheid in het Congres geconfronteerd. De Republikein George W. Bush had alleen in de laatste twee jaar van zijn presidentschap (2000-2008) te kampen met een Democratische meerderheid in zowel het Huis van Afgevaardigden als de Senaat.

De tweede manier waarop staten van elkaar verschillen op het gebied van verkiezingen, is qua *samenstelling van het parlement*. Hoewel Joegoslavië ooit geëxperimenteerd heeft met een parlement met vijf kamers en Zuid-Afrika tussen 1984 en 1994 een parlement had met drie kamers (Heywood, 2002), hebben staten doorgaans één of twee kamers. Eenkamerstelsels vinden we in overwegende mate terug op het Afrikaanse continent, in communistische staten zoals China en in een aantal postcommunistische staten in Centraal- en Oost-Europa, zoals Bulgarije, Estland, Hongarije, Kroatië, Letland, Litouwen en Slowakije. In federale staten zoals Duitsland en België, in semifederale staten zoals Spanje of in staten met een erkenning voor de deelstaten (zoals het Verenigd Koninkrijk na de zogenaamde *Devolution Acts* van 1998) hebben de regionale of deelstaatparlementen doorgaans ook maar één kamer, terwijl op het federale of 'nationale' niveau een tweekamerstelsel heerst, met een tweede kamer waarin vertegenwoordigers van de deelstaten elkaar ontmoeten. Uitzondering op de regel vormen de Verenigde Staten van Amerika: een federaal stelsel waar met uitzondering van de staat Nebraska alle deelstaten een tweekamerstelsel hebben. In West-Europa zijn Denemarken (sinds 1953), Finland, Griekenland, Portugal, Luxemburg, Noorwegen en Zweden (sinds 1970) de landen met een eenkamerstelsel. De meeste andere westerse staten hebben een tweekamerstelsel: Frankrijk, Ierland, Italië, Spanje, Nederland ... Maar onder de tweekamerstelsels merken we nogal wat verschillen op, met name in de manier waarop die tweede kamer samengesteld is.

De Belgische kiezers, bijvoorbeeld, hebben een rechtstreekse stem in de samenstelling van zowel de Kamer van Volksvertegenwoordigers als *een gedeelte* van de Senaat. Via heuse verkiezingen duidden de Belgische kiezers in de periode 1995-2010, 40 van de 71 leden van de Senaat aan, min of meer proportioneel naar bevolkingsgrootte verdeeld over 25 Nederlandstaligen en 15 Franstaligen.[7] In Australië worden alle 76 leden van de Senaat verkozen via rechtstreekse verkiezingen, net zoals dat het geval is voor de 326 leden van de Italiaanse Senaat en de 252 leden van de *House of Councillors* in Japan.

Die rechtstreekse verkiezing van het Hogerhuis – een term die doorgaans wordt gebuikt voor de tweede kamer – is evenwel geen automatisme. De 321 leden van de Franse *Sénat* bijvoorbeeld, worden niet rechtstreeks gekozen door de bevolking zoals de 577 leden van de *Assemblée nationale*. De Franse senatoren worden via een *getrapt systeem* verkozen door meer dan 100 000 vertegenwoordigers van de gemeenten en departementale raden. Ook in Nederland wordt de Eerste Kamer niet rechtstreeks maar via een *getrapt systeem* samengesteld. De bevolking brengt eerst een stem uit voor de provincieraadsverkiezingen en op basis van deze uitslag worden de 75 zetels in de Eerste Kamer proportioneel onder de partijen verdeeld. In Duitsland worden de 69 leden van de *Bundesrat* aangeduid uit en door de 16 deelstaatregeringen, zonder rechtstreekse verkiezing door de bevolking. In Canada en het Verenigd Koninkrijk, ten slotte, komt er helemaal geen verkiezing aan te pas. In Ottawa is het de eerste minister die bepaalt wie er deel uitmaakt van de 105-koppige Senaat en in Londen zetelen sommige *lords* puur op basis van een erfelijke titel, of op basis van de positie die ze bekleden in de anglicaanse kerk.

Uiteraard is er een derde, en misschien wel het belangrijkste, onderscheid te maken naargelang het *voorwerp van de verkiezing*. Er is namelijk een verschil in het kiesstelsel voor de presidentsverkiezingen, de parlementsverkiezingen of de gemeenteraadsverkiezingen. We wezen al op enkele verschillen in de wijze waarop de verkiezingen verlopen in België. Maar naast de verschillen in spelregels is er ook een groot verschil in omvang van de stembusslag. Bij de gemeenteraadsverkiezingen van 14 oktober 2012 waren er in Vlaanderen alleen al meer dan 35 000 kandidaten die opkwamen in de 308 gemeenten in het Vlaamse Gewest. Daarbij moet nog een equivalent van ongeveer 15 000 kandidaten in de 19 Brusselse en – door de regel kleinere – 262 Waalse gemeenten bijgeteld worden. Vergelijk dat met de 2801 kandidaten die opkwamen in heel België in de verschillende kiesdistricten bij de Kamerverkiezingen van 2010 en de 620 kandidaten bij de Senaatsverkiezingen in 2010, of de tien officiële kandidaten voor het Franse president-

---

7. De zesde staatshervorming maakt aan deze rechtstreekse verkiezing een einde. Als de (grond)wettelijke bepalingen tijdig worden goedgekeurd, vindt in 2014 (en voor het eerst sinds 1831) geen rechtstreekse Senaatsverkiezing door de kiesgerechtigden meer plaats.

schap in mei 2012.[8] Uiteraard heeft dit gevolgen voor de dynamiek van de verkiezingen, en vooral voor de mediatisering ervan. Het is schier onmogelijk voor de media om de gemeenteraadsverkiezingen in hun volledigheid in beeld te brengen. Dat gaat al veel gemakkelijker wanneer er slechts twee volwaardige kandidaten zijn voor het ambt van president (Frankrijk, tweede ronde) of premier (Verenigd Koninkrijk, Duitsland, Spanje).

Wat de parlementsverkiezingen betreft, onderscheiden we een vierde verschil, met name in het precieze tijdstip en het *initiatiefrecht* voor de verkiezingen. In sommige landen ligt de datum al lang op voorhand vast. Zo bijvoorbeeld in België, waar de verkiezingen in principe om de 48 maanden worden gehouden. Hoewel deze regel al in 1831 werd ingeschreven in de grondwet, geldt hij in feite pas sinds 1993, toen de grondwet werd hervormd en de constructieve motie van wantrouwen werd ingevoerd. Omdat sindsdien bij de val van een regering meteen ook een alternatieve meerderheid moet worden voorgesteld, met een nieuwe kandidaat-premier, is het veel moeilijker geworden om vervroegde verkiezingen uit te lokken. In andere landen liggen de data van de verkiezingen in principe ook vast, maar zijn ze afhankelijk van de regeringsstabiliteit. Zie bijvoorbeeld de snelle opeenvolging van verkiezingen in het politiek woelige Nederland tussen mei 2002, januari 2003 en november 2006. In een derde categorie landen mag de premier zelf beslissen wanneer er nieuwe verkiezingen komen, zoals dat tot in 2011 in het Verenigd Koninkrijk het geval was, of doet de president dat, zoals in Frankrijk. Zij laten zich daarbij doorgaans leiden door allerlei populariteitspolls. Wanneer die gunstig zijn, volgen er nieuwe verkiezingen, zoals in 1983, toen Margaret Thatcher de Argentijnse inval in de Falklandeilanden met harde hand van antwoord had gediend. Het leverde haar massale steun van de bevolking bij de volgende verkiezingen. Soms vergist een premier of president zich en verspeelt hij zo een comfortabele meerderheid in het parlement. Het duidelijkste voorbeeld daarvan leverde de Franse president Jacques Chirac in maart 1997, toen hij, tegen alle adviezen in, op een slecht moment vervroegde verkiezingen uitschreef.[9] Zijn rechtse partij verloor de verkiezingen, waardoor hij voor de rest van zijn eerste presidentiële ambtstermijn met een linkse meerderheid in het parlement moest samenwerken, onder leiding van de socialist Lionel Jospin.

---

8. Voor de Kamer- en Senaatsverkiezingen werd het aantal plaatsen op de lijsten geteld. Een beperkt aantal kandidaten kwam in 2010 zowel als kandidaat-effectieve, als als kandidaat-opvolger op, en werd dus twee keer geteld. Het aantal natuurlijke personen dat kandidaat was, ligt daardoor iets lager dan het aantal dat hier vermeld wordt. Bij de verkiezingen van 2007 bedroeg het aantal kandidaten voor de Kamer 2931 en voor de Senaat 587.

9. Een van de weinigen die Jacques Chirac positief adviseerde, was Dominique de Villepin die ondanks deze desastreuze beslissing tijdens de tweede ambtstermijn van Chirac eerste minister van Frankrijk werd (2005-2007).

Ten vijfde kan men het onderscheid maken naargelang het tijdstip waarop de *uitkomst* van de verkiezingen bekend wordt. In sommige landen is het meteen op de verkiezingsavond zelf al duidelijk wie de nieuwe regeringsleider wordt. Het schoolvoorbeeld is het Verenigd Koninkrijk, waar ofwel de leider van *Labour*, de sociaaldemocratische partij, dan wel de leider van de behoudsgezinde *Conservatives* de nieuwe premier wordt.[10] Normaal gesproken is dat ook het geval in Duitsland, waar de strijd gaat tussen twee pre-electorale allianties, met een sociaaldemocratisch-groen blok aan de ene kant en een christendemocratisch-liberaal blok aan de andere. De verkiezingen van 18 september 2005 vormden evenwel een uitzondering op deze regel, aangezien het lange tijd onzeker was of Angela Merkel (CDU) dan wel Gerhard Schröder (SPD) de coalitie zou leiden.[11]

In andere landen, zoals in België, Nederland en Israël, vormen de verkiezingen enkel de start van lange coalitiebesprekingen, zonder dat het meteen al duidelijk is wie de nieuwe regeringsleider wordt. Traditioneel is het de leider van de grootste partij die de nieuwe eerste minister wordt, maar dat is lang niet zeker. Evenmin is het meteen duidelijk welke partijen uiteindelijk de regering zullen vormen. Gegeven het erg versnipperde partijlandschap in België gebeurt het nagenoeg bij elke verkiezing dat partijen die bij de verkiezingen (zwaar) stemmen verloren, tóch in de regering worden opgenomen. Dit geeft soms aanleiding tot zure reacties bij een deel van het electoraat dat er foutief van uitgaat dat de verkiezingsuitslag allesbepalend is voor de uiteindelijke uitkomst van de coalitieonderhandelingen. Het meest treffende voorbeeld van lange coalitiebesprekingen, onduidelijkheid over de samenstelling van de nieuwe meerderheid en de regeringsdeelname van verliezende partijen, is ongetwijfeld de 541 dagen durende regeringsformatie en het aantreden van de regering-Di Rupo in december 2011.

Ten slotte is er ook een verschil in *stemgerechtigden*. Niet alleen tussen de landen, maar ook tussen verkiezingen onderling is er nogal wat verschil in wie zijn of haar stem mag uitbrengen. Op wereldschaal is men maar in een handvol landen verplicht om zich op de dag van de verkiezingen aan het stemhokje aan te melden. Het gaat onder meer om België, Griekenland, Australië, Turkije, Brazilië, Mexico en Venezuela. Dat zijn landen met zogenaamde stem*plicht*. Alle andere landen in de wereld kennen daarentegen een stelsel van stem*recht*, zonder dat de kiezers verplicht zijn om aan de verkiezingen deel te nemen. Sommige landen lieten hun burgers altijd al vrij om aan de verkiezingen deel te nemen, terwijl andere landen de stemplicht

---

10. Uitzonderlijk had na de verkiezingen van 2010 geen van beide partijen een absolute meerderheid behaald en duurde het vijf dagen vooraleer een nieuwe regering werd gevormd.

11. Uiteindelijk noopte de verkiezingsuitslag beide partijen ertoe om samen een coalitieregering te vormen, met Angela Merkel als nieuwe bondskanselier.

in de loop der tijd hebben afgeschaft. In Nederland, bijvoorbeeld, werd de stemplicht in 1970 afgeschaft en vervangen door een stemrecht. Overigens, eigenlijk is het verkeerd om van *stemplicht* te spreken, want technisch gesproken is men in België en de andere landen met zogenaamde stemplicht niet verplicht om te *stemmen*, maar enkel om zich *aan te melden* bij het stemhokje op de dag van de verkiezingen. Niemand kan een stemgerechtigde kiezer daadwerkelijk verplichten om effectief een bolletje rood te kleuren. Daarom is het beter om te spreken van landen met *opkomstplicht* in plaats van landen met *stemplicht*.

Het aantal stemgerechtigden heeft uiteraard ook betrekking op twee andere indelingen: die naar geslacht en naar nationaliteit. Finland was het eerste Europese land dat algemeen vrouwenstemrecht introduceerde, in mei 1906. In Australië was het vrouwenstemrecht al drie jaar eerder ingevoerd en in Nieuw-Zeeland al vier jaar eerder (1902). De meeste andere West-Europese landen volgden tijdens het interbellum: Duitsland, Ierland en Oostenrijk in 1918, Nederland en Luxemburg in 1919, Zweden in 1921, het Verenigd Koninkrijk in 1928 en Spanje in 1932.

In België duurde het wat langer, omdat de socialistische en de liberale partijen vreesden dat vrouwelijke kiezers, onder invloed van de machtige katholieke kerk, massaal op de christendemocratische CVP zouden stemmen. Daardoor duurde het tot 1948 alvorens alle vrouwen met de Belgische nationaliteit stemrecht verwierven bij de parlementsverkiezingen. In 1921 hadden ze wel al het recht gekregen om te stemmen voor de gemeenteraden en ook om kandidaat te zijn bij de verkiezingen. Dit gold trouwens ook voor de parlementsverkiezingen. Op die manier ontstond er dus een bijzondere situatie: terwijl de vrouwen niet capabel geacht werden om te stemmen, mochten ze zich wel kandidaat stellen voor een zitje in het parlement. Een vreemde kronkel in het Belgische kiesrecht!

België was overigens niet het enige land dat tot na de Tweede Wereldoorlog wachtte om vrouwen algemeen stemrecht toe te kennen: Italië (1945) en Frankrijk (1946) kwamen ook pas laat tot dat besluit. Griekenland volgde pas in 1952. Niet toevallig landen waar de kerk een invloedrijke positie had in het maatschappelijke en politieke leven. Nochtans waren onze zuiderburen voorlopers geweest in democratische opvattingen door al in 1848 stemrecht toe te kennen aan alle mannelijke inwoners. Met uitzondering van Duitsland (1869), Spanje (1869) en Griekenland (1877) duurde het in alle andere westerse landen tot de eeuwwisseling (1893 voor België en 1897 voor Noorwegen) of zelfs tot na de Eerste Wereldoorlog (Ierland, Luxemburg, Nederland, het Verenigd Koninkrijk, Zwitserland) vooraleer het algemeen stemrecht toegekend werd.

Van alle West-Europese landen wachtte Zwitserland het langst om vrouwen dezelfde electorale rechten te geven als mannen: pas in 1971 kregen de vrouwen in álle kantons het recht om aan de federale verkiezingen deel te nemen.[12]

Maar uiteraard gaat de discussie van wie wel en wie niet stemgerechtigd is veel verder dan de discussie die louter op geslachtskenmerken gevoerd wordt. Denk maar aan het hoogoplopende debat (begin 2002 in de Belgische Senaat en in januari-februari 2004 ook in de Kamer van Volksvertegenwoordigers) bij de bespreking van het voorstel om niet-EU-burgers die langer dan vijf jaar in België wonen, stemrecht te verlenen bij gemeenteraadsverkiezingen. In Nederland hebben niet-EU-burgers al sinds 1985 stemrecht bij de gemeenteraadsverkiezingen en dit systeem werd in de lente van 2004 ook in België goedgekeurd, onder impuls van de linkse politieke partijen (sociaaldemocraten en groenen) en de Franstalige liberalen van de *Mouvement Réformateur* (MR).

Uiteindelijk hebben slechts 5967 niet-EU-burgers (of 9,7 % van het totale aantal vreemdelingen dat hiertoe de kans kreeg) gebruikgemaakt van hun stemrecht bij de gemeenteraadsverkiezingen van 8 oktober 2006. Dit povere resultaat stelt ten eerste de vraag of alle commotie tijdens het parlementaire debat wel nodig was. Vooral bij de Vlaamse liberalen was er sterk verzet tegen de toekenning van dat stemrecht, omdat sommigen in die partij vreesden dat de linkse partijen (socialisten en ecologisten) er voordeel zouden uit halen. Het leidt weinig twijfel dat deze 5967 personen niet of nauwelijks op de verkiezingsuitslag gewogen hebben. Maar tegelijk stelt deze vaststelling ten tweede ook de vraag of het dan wel zo nodig is om dat stemrecht in te voeren, als minder dan 10 % van de doelgroep er effectief gebruik van maakt? Overigens is de vergelijking met de toekenning van het vrouwenstemrecht in 1948 opvallend: 56 jaar later werd de discussie opnieuw gevoerd in termen van mogelijke winst en verlies voor een van de (andere) partijen.

Het stemrecht voor niet-EU-burgers geldt overigens enkel voor de gemeenteraadsverkiezingen, niet voor de provincieraadsverkiezingen of de parlementsverkiezingen. Daarmee verzeilen de niet-EU-burgers in nagenoeg dezelfde situatie als de EU-burgers. Deze laatste categorie bezit sinds de goedkeuring van het Verdrag van Maastricht (1991) stemrecht voor de gemeenteraads- en de Europese verkiezingen, maar niet voor de provincieraadsverkiezingen of de parlementsverkiezingen. Daarbij zijn ze wel onderhevig aan de kieswetgeving van het land waarin ze hun stem uitbrengen en kunnen ze zich bijvoorbeeld niet op hun nationaliteit beroepen om daaraan te ontkomen. Dit heeft een aantal consequenties. In België geldt er geen automatische stemplicht voor EU-burgers ouder dan achttien jaar die

---

12. Op het niveau van de deelstaten (kantons), moesten vrouwen vaak nog langer wachten op stemrecht. Zie bijvoorbeeld het kanton Appenzell Innerrhoden, dat pas in 1990 (!) stemrecht verleende aan vrouwen.

in ons land wonen. Zij ontvangen enkele maanden voor de verkiezingen een uitnodiging om zich vrijwillig als kiezer te laten registreren. Wanneer ze daarop ingaan en zich laten registreren, vallen ze echter geheel onder de Belgische wetgeving en zijn ze net zoals de Belgische stemgerechtigden verplicht om zich op de dag van de verkiezingen aan te melden bij het stembureau. Dat leidt soms tot misverstanden bij deze geregistreerde EU-burgers, die veroordeeld kunnen worden wanneer ze finaal toch niet aan de verkiezingen deelnemen. In 2009 lieten 68 248 niet-Belgische EU-burgers zich registreren om aan de Europese verkiezingen van 7 juni 2009 deel te nemen. Dit is amper 10,69 % van het potentiële aantal (*De Standaard*, 8 april 2009). Net zoals bij de niet-EU-burgers was er bij de niet-Belgische EU-burgers dus weinig animo om te gaan stemmen.

IV. Waarom verkiezingen bestuderen?

Politicologen worden vaak geconfronteerd met de vraag waarom ze zoveel aandacht besteden aan het bestuderen van kiesstelsels. De bovenstaande opsomming heeft evenwel al duidelijk gemaakt dat er grote verschillen zijn in de wijze waarop verkiezingen verlopen en de wijze waarop ze de politieke verhoudingen in een democratie bepalen. De democratie wordt met andere woorden in veel verschillende spelregels omgezet. Of anders geformuleerd: kiesstelsels doen democratieën van elkaar verschillen.

Eigenlijk zijn er drie redenen waarom het belangrijk is om ons met verkiezingen en kiesstelsels in te laten (Farrell, 2011, pp. 1-3). Ten eerste is er in de wereld een toenemend aantal onderzoekers dat zich ermee bezighoudt. Dus kan men op zijn minst vaststellen dat dit feit alleen al een teken is van de belangrijkheid van dit studiedomein, temeer omdat dit eigenlijk een vrij recente trend is. Tot het midden van de jaren tachtig was de interesse voor de studie van kiesstelsels en hun effect op de verkiezingsuitslag vrij beperkt. Aan de basis daarvan lag het schitterende werk van de Amerikaan Douglas Rae *The Political Consequences of Electoral Laws* (1967). Het boek had lange tijd de status van 'bijbel' voor onderzoekers van de kiesstelsels en er was weinig of geen nood om dit boek aan te vullen of aan te vallen. Daarin kwam verandering toen vanaf de jaren zeventig duidelijk werd dat de keuze van het gehanteerde kiesstelsel ook grote politieke consequenties kon hebben.

Inderdaad, als tweede reden is de studie van kiesstelsels bijzonder interessant geworden vanuit politiek oogpunt. Een eerste opleving kwam er onder invloed van de democratiseringsgolf in het Middellandse Zeegebied in de jaren zeventig en tachtig. Nog niet zo heel erg lang geleden leefden de Portugezen onder Antonio Salazar en Marcelo Caetano (tot de Anjerrevolutie van april 1974), de Grieken onder het regime van de kolonels (van 1967 tot 1974) en de Spanjaarden onder generaal Franco (van 1939 tot 1975) onder een dictatoriaal regime. Stuk voor stuk werden deze staten in een korte tijd-spanne omgevormd tot moderne democratieën, met open en vrije verkiezin-gen. Bijgevolg moesten ze een kiesstelsel kiezen, implementeren en waar nodig bijsturen of amenderen. Het waren in feite *test cases* waar elke onder-zoeker van kiesstelsels alleen maar kan van dromen.

Anderhalf decennium later, in 1989, waren er de verrassende omwentelin-gen in Centraal- en Oost-Europa en de staten van de voormalige Sovjet-Unie. Ook hier rees de vraag welk verkiezingssysteem men zou invoeren. Dat was, gezien de sterke etnische verscheidenheid van de populaties, geen lichtvaardige zaak. Kiezen voor een proportioneel stelsel betekende dat een groot aantal etnische minderheden vertegenwoordigd zou zijn in het parle-ment, ook al werden ze officieel niet erkend of hadden ze minder rechten dan de autochtone bevolking. Bovendien zou een dergelijk stelsel leiden tot een versnippering van kleine partijtjes in het parlement. Een meerderheids-stelsel, daarentegen, zou wel leiden tot een slagvaardiger beleid, maar zou aanleiding kunnen geven tot een opstand van de etnische minderheden. Uiteindelijk opteerde geen enkele van de nieuwe staten ervoor om het Britse meerderheidssysteem te kopiëren. Een aantal landen opteerde voor variaties op het Franse semipresidentiële stelsel (Bulgarije, Litouwen, Macedonië, Roemenië, Slovenië), terwijl andere een strikt parlementair stelsel adopteer-den (bijvoorbeeld Hongarije, Letland en Slowakije), al dan niet met zeer uit-gebreide bevoegdheden voor de eerste minister, zoals dat in Hongarije het geval is (Agh, 2008).[13]

Maar ook recentelijk werden in een aantal belangrijke westerse landen dras-tische kieswethervormingen doorgevoerd. Zo schakelden Italië en Nieuw-Zeeland, na een referendum uit 1993, in 1996 over op het gemengde kies-stelsel. Twee jaar eerder, in 1994, had Japan een variant van het gemengde stelsel (het zogenaamde parallelle stelsel) ingevoerd. Deze gemengde stel-sels bevatten zowel elementen van een meerderheidsstelsel als van een pro-portioneel stelsel. Het is niet onbelangrijk om stil te staan bij de redeneringen achter deze hervormingen. In Italië, bijvoorbeeld, was het manifest de bedoeling om met dit nieuwe stelsel de versnippering van het Italiaanse partijlandschap tegen te gaan. In de jaren zeventig en tachtig vie-len Italiaanse regeringen namelijk gemakkelijk ten prooi aan de profile-ringsdrang van de kleinere partijtjes die hun positie 'op de wip' probeerden te verzilveren. Dankzij het nieuwe systeem kwam er opnieuw rust en stabi-liteit in het Italiaanse partijlandschap, omdat de grote partijen in het nieuwe stelsel bevoordeeld worden.

---

13. Onder politicologen woeden er geanimeerde debatten over de exacte indeling van de politieke stelsels in deze Centraal- en Oost-Europese landen. Een overzicht van de verschillende (theoretische) classificaties vindt men bij Krouwel (2000).

Ondanks het feit dat een gemengd stelsel een grote aantrekkingskracht uit-oefent, wordt het soms ook verlaten. Zo veranderde de Russische president Poetin in de aanloop naar de verkiezingen van december 2007 het kiesstel-sel van een parallel stelsel (dat grote gelijkenissen toont met het hierboven beschreven gemengde stelsel) naar een proportioneel stelsel. Ook in Italië zag men vanaf 2005 af van het gemengde stelsel. Men keerde terug naar het proportioneel stelsel maar met bonussen voor de winnende partijen. Bij elk van deze wijzigingen mag men ervan uitgaan dat de partij/partijen die er de meerderheid voor levert/leveren, uitgaat/uitgaan van een prognose van zetelwinst. Op die manier is geen enkele kieswetwijziging los te denken van partijpolitieke berekeningen van zetelwinst.

Overigens stellen we niet alleen tussen landen onderling, maar ook binnen één en hetzelfde land grote verschillen vast. De vergelijkende studie van alle stelsels is ook in dat opzicht bijzonder interessant. Waarom, bijvoorbeeld, wordt in Vlaanderen bij de gemeenteraadsverkiezingen een kiesdeler (Imperiali) gebruikt die de grootste partij bevoordeelt, terwijl die kiesdeler niet gebruikt wordt voor de berekening van de zetelverdeling bij de regio-nale en de federale verkiezingen en zelfs niet bij de provinciale verkiezingen die op dezelfde dag als de gemeenteraadsverkiezingen worden georgani-seerd? De vzw De Wakkere Burger rekende uit dat CD&V in de legislatuur 2000-2006 liefst 177 gemeenteraadszetels minder zou hebben geteld indien het verkiezingsresultaat niet door Imperiali maar door de meer gangbare kiesdeler D'Hondt was gedeeld (*De Standaard*, 5 september 2006).

Verkiezingsregels zijn bovendien geen statisch gegeven. Denk bij ons aan de invoering van de nieuwe provinciale kieskringen bij de verkiezingen van 2003 en 2004. Velen vreesden dat het een effect zou hebben op de toekomst van de kandidaten uit de kleinere gemeenten. Zij zouden moeten opboksen tegen de grote stemmenkanonnen uit de steden. Onderzoek heeft intussen uitgewezen dat die vrees maar ten dele gerechtvaardigd was: het was niet zo dat de hele lijst door de stedelingen werd opgevuld. Maar die stedelingen geraakten wel gemakkelijker verkozen, dankzij hun groter aantal voorkeur-stemmen en een betere plaats op de kieslijst (Wauters, Noppe & Fiers, 2003).

Ook in andere landen steekt het debat over een eventuele wijziging van het kiessysteem met de regelmaat van de klok de kop op. Men kan hierbij ver-wijzen naar Frankrijk, waar enkele jaren geleden het zevenjarige president-sambt (*le septénnat*) teruggebracht werd tot vijf jaar (*le quinquennat*) en waar president Sarkozy net na zijn verkiezing in de zomer van 2007 het debat heropende om de Vijfde Franse Republiek, met een semipresidentieel stel-sel, om te vormen tot een Zesde Republiek, geschoeid op een zuiver presi-dentiële leest. Of men kan verwijzen naar Nederland, waar de Haagse gesprekken in 2005 gedomineerd werden door de vraag of en hoe men het kiesstelsel moest hervormen. Nederland had net de nare verkiezingen van mei 2002 (overheerst door de moord op de populistische politicus Pim Fortuyn en het immense succes van zijn volstrekt nieuwe partij Lijst Pim Fortuyn) en de snelle herstelverkiezingen van januari 2003 achter de rug. 'Den Haag stond te ver af van de gewone Nederlander', zo werd door velen beweerd, en dus kwamen de Nederlandse politicologen aankloppen bij hun Belgische collega's voor meer informatie over de particulariteiten van ons kiessysteem (Lucardie, Marchand & Voerman, 2006). Ten slotte is er het Verenigd Koninkrijk, waar de discussie over de invoering van een proportioneel kiesstelsel al zo oud als de straatstenen is, maar tot nog toe niet gerealiseerd werd.

Overigens mogen we niet vergeten dat de rationaliteit die we soms menen te ontwaren in de keuze van het kiesstelsel, niet wegneemt dat de meeste kiesstelsels op basis van een toevalligheid tot stand zijn gekomen. Vele andere berusten op 'tradities' eerder dan op een weloverwogen keuze. De conclusie is in elk geval dat wijzigingen aan kiesstelsels veel frequenter voorkomen dan we denken. Daarom alleen al genieten ze het recht om grondig bestudeerd te worden.

Ten derde is de studie van de kiesstelsels belangrijk, omdat de kiesstelsels zelf erg belangrijk zijn *tout court*. Het kiesstelsel bepaalt immers hoe onze democratie functioneert, hoe de verhoudingen tussen de wetgevende macht (het parlement) en de regering verlopen, hoe bepaald wordt wie de verkiezingen wint en wie ze verliest. Dat dit vaak verregaande consequenties heeft, zowel voor de carrières van individuele politici als voor de (internationale) politiek van een bepaald land, hoeft nauwelijks betoog. Vraag het maar aan de democratische presidentskandidaat Al Gore in 2000, toen hij wel de meeste stemmen van de kiezers achter zijn naam kreeg (dit is de zogenaamde *popular vote*), maar toch niet verkozen werd. George W. Bush had immers de steun van de meeste *kiesmannen* uit de vijftig staten waaruit de Verenigde Staten zijn opgebouwd. Aangezien het Amerikaanse kiesstelsel enkel rekening houdt met het aantal kiesmannen en niet met de *popular vote*, werd George W. Bush verkozen en niet de persoon die de meeste stemmen van de bevolking achter zijn naam kreeg. De invloed die deze verkiezing heeft gehad op de Amerikaanse én de wereldpolitiek is intussen wel duidelijk gebleken.

V.   Functies van kiesstelsels

Aangezien we reeds meermaals verklaard hebben dat kiesstelsels erg belangrijk zijn omdat zij de werking van de democratie bepalen, stelt zich de vraag waaraan een 'goed' kiesstelsel moet voldoen. Het vastleggen van het kiesstelsel dat gebruikt zal worden bij de verkiezingen, is wellicht de belangrijkste institutionele beslissing die er genomen moet worden (Reynolds, Reilly & Ellis, 2005). Kijk maar naar de thema's die onderzocht worden in de zuivere politicologie. Bijna allemaal zijn ze gelieerd aan het kiesstelsel: de verkiezingen en de notie van 'vertegenwoordiging', de 'macht' van partijen en partijsystemen, de formatie van de regering, de dynamiek van de coalitie, de wijze waarop de regering verantwoording aflegt aan het parlement en dus aan de bevolking … Dit hoeft niet te verwonderen, omdat het, afhankelijk van de wijze waarop het kiesstelsel is uitgewerkt, al dan niet lastiger is voor een partij om een zetel te winnen, om in het parlement verkozen te worden, om op haar eentje of in een coalitie de regering te vormen etc. Kortom, de wijze waarop het kiesstelsel is uitgetekend of *'ge-engineerd'* (Norris, 2004) heeft heel wat invloed op de werking van de politieke stelsels.

Meteen schuilen hierin ook onze verwachtingen ten aanzien van dergelijke kiesstelsels. We onderscheiden vier functies waaraan die stelsels moeten tegemoetkomen. Ten eerste moeten kiesstelsels voorzien in een voldoende *legitimiteit van het politieke systeem.* Uit een gecontesteerde electorale uitslag volgen immers heel wat problemen voor de werking van het politieke systeem. Dat dit niet alleen het geval is in landen waar er bezwaarlijk van een échte democratie sprake kan zijn (de Democratische Republiek Congo en het Zimbabwe van president Robert Mugabe, om maar enkele voorbeelden te noemen), bewees de aanvechting van de nipte verkiezingsoverwinning van de Italiaanse linkse kandidaat voor het eersteministerschap Romano Prodi in 2006 door zijn rechtse tegenkandidaat Silvio Berlusconi. Doordat Prodi slechts over een kleine meerderheid in de Senaat beschikte en Berlusconi langdurig met een agressieve politiek inwerkte op de kleine partijtjes die Prodi in het zadel hielden, was Prodi nauwelijks in staat om een consistent beleid te voeren. De regering kwam snel ten val en er werden nieuwe parlementsverkiezingen uitgeschreven in april 2008. Nochtans is het in de meeste landen niet moeilijk om de kieswetgeving te veranderen. Vaak volstaat een gewone meerderheid om een wijziging door te voeren en wordt geen tweederdemeerderheid vereist. Ook bij de meest recente hervormingen van de Belgische kieswetgeving in 2002 was dat het geval. In Frankrijk volstond in 1986 een gewone meerderheid voor president François Mitterrand (*Parti Socialiste*) om zijn oude belofte uit 1981 aan de communisten na te komen en het meerderheidsstelsel te vervangen door een proportioneel stelsel. De hervorming werd zwaar gecontesteerd omdat Mitterrand twee vliegen in één klap probeerde te slaan. De communistische fractie in het parlement werd gevoelig groter, terwijl de voorspelde overwinning van het gematigde rechtse kamp, door de intrede van 35 *Front National*-verkozenen, kleiner was dan voorspeld. Toch verloor het linkse kamp haar meerderheid en werd Mitterrand verplicht om de laatste twee jaar van zijn eerste presidentsmandaat samen te werken met een rechtse meerderheid onder leiding van premier Jacques Chirac (de zogenaamde *cohabitation conflictuelle*).

Ten tweede moet het kiesstelsel tegemoetkomen aan de wensen en verzuchtingen van het electoraat. Het moet met andere woorden op een adequate manier *de wil van het volk* vertalen in de verdeling van het aantal zetels. Een kiesstelsel verliest veel legitimiteit wanneer een aanzienlijk stemmenverlies voor een bepaalde partij niet resulteert in een even aanzienlijk verlies aan zetels in het parlementaire halfrond. Dit is overigens een van de euvels waarmee het Britse politieke stelsel te maken heeft en waarop we verder in dit boek zullen terugkomen. De *swing of the votes* moet in het Verenigd Koninkrijk immers al erg groot zijn alvorens een partij van de macht verdreven kan worden. Zo verloor de Labourpartij van eerste minister Tony Blair in 2001 ruim een vijfde van haar kiezers ten opzichte van 1997 (2,8 miljoen in absolute aantallen), maar ging ze er maar zes zetels op achteruit (van 418 naar 412). Vooral de derde Britse partij, de *Liberal Democrats* (Lib-Dem), dringt er al jaren op aan om het stelsel om te vormen tot een proportioneel stelsel. De *Conservatives*, sinds 2010 haar coalitiepartner in de regering van David Cameron, heeft ze daar nog niet van kunnen overtuigen.

Ten derde moet het kiesstelsel ook leiden tot de verkiezing van competente vertegenwoordigers. Geen enkel politiek stelsel is immers gediend met de verkiezing van vertegenwoordigers die enkel op basis van hun populariteit worden verkozen maar inhoudelijk niet veel te bieden hebben. Ten slotte moet het kiesstelsel leiden tot de vorming van een sterke en stabiele regering. In dit opzicht is het interessant te verwijzen naar het Nederlandse experiment in oktober 2010, met een minderheidskabinet dat 'gedoogd' werd vanuit de oppositie door Geert Wilders' Partij van de Vrijheid (PVV). Vele waarnemers waren sceptisch gestemd over de kansen op succes van dat kabinet onder leiding van Mark Rutte, en de stabiliteit van de nieuwe formule. Anderhalf jaar later en na een erg hobbelig parcours, viel de regering in april 2012. Ook bij andere verkiezingen in 2010, onder meer in België, het Verenigd Koninkrijk en Zweden waren niet alle voorwaarden vervuld om meteen na de verkiezingen al over te gaan tot de vorming van een nieuwe stabiele regering. In de meeste landen verloopt de weg naar de regering via het parlement. Er vinden namelijk geen rechtstreekse verkiezingen van de premier of de ministers plaats. Ook de regeringsleden worden doorgaans eerst in het parlement verkozen. In de Europese traditie heeft slechts een minderheid van de ministers geen parlementair mandaat op het ogenblik dat de regering samengesteld wordt (Dowding & Dumont, 2009). Deze functie van het kiesstelsel heeft met andere woorden verstrekkende gevolgen voor de werking van álle democratische instellingen van een politiek bestel, niet louter voor de goede werking van het parlement. Voor politieke partijen in lijstproportionele stelsels, waarbij er meerdere kandidaten per partij verkozen kunnen worden, is het zoeken naar een goede mix van competente én populaire kandidaten vaak een moeilijke evenwichtsoefening. Politici die beide kwaliteiten verenigen, zijn immers maar dun gezaaid.

Deze vier regels zijn zonder twijfel de belangrijkste elementen waarmee *electoral engineers* rekening moeten houden bij het uittekenen van een kiesstelsel. Omdat elk kiesstelsel in een andere setting opereert (denk aan het aantal partijen, de verhouding tussen uitvoerende en wetgevende macht ?), zijn er geen twee systemen die volledig aan elkaar gelijk zijn. Bovendien bestaat er een wisselwerking tussen kiesstelsel en het politieke systeem. Beiden beïnvloeden elkaar. Zo sluit de 'cultuur' of de 'traditie' van een politiek systeem bepaalde aanpassingen aan het kiesstelsel uit. In België bijvoorbeeld is het nagenoeg ondenkbaar dat er voldoende steun zou gevonden worden om het meerderheidsstelsel in te voeren. Sommige partijen zouden daar nochtans hun voordeel mee doen. Dat die partijen zelf zo geen hervorming van het kiessysteem voorstellen, spreekt boekdelen. Aanpassingen van het kiesstelsel blijven doorgaans beperkt tot wijzigingen van een aantal aspecten of regels binnen het bestaande kiesstelsel.

In de volgende hoofdstukken gaan we dieper in op de specificiteiten van elk van de kiesstelsels, en de vele soorten spelregels van de democratie. In het eerste hoofdstuk geven we een algemeen overzicht van de soorten kiesstelsels. Nadien worden deze kiesstelsels per hoofdstuk afzonderlijk en grondig geanalyseerd. Daarbij gaat veel aandacht naar de politieke systemen in België, Nederland, het Verenigd Koninkrijk, Frankrijk, Duitsland en het Europees Parlement. Twee thematische hoofdstukken, waarvan een over de toenemende presidentialisering, sluiten het boek af.

Hoofdstuk 1

CLASSIFICATIE VAN KIESSTELSELS

I. Inleiding

In de vorige alinea's hebben we erop gewezen dat er talrijke verschillen bestaan tussen de kiesstelsels en dat de manier waarop *electoral engineering* daar een invloed op kan uitoefenen, varieert. In de volgende alinea's behandelen we op een meer systematische manier de wijze waarop kiesstelsels kunnen worden onderverdeeld. Daarbij is het doorslaggevende element de wijze waarop men bij het uittekenen van het kiesstelsel al meteen de verkiezingsuitslag én de politieke verhoudingen tussen partijen, parlement en regering kan bepalen, of – negatiever uitgedrukt – vertekenen. De klassieke indelingen maken gewag van proportionele en niet-proportionele stelsels. Maar binnen deze grote categorieën bestaan nog heel wat variaties, waardoor het op het einde van dit hoofdstuk duidelijk wordt dat geen twee proportionele stelsels aan elkaar gelijk zijn en er geen twee niet-proportionele stelsels zijn die dezelfde effecten op het partijenlandschap en de verhouding parlement-regering genereren.

Om enige orde te brengen in de veelheid van kiesstelsels, worden ze doorgaans geklasseerd op basis van de uitkomst die ze bieden. Dan gaat het om de vraag in hoeverre de kiesstelsels erin slagen om de stemuitslag zo getrouw mogelijk om te zetten in een gelijkaardige verdeling van het aantal zetels. Men spreekt van een *proportioneel stelsel* naarmate er grote overeenstemming bestaat tussen de verdeling van de stemmen en de verdeling van de zetels. Zo bijvoorbeeld behaalde de Partij voor de Vrijheid (PVV) van Geert Wilders bij de Tweede Kamerverkiezingen van 2012 10,08 % van de stemmen en exact 10 % van de zetels. Dit stelsel wordt dus gekenmerkt door een hoge graad van proportionaliteit. Een ander voorbeeld van een proportioneel systeem is het Belgische kiesstelsel. Doordat alle partijen enkel in een van beide landsgedeeltes opkomen en er daarenboven tot in 2003 geen kiesdrempel was in België, maakt een groot aantal partijen kans om een zitje in het parlement te veroveren. Op die manier worden zo goed als alle ideologische stromingen onder de bevolking vertegenwoordigd in het parlement, maar is ons parlement ook erg versnipperd.

Niet-proportionele kiesstelsels, daarentegen, zoeken niet naar de grootst mogelijke overeenkomst tussen de stemuitslag en de zetelverdeling. Het zijn stelsels waarin een paar 'sterke' partijen bevoordeeld worden, en kleine partijen benadeeld. Deze stelsels hebben als voordeel dat ze doorgaans tot een slagkrachtigere regering leiden, want deze kan dankzij de bonus die het stelsel aan grote partijen geeft, bogen op een comfortabele meerderheid in het parlement. Een uitgesproken voorbeeld van een niet-proportioneel stelsel is het (relatieve) meerderheidsstelsel in twee ronden dat in 2000 in Mongolië werd gebruikt. Kandidaten moesten er slechts 25 % van de stemmen behalen in een bepaald kiesdistrict om verkozen te zijn. Met 'slechts' 52 % van de uitgebrachte stemmen slaagde de Mongoolse Revolutionaire Volkspartij erin om 72 van de in totaal 76 zetels in de wacht te slepen. Een ander voorbeeld komt uit Djibouti, waar een *Party Bloc Vote* wordt gebruikt. In 2003 gingen alle 65 zetels naar het *Rassemblement Populaire pour le Progrès*, terwijl die partij maar 62,7 % van de stemmen behaalde (Reynolds, Reilly & Ellis, 2005, p. 27).

Je mag deze indeling in proportionele en niet-proportionele kiesstelsels echter niet al te strikt zien. Heel af en toe kunnen ook niet-proportionele systemen leiden tot een vrij proportionele verdeling van de zetels, terwijl anderzijds ook proportionele systemen soms aanleiding geven tot erg disproportionele verdelingen. Dat laatste heeft evenwel vaker te maken met extra regels die opgelegd worden en die het proportionele karakter van het kiesstelsel tenietdoen. Zo kunnen we verwijzen naar Turkije, waar in 2002 wel een proportioneel systeem werd toegepast (met name een lijstproportioneel systeem), maar waar een kiesdrempel van 10 % ervoor zorgde dat 46 % van de uitgebrachte stemmen niet vertegenwoordigd was in het parlement. Wanneer bijna de helft van de uitgebrachte stemmen niet in rekening gebracht wordt, kan men dan nog van een proportioneel stelsel spreken? Uiteraard hadden deze maatregelen te maken met een dubbele politieke reden: door die hoge kiesdrempel verhinderde de Turkse overheid een versnippering van het partijpolitieke landschap in het parlement en bovendien geraakte er op die manier geen enkele Koerdische partij in het parlement.[14]

II. Drie categorieën kiesstelsels

Het onderscheid tussen proportionele en niet-proportionele kiesstelsels zoals hierboven beschreven, is gebaseerd op de zogenaamde *electorale formule*. Deze electorale formule bepaalt de wijze waarop stemmen omgezet

---

14. Bij de verkiezingen van 22 juli 2007 bedroeg het aantal 'verloren' stemmen slechts 12,99 %, mede dankzij de Demokratik Toplum Partisi (DTP), die ervoor opteerde om al haar kandidaten als 'onafhankelijke' kandidaten te presenteren. De kiesdrempel geldt immers enkel voor politieke partijen, niet voor onafhankelijke kandidaten. De DTP slaagde er zo in om, ondanks een score van 5,41 %, toch 26 Koerdische vertegenwoordigers in het Turkse parlement te brengen. Bij de verkiezingen van 12 juni 2011 gebeurde hetzelfde. Koerdische 'onafhankelijke' kandidaten behaalden toen 36 zetels op basis van 6,5 % van de stemmen (Bakan & Gney, 2012).

worden in zetels. Naast de reeds vermelde *proportionele* stelsels en de niet-proportionele stelsels of *meerderheidsstelsels* kunnen we doorgaans een derde categorie onderscheiden, de zogenaamde *gemengde stelsels*. Onder politicologen is er evenwel geen volledige consensus over de plaats waar deze laatste categorie thuishoort: als een aparte categorie of als onderverdeling van de *proportionele stelsels*? Sommige auteurs, zoals de invloedrijke Amerikaanse politicoloog Richard Katz (1984), maken daarenboven nog gewag van een vierde categorie, met name de *semiproportionele systemen*, waaronder hij het STV-stelsel (*Single Transferable Vote*) rekent. Voor dit boek volgen we echter de algemeen geldende indeling in drie hoofdcategorieën en rekenen we, zoals de meerderheid van de politicologen, het STV-stelsel als een van de proportionele stelsels (zie figuur 1).

Figuur 1: Categorieën van kiesstelsels

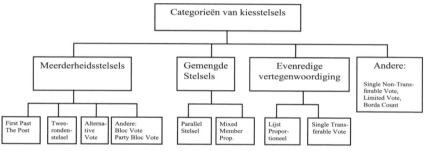

Bron: Reynolds, Reilly & Ellis, 2005, p. 28.

1. Meerderheidsstelsels

De eerste categorie die we bespreken zijn de meerderheidsstelsels. We onderscheiden daarin vijf varianten. De eenvoudigste is het *First Past The Post*-systeem (FPTP), wat wij in het Nederlands vertalen als het *relatieve meerderheidssysteem*. Het typevoorbeeld bij uitstek is het Verenigd Koninkrijk. In dit systeem komt er in elk kiesdistrict maar één kandidaat per partij op en degene met de meeste stemmen wint de zetel (zonder dat hij of zij daarom 50 % plus één stem van de uitgebrachte stemmen behaald moet hebben). In het Nederlands spreken we daarom ook wel van het *eennamig meerderheidsstelsel met relatieve meerderheid*. Dit stelsel is bijzonder disproportioneel, omdat het voor kleine partijen bijzonder moeilijk is om een parlementszetel te winnen.

Er bestaat een variant van dit stelsel, waarbij er niet één, maar meerdere kandidaten per kiesdistrict te verkiezen zijn. Dan spreken we van een *Bloc Vote*-systeem (geen Nederlandse vertaling voorhanden). Dit stelsel is niet erg populair: het wordt wereldwijd maar in een vijftiental landen gebruikt. Nochtans is het doorgaans minder disproportioneel dan het FPTP-stelsel.

Kiezers krijgen in dit stelsel zoveel stemmen als er zetels te verdelen zijn en de hoogst scorende kandidaten krijgen een zetel, ongeacht de precieze score die ze behaalden (dus geen vereiste om 50 % plus één stem van de stemmen te behalen). Het stelsel is enkel minder disproportioneel dan het FPTP-stelsel wanneer voldoende kiezers hun stemmen spreiden over de kandidaten van verschillende partijen. Doen ze dat niet, en gebruiken alle kiezers elk van hun stemmen voor één partij, dan zal het stelsel nog meer disproportioneel werken dan het FPTP-stelsel (Maddens, 2006).

Wanneer kiezers niet voor individuele kandidaten kunnen stemmen, maar wel voor één lijst per partij met daarop de namen van evenveel kandidaten als er zetels te verdelen zijn, dan spreken we van de *Party Bloc Vote*. Het komt er dus op neer dat in deze kiesdistricten met meerdere kandidaten de kiezers hun (enige!) stem geven aan een partij en niet aan individuele kandidaten. De partij die de meeste stemmen behaalt in een kiesdistrict, krijgt meteen ook alle zetels die er in dat kiesdistrict te verdelen zijn. In het – theoretische – meest extreme geval waarbij het hele land ingedeeld zou zijn in slechts één kiesdistrict, betekent dit dus dat één partij meteen alle zetels in het parlement zou behalen. In dit stelsel kan de kiezer zijn of haar stem immers niet spreiden over meerdere partijen. Het *Party Bloc Vote*-stelsel komt evenwel niet vaak voor. Anno 2004 waren er slechts vier landen die dit stelsel gebruikten: Tsjaad, Kameroen, Djibouti en Singapore (Reynolds, Reilly & Ellis, 2005, p. 47). Beide laatste stelsels (*Bloc Vote* en *Party Bloc Vote*) hebben geen aparte naam in het Nederlands. We groeperen ze allebei onder de term *meernamige meerderheidsstelsels met relatieve meerderheid*.

Naast deze *plurality systems*, waar een *relatieve meerderheid* al voldoende is om een zetel te winnen, zijn er ook een aantal systemen waar men zeker wil zijn dat de winnaar een *absolute meerderheid* (of *majority*) van het kiesdistrict achter zijn of haar naam krijgt. De absolute meerderheid betekent dat een partij (in meernamige kiesstelsels) of een kandidaat (in eennamige stelsels) minstens 50 % plus één stem van de geldig uitgebrachte stemmen behaalt. Een dergelijke absolute meerderheid is niet eenvoudig te verkrijgen in één ronde, zeker niet wanneer er meerdere kandidaten aan de verkiezingen deelnemen. Immers, hoe meer kandidaten, hoe meer versnippering van de stemmen en hoe moeilijker het is om de grens van 50 % plus één stem te bereiken. Daarom maakt men zowel bij het *absolutemeerderheidsstelsel* (dit is het zogenaamde *Two Round System*) als bij het stelsel van de *Alternative Vote* gebruik van de kiezers' tweede keuze om een winnaar aan te duiden indien niemand in de eerste ronde een absolute meerderheid heeft behaald.

Bij het tweerondenstelsel wordt een heuse tweede ronde georganiseerd wanneer geen van de kandidaten in de eerste ronde de absolute meerderheid behaalt. Meestal worden alleen de twee best scorende kandidaten uit de eerste ronde tot de tweede ronde toegelaten, omdat een race tussen twee kandidaten automatisch tot een absolute meerderheid voor een van beide leidt in die tweede ronde (tenzij bij een exacte *ex aequo*, uiteraard, maar dat is een vrijwel volstrekt hypothetische situatie). In het systeem van de Franse parlementsverkiezingen, daarentegen, worden soms meer dan twee kandidaten toegelaten, waardoor je er zelfs in de tweede ronde niet zeker van bent dat een van de kandidaten een absolute meerderheid behaalt. Daarom volstaat voor de Franse parlementsverkiezingen een relatieve meerderheid in de tweede ronde om de zetel in de wacht te slepen en is het dus geen zuiver absolutemeerderheidsstelsel.

Het stelsel van de *Alternative Vote*, daarentegen, is wél een zuiver absolute-meerderheidsstelsel. Het is een preferentieel systeem, waarbij de kiezer in de eerste en enige ronde de kandidaten moet ordenen volgens zijn voorkeur. Wanneer niemand van de kandidaten de absolute meerderheid van de stemmen behaalt op basis van de eerste voorkeur van de kiezers, dan wordt de kandidaat met de laagste score geëlimineerd. De 'tweede' keuzes van die geëlimineerde kandidaat worden dan opgeteld bij de resultaten van de 'eerste voorkeur' van de overblijvende kandidaten. Dit gaat zo verder tot een van de kandidaten de absolute meerderheid behaalt. Op die manier wordt er dus een virtuele tweede, derde ... ronde gehouden zonder dat de kiezers nog eens naar de stembus moeten komen. Het is alsof de kiezer zegt: ik wil eigenlijk kandidaat X in het parlement, maar als X de minste stemmen heeft, en dus afvalt, dan wil ik dat mijn stem vervolgens naar kandidaat Y gaat enz.

De volledigheid gebiedt ons aan te geven dat beide stelsels (tweerondenstelsel en *Alternative Vote*) in principe ook georganiseerd kunnen worden in kieskringen met meer dan één zetel. Bij het tweerondensysteem betekent dat automatisch dat in de tweede ronde een relatieve meerderheid volstaat om de zetel binnen te halen (dit was onder meer van toepassing in België in de 19de eeuw), terwijl dat bij de *Alternative Vote* betekent dat men doorgaat met het verdelen van de stemmen tot een tweede, derde ... kandidaat ook de absolute meerderheid behaalt (Maddens, 2006, p. 6).

2. Proportionele stelsels

Een tweede 'familie' van kiesstelsels probeert zo zuiver mogelijk de verdeling van de stemmen om te zetten in zetels. De redenering is dat wanneer een partij 30 % van de stemmen heeft gekregen, ze ook recht heeft op ongeveer 30 % van de zetels, en wie maar 7 % van de stemmen heeft behaald, maar recht heeft op 7 % van de zetels. We maken het onderscheid tussen *lijstproportionele stelsels*, waarbij elke partij een lijst met meerdere kandidaten indient (meestal zoveel kandidaten als er zetels te verdelen zijn) voor elk kiesdistrict op nationaal of regionaal niveau, en het stelsel van de *Single Transferable Vote*.

Het eerste stelsel klinkt ongetwijfeld het meest vertrouwd in de oren. Het is namelijk het stelsel dat onder meer in België en Nederland wordt gehanteerd. Elke partij presenteert een lijst met meerdere kandidaten. In België presenteert elke partij evenveel kandidaten als er zetels in het kiesdistrict te verdelen zijn. In Nederland wordt dat aantal kandidaten bepaald op basis van de vorige verkiezingsuitslag, met een maximum van tachtig kandidaten. De kiezer kan dan de lijst of de kandidaat (in België: eventueel ook meerdere kandidaten) van zijn of haar voorkeur aanduiden. Omwille van het proportionele karakter zal een verkiezing in een lijstproportioneel stelsel steeds verlopen in meernamige kiesdistricten. Het is uitgesloten dat een partij met slechts één kandidaat naar de enige toe te wijzen zetel in elk kiesdistrict dingt, want dat is per definitie geen proportionele uitslag.

Ook het systeem van de *Single Transferable Vote* (STV) hanteert kiesdistricten met meerdere kandidaten, maar de kiezer kan, door een rangorde van zijn of haar favoriete kandidaten op te geven, de uitslag beïnvloeden. STV werd door de politicologen lange tijd als een van de meest attractieve kiesstelsels beschouwd, ook al maken er voor de nationale parlementsverkiezingen maar weinig landen gebruik van: Ierland sinds 1921, Malta sinds 1947, in Australië voor het Hogerhuis en één keer in Estland (1990).[15] Net zoals bij de *Alternative Vote* moeten kiezers in een STV-stelsel de kandidaten ordenen naar hun voorkeur en worden in de loop van het proces de stemmen van sommige kandidaten verdeeld over de scores van andere kandidaten. Alleen worden dit keer niet de stemmen van de laagst scorende kandidaat verdeeld, maar worden de *surplusstemmen* van de kandidaat die de bepaalde drempel om verkozen te zijn reeds behaald heeft, verspreid over de andere kandidaten die nog in de running zijn. Omdat het stelsel slechts in een beperkt aantal landen van toepassing is, zal het in het kader van dit boek niet verder aan bod komen.[16]

3. Gemengde stelsels

Een derde soort kiesstelsels verdient wel onze aandacht: de zogenaamde gemengde stelsels. Ze bevatten een combinatie van elementen uit proportionele systemen en elementen uit meerderheidsstelsels. We maken het onderscheid tussen *parallelle systemen* en *Mixed-Member Proportional Systems* (MMP). Het onderscheid zit hierin dat parallelle systemen beide elementen (proportioneel en meerderheidsstelsel) onafhankelijk van elkaar toepassen, terwijl *Mixed-Member Proportional Systems* het proportionele element aan-

---

15. STV wordt ook toegepast bij regionale verkiezingen in Australië, bij lokale en Europese verkiezingen in Noord-Ierland en bij lokale verkiezingen in Schotland en Nieuw-Zeeland (Farrell, 2011, pp. 120-121).
16. Voor meer informatie over het Ierse kiesstelsel: www.electionsireland.org.

wenden als een soort correctiefactor op de verdeling zoals ze eerst uit het element van het meerderheidsstelsel naar voren kwam. MMP-systemen leiden over het algemeen tot een proportioneler systeem dan de parallelle systemen, precies omdat het proportionele element er als een compensatie- of correctiefactor wordt aangewend. Duitsland gebruikt al sinds 1949 een *Mixed-Member Proportional System*, maar de gemengde systemen hebben vooral de voorbije twee decennia aan populariteit gewonnen. Talrijke Afrikaanse landen zijn op het stelsel overgeschakeld, evenals een aantal staten uit de vroegere Sovjet-Unie. Zo werden van december 1993 tot in december 2007 de 450 zetels in de Russische Doema verdeeld via een perfect parallel stelsel: 225 zetels werden verdeeld via een lijstproportioneel systeem en 225 zetels via het FPTP-stelsel. De verhouding tussen proportionele elementen en meerderheidselementen is evenwel niet altijd gelijk, zoals dat in Rusland het geval is. In het Italiaanse MMP-systeem, bijvoorbeeld, dat van 1993 tot 2005 van toepassing was, werd zowel de Kamer als de Senaat voor 75 % samengesteld volgens het meerderheidsstelsel en voor 25 % volgens het proportionele stelsel (D'Alimonte, 2005).

4. Andere stelsels

Voor de volledigheid sommen we ten vierde nog de restcategorie 'andere systemen' op. Het zijn kiesstelsels die niet echt onder een van de vorige hoofdingen gecatalogiseerd kunnen worden. In de eerste plaats is er de *Single Non-Transferable Vote* (SNTV). Dit stelsel wordt gekenmerkt door het feit dat er meerdere kandidaten zijn per kiesdistrict en kiezers slechts één stem kunnen uitbrengen op een kandidaat. De *Limited Vote* lijkt sterk op de SNTV, maar kiezers hebben er meerdere stemmen. Anders dan bij *Bloc Vote*-stelsels hebben ze evenwel minder stemmen dan er zetels te verdelen zijn. Ten slotte is er de *Borda Count*, die een voorkeurstemstelsel is, met zowel eennamige als meernamige kiesstelsels. De *Borda Count* (en dan nog in een gewijzigde vorm) wordt slechts in één land ter wereld aangewend, met name het kleine eiland Nauru in de Stille Zuidzee. Kiezers kunnen er, net zoals in het stelsel van de *Alternative Vote*, de kandidaten rangschikken naar hun eigen preferentie. In de gewijzigde vorm zoals ze in Nauru wordt aangewend, telt een eerste stem voor 1, een tweede stem voor de helft, een derde stem voor een derde enzovoort. Op het einde wordt de score van elke kandidaat opgeteld en wie de meeste stemmen behaalt, wordt uitgeroepen tot winnaar (in districten waar er maar één zetel toe te wijzen valt) of tot winnaars (in meernamige kiesdistricten) (Reynolds, Reilly & Ellis, 2005).

Omdat dit stelsel maar in één land wordt toegepast en de *Single Non-Transferable Vote* noch de *Limited Vote* frequent voorkomende stelsels zijn, zullen we ze niet verder behandelen in dit boek.

III. Variaties in de kiesstelsels

Nu de grote categorieën bekend zijn, begrijpen we al voor een groot stuk de variatie die we vaststellen in de ons omringende landen. Maar toch is daarmee nog niet alles duidelijk. Hoe verklaart men immers de verschillen die we vaststellen tussen bijvoorbeeld de Nederlandse en de Belgische politiek? Naast deze historische verklaringen hebben interne variaties veelal betrekking op drie elementen: de districtsgrootte, de structuur van de kiesbrief die gehanteerd wordt, en het feit of we onze vertegenwoordigers zelf mogen kiezen bij voorkeurstem of niet.

1. Districtsgrootte

De districtsgrootte (of in het Engels *district magnitude*, bij algemene consensus afgekort tot DM) geeft de gemiddelde grootte weer van een doorsneekiesdistrict in een land. Het gaat dus over het gemiddelde aantal zetels dat in een kiesdistrict verdeeld wordt. Om deze districtsgrootte te berekenen, delen we gewoon het aantal te verdelen zetels door het aantal kieskringen in het land.

Tabel 2:   **Variaties in districtsgrootte (DM)**

	Aantal parle- ments- leden	Aantal kies- kringen	DM
Wereldwijd			
Verenigd Koninkrijk – *House of Commons* 2010	650	650	1
Frankrijk – *Assemblée nationale* 2012	577	577	1
Nederland – Tweede Kamer 2012	150	1	150
Israël – *Knesset* 2013	120	1	120
Slowakije – Nationale Raad 2012	150	1	150
Spanje – *Congreso de los Diputados* 2011	350	52	6,73
Ierland – *Dáil Éireann* 2011	166	43	3,86
België – Kamer van Volksvertegenwoordigers 2010	150	11	13,64
Binnen België			
Vlaams Parlement 2009	124	6	20,67
Waals Parlement 2009	75	13	5,77
Brussels Hoofdstedelijk Parlement 2009	89	1	89

In sommige landen is er maar één zetel per kiesdistrict, waardoor deze breuk zal uitmonden in het getal 1. Zo bijvoorbeeld in het Verenigd Koninkrijk. Ze kennen er (in tegenstelling tot bij ons) geen grote lijsten per partij, waaruit dan vertegenwoordigers kunnen worden gekozen. Het land is immers opgedeeld in evenveel stukjes (kiesdistricten) als er zetels te verdelen zijn in het parlement, 650 om precies te zijn. Elke partij (als ze al in elke *constituency* opkomt, natuurlijk) presenteert er zich met maar één kandidaat. Ook in Frankrijk is dat het geval voor de verkiezingen van de *Assemblée nationale*, met haar 577 kleine kieskringen.

Aan het andere eind van het spectrum heb je Nederland en Israël, waar de districtsgrootte respectievelijk 150 en 120 bedraagt. In beide landen presenteren alle partijen zich namelijk met één en dezelfde lijst over het hele land. Ze hebben immers 'landelijke' kiesdistricten, waardoor alle stemmen binnen één en dezelfde kieskring worden geteld.

Voor de meeste landen zal je echter een tussenliggende waarde vinden. Zo bijvoorbeeld worden de 350 leden van de *Congreso de los Diputados*, de eerste kamer van de Spaanse *Cortes Generales*, verkozen in 52 kieskringen, waardoor het gemiddelde aantal zetels per kieskring 6,7 bedraagt. In Ierland worden de 166 leden van de *Dáil Eireann* – sinds 2007 – verkozen in 43 kieskringen, wat een DM oplevert van 3,86. De DM in België hangt af van de verkiezing die men in rekening neemt. De 150 leden van de Kamer van Volksvertegenwoordigers werden van 2003 tot 2010 verkozen in 11 kieskringen (8 provincies, het kiesarrondissement Leuven, het kiesarrondissement Nijvel (Waals-Brabant) en de tweetalige kieskring Brussel-Halle-Vilvoorde), terwijl de 124 Vlaamse parlementsleden verkozen worden in 6 kieskringen (met dus een grote DM van 20,6).[17] Dit in tegenstelling tot het Waals Parlement, dat er in 2004 voor opteerde om de oude grenzen te bewaren zoals ze tot de invoering van de provinciale kieskringen in 2003 ook golden voor de verkiezing van de Kamer. De DM voor de Waalse gewestverkiezingen ligt bijgevolg heel wat lager dan die voor de verkiezingen van het Vlaams Parlement. Het parlement van het Brusselse Hoofdstedelijke Gewest, ten slotte, wordt dan weer in één grote kieskring verkozen, wat een DM van 89 oplevert.[18]

---

17. Vanaf de Kamerverkiezingen van 2014 is de kieskring Brussel-Halle-Vilvoorde gesplitst in enerzijds de kieskring Brussel en anderzijds de kieskring Vlaams-Brabant die Halle-Vilvoorde en de oude arrondissementele kieskring Leuven omvat.

18. Technisch gesproken bestaat ze, omwille van garanties dat de Vlaamse minderheid in Brussel over 17 vertegenwoordigers mag beschikken, uit twee verschillende kieskringen, met een DM van 17 voor de verkiezing van de Vlaamse vertegenwoordigers en een DM van 72 voor de verkiezing van de vertegenwoordigers van de Franstalige partijen.

Om in een typisch multipartijenstelsel een min of meer proportionele omzetting van stemmen in zetels te garanderen, zo stellen Taagepera en Shugart (1989, p. 114), moet de DM minimaal vijf of zes bedragen.

2. Stemprocedure (*ballot structure*)

Ook de wijze waarop een kiezer zijn stem kan uitbrengen, heeft een invloed op het verkiezingsproces. In dit verband moeten we het onderscheid maken tussen twee soorten kiesbrieven. Op een *categorische kiesbrief* kan een kiezer slechts één naam aankruisen van een aantal namen die hem of haar voorgelegd worden. Dit is bijvoorbeeld het geval in het Verenigd Koninkrijk (zie figuur 2 links).

Figuur 2:   Categorische (links) en ordinale (rechts) kiesbrieven

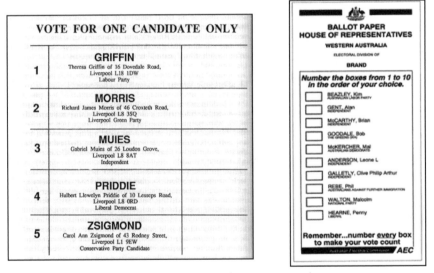

Bronnen: *Farrell, 2002; Reynolds, Reilly & Ellis, 2005.*

De kiezer kan of moet enkel een kruisje zetten na de naam van de kandidaat die hij of zij steunt. Hoe eenvoudig dit systeem ook lijkt ('Zet een kruisje naast de naam van de kandidaat van je voorkeur.'), toch heeft het in het verleden al aanleiding gegeven tot verwarring en tot zogenaamde *recounts* (hertellingen wanneer de eerste telling betwist wordt). Van de gecontesteerde presidentsverkiezingen tussen de Republikeinse kandidaat George W. Bush en de Democratische kandidaat Al Gore in november 2000 herinnert men zich wellicht de zeer ongewone beelden uit de Verenigde Staten van kiescommissarissen in de staat Florida, die ponskaartjes tegen het licht houden om te kunnen bepalen naast welke kandidaat het bolletje precies doorprikt was.

Daarnaast zijn er de *ordinale* kiesbrieven (zie figuur 2 rechts), waarop kiezers de kandidaten een nummer moeten geven volgens de volgorde van hun voorkeur. Dit systeem wordt toegepast in landen met *Single Transferable Vote-* en *Alternative Vote*-systemen zoals Malta, Ierland en Australië.

3. Vrije keuze van de kandidaten of niet?

Een derde vlak waarop we veel variatie vaststellen, heeft enkel betrekking op proportionele kiesstelsels. Het is de vraag of de kiezers al dan niet op de kandidaat van hun voorkeur kunnen stemmen. Om dit goed uit te leggen, vertrekken we van de Belgische situatie. Als kiezers kunnen wij een voorkeurstem uitbrengen indien we een of meerdere kandidaten bijzonder goed vinden, en/of kunnen we ervoor opteren om een lijststem uit te brengen. In dit tweede geval kleuren we het bolletje boven aan de lijst rood en daardoor verklaren we ons akkoord met de rangorde die door de politieke partij werd vastgelegd. We wensen dan niet een of meerdere kandidaten in het bijzonder te steunen. Omdat wij dus zowel de mogelijkheid hebben om een kandidaat te steunen als om enkel op een partij te stemmen, behoort België tot de landen met zogenaamde *semiopen* of *semigesloten lijsten*. Deze categorie wordt in de literatuur ook vaak aangeduid onder de noemer 'flexibele lijst'. Onze Nederlandse buren behoren evenzeer tot deze categorie met dit verschil dat zij slechts één kandidaat een voorkeurstem kunnen geven.

Andere landen opteren voor volledig *open lijsten*. Dat zijn dus kieslijsten waarbij de keuze van de parlementsleden volledig in handen van de kiezers wordt gelaten: geen enkele kandidaat wordt 'beschermd' en het komt er dus op aan om de meeste voorkeurstemmen te behalen. Dit systeem wordt gehanteerd door de Chilenen en de Finnen. Het werd lange tijd ook door Open Vld gepropageerd als meest 'transparante en eerlijke systeem', maar werd uiteindelijk niet gerealiseerd toen de Vlaamse regering in de aanloop naar de deelstaatverkiezingen van 2004 het Vlaamse kiesstelsel uittekende. Sommige partijen waren bang dat in een dergelijk stelsel enkel de populaire of zelfs populistische kandidaten verkozen zouden worden, wat de expertise en dus de slagkracht van het parlement niet ten goede zou komen.

Anderzijds zijn er ook stelsels waar kiezers enkel kunnen bepalen hoeveel zetels een partij krijgt na de verkiezingen, maar helemaal geen invloed kunnen uitoefenen op wie er precies in het parlement zal zetelen. Kiezers kunnen dus enkel een stem uitbrengen op een partijlijst en het is de partij zelf die bepaalt (of meestal: op voorhand reeds bepaald heeft door de volgorde van de kandidaten vast te leggen) wie effectief zal zetelen. Dit soort *gesloten lijsten* wordt onder meer gebruikt in Spanje, Zuid-Afrika, Italië en Israël.

IV. Verspreiding van de stelsels over de wereld

Tabel 3 illustreert de verdeling van de kiesstelsels over de wereld. Ze biedt een goed beeld van de relatieve aantrekkingskracht van elk van de kiesstelsels die we hierboven besproken hebben. De meest populaire stelsels zijn het lijstproportionele stelsel en het *First Past The Post*-systeem. Merk dat de moederlanden een sterke invloed hebben op de kiesstelsels van de voormalige kolonies. Het tweerondenstelsel is niet bepaald een stelsel dat frequent voorkomt, maar een derde van deze landen zijn voormalige Franse kolonies op het Afrikaanse continent. Wat ook opvalt, is de populariteit van het gemengde stelsel onder de Centraal- en Oost-Europese landen, die na de val van de Berlijnse Muur in 1989 een nieuw kiesstelsel moesten kiezen.

Tabel 3:   Verspreiding van kiesstelsels over de wereld (2004)

	Afri-ka	Ame-rika's	Azië	Oost-Eu-ropa	West-Eu-ropa	Oce-anië	Mid-den-Oos-ten	To-taal
Meerderheidsstelsels								
FPTP	15	17	5	0	1	7	2	47
Bloc Vote	1	3	2	0	3	2	4	15
Party Bloc Vote	3	0	1	0	0	0	0	4
Alternative Vote	0	0	0	0	0	3	0	3
Tweerondenstelsel	8	3	6	1	1	1	2	22
Proportionele stelsels								
Lijstproportioneel	16	19	3	13	15	0	4	70
Single Transferable Vote	0	0	0	0	2	0	0	2
Gemengde kiesstelsels								
Mixed-Member Proportional	1	3	0	2	2	1	0	9
Parallel	4	0	8	7	1	1	0	21
Andere kiesstelsels								
Single Non-Trans-ferable Vote	0	0	1	0	0	2	1	4
Borda Count	0	0	0	0	0	1	0	1
Limited Vote	0	0	0	0	1	0	0	1
Totaal								
	48	45	26	23	26	18	13	199

Bron: Reynolds, Reilly & Ellis, 2005, p. 31.

V. Kiesstelsels en alternatieve concepties van 'vertegenwoordiging'

We weten intussen al dat proportionele systemen zoeken naar de grootst mogelijke overeenkomst tussen de stemuitslag en de zetelverdeling tussen de partijen. Dat heeft te maken met een onderliggende conceptie van de notie 'vertegenwoordiging', die men de 'microcosmos-idee' zou kunnen noemen. Aanhangers van deze theorie volgen de idee van John Adams, een van de stichters van de Verenigde Staten van Amerika, die geloofde dat 'het parlement een exact portret [moet] zijn, in miniatuur, van de hele bevolking en dat het zou moeten denken, voelen, redeneren en handelen zoals het volk zelf zou doen' (geciteerd in McLean, 1991). Men zou er dus naar moeten streven om, wanneer er 48 % mannen en 52 % vrouwen in een maatschappij leven, 70 % in de steden woont en 30 % op het platteland, er 40 % middenklasse is en 60 % arbeiders, er net zulke verdelingen te vinden zijn in het parlement. Met andere woorden: het parlement zou een perfecte spiegel moeten zijn van de maatschappij. In deze visie op vertegenwoordiging staat de *samenstelling* van het parlement centraal.

In de contrasterende visie op vertegenwoordiging staan evenwel de *beslissingen* van het parlement centraal. Dit is de zogenaamde *principal agent*-visie. De volksvertegenwoordigers moeten in deze visie niet zozeer de perfecte weerspiegeling van de maatschappij proberen te zijn, maar zij moeten wel de belangen van hun kiesdistrict verdedigen. De volksvertegenwoordiger treedt er op namens zijn hele kiesdistrict. Dus, zelfs wanneer dit systeem leidt tot een overwicht van 50-jarige, blanke, hogeremiddenklassemannen die in het parlement zetelen, is er volgens de aanhangers van deze visie geen enkel probleem, zolang zij maar de belangen van iedereen in hun kiesdistrict verdedigen. De onderliggende redenering is dat zij dat ook effectief zullen doen, omdat ze anders niet herverkozen zullen worden. 'The fear of electoral punishment is a strong incentive for incumbents to remain in tune with their voters' demands', zo stellen Müller, Bergman en Strøm (2006, p. 19). De exacte manier waarop het parlement is samengesteld, is in deze visie dus minder belangrijk dan de beslissingen die genomen worden. Het is duidelijk dat er een zekere correlatie gevonden kan worden tussen de voorstanders van de *principal agent*-visie en de voorstanders van het meerderheidssysteem.

Welke visie is de 'juiste' of de 'beste'? Dat is moeilijk te bepalen en hangt af van eenieders eigen voorkeur. Beide visies zijn moeilijk met elkaar te verzoenen en het hangt er dus van af wat men zelf het belangrijkste vindt. Het is een vraag die precies even moeilijk te beantwoorden is als de vraag welk kiesstelsel het 'beste' is. Het is onmogelijk om dat op een absolute en neutrale manier te bepalen.

VI. Kunstmatige vertekeningmechanismen

Wat we uit het voorgaande ook kunnen afleiden, is dat geen enkel electoraal systeem de volledige proportionaliteit bereikt: alle kiesstelsels vertekenen op een of andere manier de verkiezingsuitslag, waarbij bepaalde partijen bevoordeeld worden en andere benadeeld. Wanneer we het dus over 'proportionele systemen' hebben, dan gaat het om systemen die zo min mogelijk de uitslag vertekenen, niet over systemen die helemaal *niet* vertekenen.

Onder de vertekeningmechanismen moeten we een onderscheid maken tussen 'natuurlijke' vertekeningmechanismen, die inherent zijn aan het kiesstelsel, en 'kunstmatige' vertekeningmechanismen, die de natuurlijke versterken of – integendeel – net tenietdoen. Op de natuurlijke vertekeningmechanismen komen we verderop in dit boek uitvoerig terug, wanneer we een aantal effecten van de kiesstelsels bespreken. Een natuurlijk vertekeningmechanisme is bijvoorbeeld het feit dat je geen 35,7 zetels kunt geven aan een partij die 35,7 % van de stemmen behaalt bij de verkiezing van een parlement dat uit honderd leden bestaat. Zelfs in een zeer proportioneel stelsel zal de partij ofwel 35 ofwel 36 zetels behalen en is er dus 'vertekening' ten opzichte van de stemuitslag.

In deze paragrafen willen we echter een viertal elementen bespreken die *kunstmatig* – want doelbewust ingevoerd – de mate van vertekening beïnvloeden. Twee van deze vier elementen worden meestal (hoewel niet exclusief) bij niet-proportionele systemen gevonden, terwijl de andere twee voornamelijk aangewend worden in proportionele systemen en dan nog vooral met het oog op het indijken van het aantal kleine partijen.

1. De ongebalanceerde kieskringen (*malapportionment*)

Ongebalanceerde kieskringen verwijzen naar de situatie waarbij er binnen één kiesdistrict een onnatuurlijk grote concentratie is ten voordele van de ene partij ten opzichte van de andere partijen. Dit kan bijvoorbeeld gebeuren wanneer er grote migraties plaatsgevonden hebben die (nog) niet gecompenseerd zijn in een herindeling van de kiesdistricten. Maar soms blijven dergelijke ongebalanceerde kieskringen ook doelbewust bestaan. Denk bijvoorbeeld aan een partij die aan de macht is en haar stemmen vooral uit rurale gebieden haalt. Deze partij zal wellicht niet geneigd zijn om bij massale emigratie uit de rurale gebieden naar de steden de kiesdistricten te laten hertekenen, omdat ze dan veel zetels en dus invloed dreigt te verliezen. Soms worden er daarom in de grondwet bepalingen voorzien om *malapportionment* te voorkomen. Het gaat dan bijvoorbeeld om de vaste bepaling dat een volksvertegenwoordiger tussen de 20 000 en de 30 000 mensen moet vertegenwoordigen (zoals dat in Ierland het geval is), op straffe van nietigheid van de indeling in kiesgebieden die de regering voor-opstelt.

De ongebalanceerde vertegenwoordiging hoeft evenwel niet altijd een nega-tieve bijklank te hebben. Soms schuilen er ook positieve bedoelingen achter. Zo bijvoorbeeld kan men *per se* een oververtegenwoordiging van een bepaalde achtergestelde bevolkingsgroep of een bepaalde regio toekennen. Zo werden Schotland, Wales en Noord-Ierland tot aan de verkiezingen van mei 2005 steevast oververtegenwoordigd in het Lagerhuis ten opzichte van de Engelsen. De gemiddelde zetel in Schotland en Wales vereiste zo slechts 80 % van de stemmen in Engeland (Mitchell, 2005, p. 163). Omdat er in Schotland proportioneel meer stemmen naar de *Labour*partij gaan, bete-kende dat dus een eerste bevoordeling. Een tweede voordeel haalde *Labour* uit de onvermijdelijke vertekening in de districtsvorming en het 'veroude-ren' van de *constituencies* of kiesdistricten (het zogenaamde *creeping malap-portionment*). Het komt erop neer dat de stedelijke *constituencies* in bevolkingsaantal verminderen, terwijl dit net de *constituencies* zijn waar *Labour* traditioneel het sterkst staat. De landelijke *constituencies* daarente-gen groeien in bevolkingsaantal, waardoor de *Conservatives* verplicht wor-den om meer stemmen te behalen om een zetel binnen te rijven. Het verschil liep in 2001 op tot ruim 9 %! Gemiddeld moesten de *Conservatives* 72 410 stemmen behalen om de zetel binnen te rijven, terwijl dat voor de *Labour*-partij maar 65 748 stemmen was (Mitchell, 2005, p. 163). In 2010 was het verschil weliswaar iets kleiner geworden, maar nog steeds erg aanzienlijk (zie figuur 3).

Figuur 3: **Gemiddeld aantal kiesgerechtigden per zetel, per partij (ver-kiezingen van 2010)**

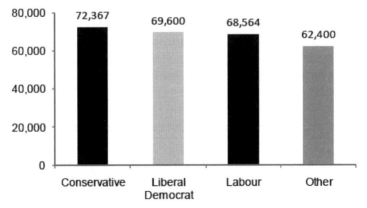

Bron: Cracknell et al., 2010.

In België is er de oververtegenwoordiging van de Duitstalige landgenoten, die ondanks hun bevolkingscijfer van nauwelijks 60 000 inwoners toch 'recht' hebben op minstens één senator en minstens een van de 22 Belgische Europarlementsleden.[19] Over het algemeen kan men stellen dat ongebalanceerde vertegenwoordiging optreedt telkens als men andere criteria in rekening brengt bij het bepalen van de kiesdistricten dan de criteria die berusten op pure en objectief meetbare en aanpasbare inwonersaantallen (Katz, 1998, p. 252).

2. Gerrymandering

De tweede techniek die in niet-proportionele systemen wordt gebruikt om de uitslag te vertekenen, is het *gerrymanderen*. Het komt erop neer dat men de grenzen van de kiesdistricten op een vrij onlogische en zeer grillige manier gaat vastleggen met het oog op het opdrijven van het aantal winstkansen van één (meestal de regerende) partij. De vreemde naam voor dit fenomeen komt uit de VS, waar in 1812 bij de gouverneursverkiezingen in Massachussetts één kiesdistrict op een zodanig vreemde manier werd samengesteld dat een journalist er de vorm van een salamander in zag. Omdat de uitsnijding van deze kieskring enkel tot doel had de zetelende gouverneur Elbrigde Gerry te herkiezen, kreeg dit proces de naam *gerrymandering* (Maddens, 2006). *Gerrymandering* komt overigens voor in allerlei soorten kiesstelsels, dus ook in de proportionele systemen.

Gerrymandering bestaat in feite in twee vormen. We kunnen dit het best uitleggen aan de hand van een grafische voorstelling van een territorium waarin vier zetels te verdelen zijn in een FPTP-stelsel (figuur 4). Bij een normale indeling van het land zouden we kunnen verwachten dat het territorium netjes in het midden wordt verdeeld, waardoor de grote aanhang van Partij Zwart ervoor zorgt dat ze in het linkerbovenkwadrant wellicht een zetel zal behalen. In de andere kwadranten zijn er telkens maar kleine concentraties aanhang voor Partij Zwart en daar komt ze hoegenaamd niet in aanmerking om een zetel binnen te halen, omdat Partij Grijs er duidelijk de overhand haalt.

---

19. Volgens het Vlinderakkoord dat de rechtstreekse Senaatsverkiezing afschaft, blijft er één gemeenschapssenator voor de Duitstalige gemeenschap behouden. In 2014 daalt het aantal Belgische Europarlementsleden tot 21. Vlaanderen levert één zetel in.

Figuur 4:   *Gerrymandering*

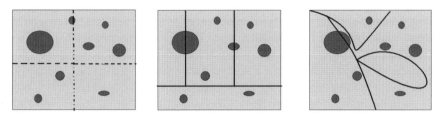

Maar Partij Grijs is aan de macht en probeert Partij Zwart zo veel mogelijk stemmen af te snoepen door de kieskringen te hertekenen. Ofwel gaat Partij Grijs de geconcentreerde score van de tegenpartij proberen te fractioneren door ze uit te splitsen over meerdere kiesdistricten, waardoor ze van een sterke concentratie vervalt in een minderheidsverdeling en in feite geneutraliseerd wordt in sterkte (en potentieel gevaar voor de regerende partij). Dit is het geval bij de middelste tekening. De grote kern van partijaanhang voor Partij Zwart wordt verdeeld over twee kieskringen, waardoor Partij Zwart in beide kieskringen in de minderheid komt te staan en dus geen zicht meer heeft op een zetel. Maar wanneer de tegenpartij te groot is en dat niet meer mogelijk is, bestaat de tweede techniek erin om de grenzen zodanig te hertekenen dat de tegenpartij er maar een klein aantal zetels mee wint of – zoals in ons voorbeeld – opnieuw geen enkele zetel zal behalen. In feite gaat het hier dus om een soort van 'controleren van de schade' die mogelijk door Partij Zwart aangericht zou kunnen worden.

Figuur 5:   *Gerrymandering* in de praktijk – het 3de district in de staat *North Carolina* (VS) – verkiezingen voor het Huis van Afgevaardigden 2012

Bron: www.nationalatlas.gov.

Gerrymandering komt vaak voor, ook in een meer geciviliseerde vorm. Een voorbeeld bij uitstek vormen de acht maanden van onderhandelingen voor de Vlaamse politieke partijen het eens waren over de nieuwe kieskringen in West-Vlaanderen na het Sint-Michielsakkoord van september 1992. Agalev (vandaag Groen) lag toen lange tijd dwars, omdat de partij in de eerste plannen die op tafel lagen in geen enkel scenario zicht kreeg op een 'gemakkelijke' zetel in die provincie. Een akkoord kwam er pas in maart 1993, met de samenvoeging van de vroegere kieskringen Kortrijk en Roeselare-Tielt enerzijds en de kieskringen Ieper en Veurne-Diksmuide-Oostende anderzijds.[20] Men moet uiteraard wel oppassen met te snelle conclusies. Het is niet omdat er aan de grenzen gesleuteld wordt, dat het daarom ook effectief om een pure *gerrymandering*-operatie gaat. Veelal probeert men bij een hertekening van kiesdistricten gevolg te geven aan interne migraties. De diverse hertekeningen van kieskringen, waarbij soms extra zetels werden toegekend of zetels werden afgenomen, gebeurden in België in het verleden steeds op basis van de tienjaarlijkse volkstellingen. Bovendien bestaat er ook zoiets als *tullymandering*: dit is het 'creatief omspringen met de kiesdistricten' waarbij echter het tegenovergestelde effect bekomen wordt van wat men voor ogen had. Het is genoemd naar de Ierse minister James Tully, die in 1977 bevoegd was voor de hertekening van de kiesdistricten. Hij hertekende de grenzen van zijn eigen kiesdistrict zodanig dat hij dacht verzekerd te zijn van zijn herkiezing. Door een *swing of the votes* verloren de regerende partijen *Fine Gael* en *Labour* evenwel veel meer stemmen, en net omwille van de hertekening was het zetelverlies voor beide partijen nog groter dan indien het oude systeem van kracht was gebleven.

3. Kiesdrempel

Een van de grootste 'nadelen' van de proportionele kiesstelsels is dat het voor kleine partijen gemakkelijk is om in het parlement vertegenwoordigd te geraken. Bij de verkiezingen van 2012 bijvoorbeeld haalden niet minder dan elf partijen minstens één zetel in de Nederlandse Tweede Kamer. Ter vergelijking: in het Vlaams Parlement zijn op basis van de verkiezingen van 2009 zeven partijen vertegenwoordigd.[21]

Om te vermijden dat parlementen, of regeringen (want die rusten op parlementaire meerderheden), gegijzeld kunnen worden door kleinere partijen, wordt er in een steeds toenemend aantal landen een *formele kiesdrempel* ingevoerd. De meest voorkomende vorm is dat men een minimumpercen-

---

20. De kieskring Brugge (bestaande uit de kieskantons Brugge en Torhout) bleef ongewijzigd.

21. De Franstalige eenheidslijst *Union Francophone* (UF) is eveneens vertegenwoordigd, met name met één zetel.

tage vooropstelt van het totale aantal uitgebrachte stemmen dat een partij moet behalen voor die partij mag deelnemen aan de fase in het kiesproces waarin effectief de zetels aan de partijen worden toegekend. Wie deze kiesdrempel niet haalt, wordt met andere woorden niet tot de zetelverdeling toegelaten.

Dergelijke *formele* kiesdrempels zijn niet ongewoon, maar ze verschillen nogal in grootte. Het meestbekende (of misschien wel oudste) voorbeeld wat dat betreft, is Duitsland, waar men na het debacle van de Weimarrepubliek de kiesdrempel (*Sperrklausel*) als volgt vastlegde. Een partij moet er ofwel 5 % van het totale aantal uitgebrachte stemmen behalen, ofwel moet ze drie rechtstreekse mandaten behalen vooraleer ze in de *Bundestag* vertegenwoordigd wordt. 5 % is een veelvoorkomende hoogte om de kiesdrempel op vast te leggen; kijk ook naar de invoering van de (dubbele) kiesdrempel van 5 % in ons land in 2003.

Maar er is veel variatie mogelijk. Aan het ene uiterste heb je de lage drempels. In Denemarken en Israël ligt de lat op 2 %. In Zweden geldt, net zoals in Duitsland, een dubbele regel: ofwel behaalt een partij minstens 4 % van de stemmen, ofwel moet ze in één kiesdistrict minstens 12 % van de stemmen behaald hebben alvorens ze tot de zetelverdeling toegelaten wordt. Aan het andere uiterste heb je Turkije, waar in 2002 een kiesdrempel van liefst 10 % werd ingevoerd. Wie minder dan 10 % behaalde, werd niet in aanmerking genomen voor de zetelverdeling. Evenzo in Polen, een land waar sinds de val van het communisme een massaal aantal partijen deelneemt aan de verkiezingen. Ook daar loopt het percentage niet-vertegenwoordigde kiezers soms hoog op. In 1993, met een relatief lage kiesdrempel van 5 % voor individuele partijen en 8 % voor coalities van partijen, was 34 % van de stemmen niet in het parlement vertegenwoordigd.

Naast de *formele kiesdrempels*, die dus wettelijk opgelegd worden, kan men ook *natuurlijke* of *effectieve kiesdrempels* onderscheiden. Deze worden niet bij wet opgelegd, maar zijn gewoon het gevolg van de mathematische berekenwijze waarop stemmen in zetels omgezet worden. Het komt erop neer dat wie minder stemmen behaalt, veel moeilijker aan een zetel geraakt. Stel bijvoorbeeld dat je je in een kiesdistrict bevindt waarin er vier zetels te verdelen zijn, dan komt elke partij die ongeveer 20 % van de stemmen behaalt, in aanmerking voor de zetelverdeling. Maar partijen die zeg maar slechts 10 % behalen (uiteraard afhankelijk van het precieze aantal kandidaten en partijen dat stemmen haalt), hoeven niet veel hoop te koesteren. Voor die kleinere partijen geldt er dan een hoge 'natuurlijke' kiesdrempel. In Nederland heerst een erg lage natuurlijke drempel. Doordat alle 150 zetels verdeeld worden in één kieskring, moet een partij er amper 0,67 % van de stemmen behalen om in aanmerking te komen voor een zetel. Bij de verkiezingen van 12 september 2012 slaagden de Partij voor de Dieren en de ouderenpartij 50PLUS erin om elk twee zetels te bemachtigen, op basis van respectievelijk amper 181 162 (1,93 %) en 177 631 (1,88 %) stemmen.

4. Antipartijwetgeving

Een vierde manier om de stemresultaten op een doelbewuste manier te vertekenen is erg drastisch en bestaat erin dat men de activiteiten van een bepaalde partij bij wet verbiedt. Meestal worden partijen verboden die het niet zo goed voorhebben met de democratie. Zo bijvoorbeeld geldt er in Duitsland een verbod op activiteiten van neonazistische partijen. Dat heeft uiteraard te maken met de traumatische ervaring van de Weimarrepubliek toen de nazipartij van Adolf Hitler op volkomen legale wijze aan de verkiezingen kon deelnemen. Toen ze in 1933 de (relatieve) meerderheid in de *Reichstag* verkregen had, stuurde ze het parlement naar huis en begon ze aan haar verwoestende binnen- en buitenlandse politiek. Ook in Nederland werden de activiteiten van de extreem-rechtse partij Centrum Democraten van Hans Janmaat (°1934-†2002) al in 1986 verboden, nadat de partij één keer in het parlement was geraakt. In België werden drie vzw's van het Vlaams Blok in november 2004 definitief veroordeeld voor het aanzetten tot discriminatie en inbreuken op de antiracismewetgeving. De partij werd zo buiten de wet gesteld, waardoor ze niet langer aan verkiezingen kon deelnemen. Op 14 november 2004 hief het Vlaams Blok zich op, waarna ze verveldre tot Vlaams Belang.

Maar antipartijwetgeving hoeft niet altijd zo drastisch te zijn. Een voorbeeld van een meer subtiele aanpak komt uit Noord-Ierland, waar het de kandidaten van de katholieke partij Sinn Féin (die gemakshalve vaak de 'politieke arm van het IRA' wordt genoemd) niet gemakkelijk werd gemaakt om campagne te voeren. Ze kregen bijvoorbeeld maar heel weinig zendtijd op de openbare omroep. Ook het afsnijden van publieke financiering kan een zeer effectieve manier zijn om de werking van partijen te bemoeilijken en zo de uitslag van de verkiezingen kunstmatig te beïnvloeden.

In de volgende hoofdstukken gaan we de drie grote categorieën van kiesstelsels nader bespreken en we doen dit telkens aan de hand van één typevoorbeeld: het Verenigd Koninkrijk als prototype van een *First Past The Post*-stelsel, de Vijfde Franse Republiek als voorbeeld van een tweerondenstelsel, Nederland en België als typevoorbeelden van proportionele stelsels en Duitsland als belangrijke exponent van het gemengde stelsel.

Hoofdstuk 2:

HET BRITSE POLITIEKE SYSTEEM OP BASIS VAN HET *FIRST PAST THE POST-* MEERDERHEIDSSTELSEL

I.   Inleiding

Zoals we reeds eerder vermeld hebben, is een van de meest typische kenmerken van meerderheidsstelsels dat er per kieskring slechts één kandidaat per partij meedingt naar de parlementszetel. Dit is sowieso het geval in het *First Past The Post*-systeem, dat naast het Verenigd Koninkrijk in 2004 nog in 46 andere landen werd gebruikt (Reynolds, Reilly & Ellis, 2005). Er zijn variaties mogelijk waarbij er zich toch meerdere personen per lijst kandidaat stellen, zoals in het *Bloc Vote*- en het *Party Bloc Vote*-systeem. Maar deze kiesstelsels komen slechts in een beperkt aantal landen voor en daarom zullen we ze niet verder bespreken in dit boek.

Het meest eenvoudige en meest frequent voorkomende meerderheidsstelsel is het eennamig meerderheidsstelsel met een relatieve meerderheid. Het typevoorbeeld van dit kiessysteem is het Britse kiessysteem. Het wordt het *First Past The Post*-systeem genoemd omdat de kandidaat die het meeste aantal stemmen behaalt, automatisch verkozen is. Naar analogie met wat in paardenkoersen gebeurt, komt deze dus als het ware als eerste aan bij het 'paaltje', vandaar de naam van dit kiesstelsel. Een absolute meerderheid (50 % van de stemmen plus één) is niet nodig; meestal heeft men voldoende aan een relatieve meerderheid om de zetel binnen te halen. Dus, in een hypothetisch geval, wint persoon A de zetel wanneer die slechts 25 % van de stemmen behaalt, terwijl kandidaat B 24 %, kandidaat C 24 %, kandidaat D 24 % en kandidaat E 3 % van de stemmen behaalt. In dergelijke gevallen van *relatieve* meerderheid spreken we in het Engels van *plurality*-stelsels. Ze staan in contrast met andere meerderheidsstelsels, die verlangen dat de winnaar ook effectief minstens één stem meer dan de helft van de stemmen achter zich krijgt. In het Engels spreken we dan van stelsels die op zoek gaan naar een *majority*.

In de volgende alinea's gaan we dieper in op de kenmerken van het Britse kiesstelsel en de wijze waarop het een invloed heeft op de relaties tussen parlement en regering, op de partijvorming en de achterstelling van de kleine partijen en op de verhoudingen tussen de politieke partijen.

II. Het Britse kiesstelsel in een notendop

1. Een land in 650 stukjes

Een van de typische eigenaardigheden van het Britse systeem is dat er in elke kieskring maar één persoon verkozen kan worden. Aangezien het Britse Lagerhuis 650 zitjes telt, is het land bijgevolg opgedeeld in 650 kleine kieskringen of *constituencies*. In 649 van deze kieskringen worden er effectief verkiezingen gehouden. In één kieskring is dat niet het geval, namelijk in het kiesdistrict waarin de voorzitter van de *House of Commons* (*the Speaker*) wordt herkozen. Omdat deze persoon 'neutraal' is, wordt er in zijn/haar kiesdistrict geen verkiezing georganiseerd. De *Speaker* krijgt automatisch alle stemmen van zijn/haar kiesdistrict toegewezen.

Het stelsel op zich is heel eenvoudig: wie de meeste stemmen behaalt, is verkozen en krijgt de ene zetel die in de kieskring toegewezen wordt. Het Verenigd Koninkrijk wordt daarom in de hele literatuur over electorale systemen als typevoorbeeld van het *meerderheidssysteem met relatieve meerderheid* aangehaald. Toch moeten we deze voorstelling ten dele relativeren. Het is niet omdat het Verenigd Koninkrijk als typevoorbeeld genomen wordt van een relatievemeerderheidsstelsel, dat dit systeem bij álle verkiezingen op het Britse grondgebied gehanteerd wordt. Wel integendeel. Er zijn immers verschillende kiesstelsels van kracht, afhankelijk van het vertegenwoordigende orgaan dat verkozen wordt. Vooral in Schotland is er nogal wat variatie. Zo kiezen de Schotten hun vertegenwoordigers voor het Britse Lagerhuis via het FPTP-systeem, de leden van hun eigen Schotse parlement via een *Mixed-Member Proportional System*, hun vertegenwoordigers in het Europees Parlement via een lijstproportioneel stelsel en sinds 2007 hun gemeenteraadsleden via een *Single Transferable Vote*-systeem! Ook de *Welsh Assembly* en de *London Assembly* worden via een *Mixed-Member Proportional*-systeem verkozen, terwijl de Noord-Ierse *Assembly* een *Single Transferable Vote*-systeem aanwendt.

2. By-elections

Een tweede eigenaardigheid van het Britse kiesstelsel zijn de tussentijdse verkiezingen of *by-elections*. Wanneer een *Member of Parliament* (MP) overlijdt of ontslag neemt, wordt zijn vacante mandaat pas opgevuld nadat er nieuwe verkiezingen zijn uitgeschreven in de kieskring die het aftredende parlementslid vertegenwoordigde. Er is met andere woorden geen 'reservelijst' zoals bij ons, waaruit partijen kunnen putten om de vacante plaats weer op te vullen. Deze *by-elections* zijn onderhand een eigen leven gaan leiden. Ze dienen namelijk meer en meer als een tussentijdse graadmeter om de populariteit van de regeringsploeg in Londen na te gaan. Een regering die een *by-election* verliest, ziet zijn meerderheid verkleinen wanneer het om een van zijn eigen zetels gaat en krijgt het bovendien hard te verduren in de media. Dat is zeker het geval wanneer een regering de ene na de andere *by-election* verliest. Zo daalde de parlementaire meerderheid waarop de conservatieve eerste minister John Major (1990-1997) kon bogen tot drie zetels, naar aanleiding van een hele reeks verloren *by-elections*. Zijn manoeuvreerruimte werd daardoor bijzonder beperkt, temeer omdat hij op heel wat interne tegenstand botste in zijn eigen partij, vooral van de eurosceptische vleugel.

By-elections hebben dus onmiskenbaar aan belang gewonnen, terwijl er vroeger soms helemaal geen strijd wás om een *by-election*. Onder de partijen heerste toen vaak een herenakkoord om niet met een eigen kandidaat op te komen, om de zetel van de andere partij niet af te nemen. Wie krachtens de eerste verkiezingsuitslag recht had op de zetel, stelde een kandidaat-opvolger voor; de andere partijen onthielden zich daarvan. Die tijden liggen intussen ver achter ons en nu geldt ook in het Verenigd Koninkrijk dat *every seat counts*.

Tussentijdse verkiezingen vinden echter niet altijd frequent plaats. Tijdens de legislatuur 2005-2010 werden er slechts veertien tussentijdse verkiezingen gehouden. Acht waren te wijten aan het overlijden van een parlementslid, zes werden veroorzaakt door het ontslag van een parlementslid (waaronder het ontslag van Tony Blair als eerste minister én als parlementslid op 19 juli 2007), één doordat Boris Johnson in juni 2008 tot burgemeester van Groot-Londen was verkozen. In negen gevallen kon de partij de zetel behouden. *Labour* verloor bij die tussentijdse verkiezingen vier zetels, evenwel zonder dat de regeringsmeerderheid hierdoor in gevaar kwam. *Labour* behield 25 zetels op overschot om de absolute meerderheid niet te verliezen.

Sinds de verkiezingen van 6 mei 2010 vonden er zestien *by-elections* plaats, al twee meer dan tijdens de volledige legislatuur 2005-2010.[22] Vier waren te wijten aan het plotse overlijden van een parlementslid, in één geval werd de verkiezing overgedaan omdat die van 6 mei 2010 ongeldig was verklaard en in alle andere gevallen had het verkozen parlementslid ontslag genomen (omwille van familiale redenen of omdat het betrokken parlementslid in opspraak was geraakt). Het bekendste ontslag was dat op 2 mei 2013 van David Milliband, voormalig minister van Buitenlandse Zaken en broer van *Labour*leider Ed Milliband. In slechts twee van de zestien *by-elections* ver-

---

22.   Cijfers op 1 september 2013. Bron: website *House of Commons*.

loor de partij haar zetel. Dit belet niet dat er telkens hevige strijd werd geleverd, ook in de vier gevallen waar de *by-election* het gevolg was van een overlijden. De meerderheid van premier David Cameron kwam echter nooit in gevaar, onder meer omdat het bij twaalf van de zestien *by-elections* om een zetel van de oppositiepartij *Labour* ging (die ze ook telkens behield).

3. Safe seats vs. marginal seats

Ten derde is er het verschil tussen *safe seats* en *marginal seats*. Een *safe seat* is een kiesdistrict waarin een partij een zeer grote meerderheid heeft en zich dus geen zorgen hoeft te maken om die zetel kwijt te geraken. De partij zit er met andere woorden *safe*. Zo was er in 2005 *Labour-MP (Member of Parliament)* Joe Benton, die in het kleine kiesdistrict Bootle 75,5 % van de stemmen behaalde en een voorsprong had van 63 procentpunten op de tweede partij. In 2005 was het de derde verkiezing op rij dat Benton de hoogste marge realiseerde van alle Britse MP's, al verloor hij bij elke verkiezing wel wat van zijn voorsprong. In 2010 viel de score van Joe Benton fors terug: met 66,4 % van de stemmen in Bootle behaalde hij slechts het zesde hoogste percentage. De eerste negen plaatsen in deze rangschikking werden ingenomen door *Labour*-MP's. De grootste voorsprong uitgedrukt in procenten (57,7 % meer dan de eerstvolgende kandidaat) was voor Steve Rotheram, kersvers *Labour*parlementslid voor Liverpool Walton; de grootste voorsprong in absoluut aantal stemmen (27 826 meer dan de eerstvolgende kandidaat) was voor Stephen Timms in East Ham, eveneens *Labour-MP*.

Een heel andere situatie krijgen we in het Noord-Ierse kiesdistrict Fermanagh and South Tyrone, waar Michelle Gildernew in 2010 de zetel behaalde met een uiterst kleine marge. De kandidaat van Sinn Féin behaalde amper 4 stemmen (of 0,001 %) meer dan de onafhankelijke kandidaat (op een totaal van 46 803 stemmen in die *constituency*). Fermanagh and South Tyrone is dus een goed voorbeeld van een *marginal seat*, met een uiterst kleine marge tussen winst en verlies. *Sinn Féin* dreigt die zetel bij de volgende verkiezingen dus evengoed weer te moeten inleveren.

Over hoeveel *safe seats* en *marginal seats* een partij beschikt, is niet eenvoudig te bepalen. Het hangt af van het aantal partijen dat deelneemt aan de verkiezingen en de onderlinge verhoudingen tussen die partijen. Een absoluut criterium kan evenwel al een eerste indicatie geven. Zo bijvoorbeeld haalden *Labour* bij de verkiezingen van 2005 in twintig *constituencies* en de *Conservatives* in twaalf *constituencies* een zetel binnen met minder dan duizend stemmen voorsprong op de eerstvolgende partij. In 1997, bij de grote overwinning van *Labour*, waren er slechts zes *constituencies* waar *Labour* minder dan duizend stemmen voorsprong had. Maar toch is een dergelijk absoluut criterium niet accuraat genoeg om aan te geven of het al dan niet om een *safe* of een *marginal seat* gaat. De score van de partij in de opiniepeilingen is immers een derde factor die van belang is. Wanneer de opiniepeilingen op 'forse winst' staan, kan men moeilijk beweren dat *constituencies* met een voorsprong van vijf procentpunten of meer nog *marginal* zijn. Maar wanneer er electoraal 'onweer' dreigt, kunnen zelfs kieskringen met meer dan tien procentpunten voorsprong niet langer *safe* zijn. Tabel 4 geeft een idee van de marges waarmee de drie belangrijkste Britse politieke partijen hun zetels winnen. *Labour* heeft nog steeds het grootste aantal *safe seats*, terwijl de marges waarmee de *Conservatives* en vooral de *Liberal Democrats* doorgaans hun zetels winnen, veel kleiner zijn. Toch kan men uit tabel 4 de zware terugval van de *Labour*partij na dertien jaar bewind afleiden. Het aantal kieskringen waar de *Labour*partij meer dan veertig procentpunten voorsprong heeft op de eerstvolgende partij, is herleid tot een zesde van het aantal uit 1997: van 124 naar 18. De *Conservatives* daarentegen hebben niet toevallig in dezelfde periode een grote inhaalbeweging gemaakt: van één *seat* boven de 30 % in 1997, naar veertien *seats* in 2005 en 66 in 2010.

Tabel 4:   **Winstmarges per zetel ten aanzien van de tweede partij**

| | | Totaal | *Safe seat* | | | | | | | *Marginal seat* |
			+50 %	+40 %	+30 %	+20 %	+15 %	+10 %	+5 %	<5 %
2010	*Conservatives**	306		7	59	81	31	46	42	40
	Labour	258	7	11	34	63	29	35	48	31
	Liberal Democrats	57	1		1	10	6	12	13	14
2005	*Conservatives*	197			14	71	39	28	17	28
	Labour	353	9	33	57	83	38	45	47	41
	Liberal Democrats	62		1	3	7	9	13	15	14
1997	*Conservatives*	165			1	28	34	37	33	32
	Labour	418	63	61	93	72	31	35	42	21
	Liberal Democrats	46			1	6	8	10	7	14

Bron: website House of Commons.

(*) Resultaat zonder de zetel van de Speaker (John Bercow, Buckingham).

4.   Absolute meerderheid?

In het Britse systeem volstaat een relatieve meerderheid om de zetel te veroveren. Maar het stelsel zou uiteraard aan legitimiteit winnen als de meeste kandidaten ook de absolute meerderheid in hun kieskring zouden behalen. Men kan zich namelijk vragen stellen bij de legitimiteit van de verkiezing wanneer iemand niet met de meerderheid van de stemmen verkozen wordt, maar enkel steun krijgt van een (grote) minderheid van de kiesgerechtigde bevolking. Toch lijkt het tot dusver allemaal nogal mee te vallen. In de meeste *constituencies* behaalt de winnaar niet enkel de relatieve, maar ook de absolute meerderheid van de stemmen. In de periode 1918-1997 was dat in gemiddeld 69,1 % van de kieskringen het geval. Sinds twee decennia is dit aantal echter sterk aan het dalen. In 1992 was dit nog van toepassing op 60 % van de zetels, in 1997 slechts op 53 %. Bij de verkiezingen van 2001 zakte dit aandeel zelfs voor het eerst onder de symbolische grens van 50 %: in 326 van de toen 656 kiesdistricten (of 49,7 %) kreeg het verkozen parlementslid ook effectief meer dan de helft van de uitgebrachte stemmen achter zich. De felbevochten verkiezingen van 2005 waren op dit vlak evenwel een mijlpaal in de Britse geschiedenis: amper 207 kandidaten van de 646 (32,04 %) behaalden een absolute meerderheid. In 2010 was dit aantal amper beter, met 218 van de 650 parlementsleden die met een absolute meerderheid werden verkozen (33,5 %). Nooit eerder lagen deze aantallen zo laag als in 2005 en 2010. De oorzaak moet gezocht worden in de afnemende partijtrouw van de Britse kiezer en de stijgende populariteit van de 'kleinere' partijen in het bijzonder. *Labour* en de *Conservatives* behaalden in 2010 samen amper 65,1 % van de stemmen. Een historisch laagterecord.

III. Gevolgen van het Britse kiesstelsel

1. Een tweepartijensysteem

Het gevolg van dit meerderheidsstelsel is dat slechts twee partijen zullen domineren. Dit is een van de zogenaamde wetten van Maurice Duverger (1917- ...). Deze Franse politicoloog was in het midden van de vorige eeuw de grondlegger van de vergelijkende politicologie en hij poneerde dat er een verband bestond tussen het kiesstelsel en het aantal partijen in een staat. Het resultaat van het toepassen van een relatievemeerderderheidsstelsel, zo beweerde Duverger, zal steeds een politiek landschap zijn waarin slechts twee partijen domineren. Dit in tegenstelling tot een proportioneel stelsel, waar een groter aantal ideologische strekkingen in de maatschappij ook een vertaling in de politieke arena kunnen krijgen.

Bijgevolg spreekt men van een tweepartijenstelsel in het Verenigd Koninkrijk, bestaande uit het sociaaldemocratische *Labour* en de behoudsgezinde *Conservative Party*. Maar we stellen toch een toenemende concurrentie van andere partijen vast. We schragen dit op basis van vier verschillende variabelen:

* Zo namen aan de verkiezingen van 2010 niet twee, maar liefst 127 verschillende partijen deel, waaronder de partij *Blue Environment*, die 17 stemmen behaalde. In 2005 slaagde de *Freedom Party* er zelfs in om nul stemmen te behalen (Mellow-Facer, Young & Cracknell, 2005).

- Er waren in 2010 geen twee, maar liefst tien partijen die zetels wonnen in de *House of Commons*. Dat er grote regionale verschillen zijn, is vooral het gevolg van de verhoudingen tussen de partijen in Schotland, Wales en Noord-Ierland en het feit dat de nationalistische partijen (zoals de *Scottish Nationalist Party* of het Welshe *Plaid Cymru*) er de wind in de zeilen hebben. In Engeland zelf waren er immers maar vier partijen die zetels behaalden: *Labour*, de *Conservatives*, de *Liberal Democrats*, en voor het eerst ook de ecologische partij *Green* (1 zetel).
- In 2010 leverde de stembusslag zelfs geen meerderheid voor één partij op. De *Conservatives* werden tot overwinnaar uitgeroepen, maar behaalden slechts 36,1 % van de uitgebrachte stemmen. Ze kwamen 20 zetels tekort om een meerderheid te behalen in het Lagerhuis, en waren zodoende genoodzaakt om een coalitieregering te vormen met de *Liberal Democrats*.[23]
- *Labour* behaalde in 2005 de slechtste score ooit voor een winnaar: de uittredende regeringspartij behaalde slechts 35,2 % van de stemmen. Wanneer men rekening houdt met het aanzienlijke aantal kiezers dat niet was komen opdagen (38,5 % van de kiesgerechtigde bevolking), krijgt men het schrikwekkende resultaat dat *Labour* slechts 21,6 % van de stemgerechtigde bevolking achter zich kreeg. In 2010 was het resultaat van de *Conservatives* nauwelijks beter: 36,1 % van de stemmen bij een opkomst van 65,1 %, wat overeenkomt met 23,5 % van de kiesgerechtigde bevolking.
- Er is het sterk dalende stemmenaandeel van de dominante partijen *Conservatives* en *Labour*. Waar beide partijen in 1951 nog 96,8 % van de stemmen behaalden, is dat in 2001 nog slechts 72,4 % en in 2010 nog amper 65,1 % (zie figuur 6).

---

23. Ook een meerderheid van *Labour* en de *Liberal Democrats* was mogelijk maar de idee dat de grootste partij niet zou deelnemen aan de regering, ging helemaal in tegen de traditie en de geest van het Britse kiesstelsel en politieke systeem.

Figuur 6:   Stemmenaandeel *Conservatives*, *Labour* en *Liberal Democrats*
(1945-2010)

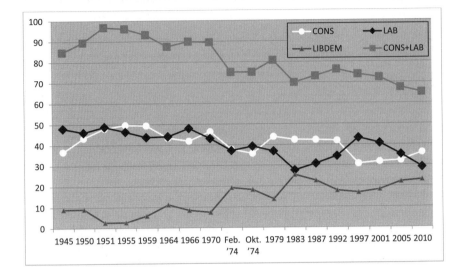

2.   Disproportionaliteit stemmen vs. zetels

Het verlies in stemmenaandeel vertaalt zich evenwel niet altijd of niet volledig in een verlies in zetelaandeel voor beide partijen. Dit kiesstelsel is namelijk erg disproportioneel, zoals blijkt uit de soms enorme verschillen tussen stemmenpercentage en zetelpercentage van de drie belangrijkste politieke partijen (zie tabel 5). Let bijvoorbeeld op de score van *Labour* in 1997, 2001 en 2005, waar dit verschil telkens oploopt tot ongeveer twintig procentpunten. De winst in 2010 van bijna vier procentpunten qua stemmenaantal, vertaalt zich in een winst van meer dan 16 procentpunten qua zetelaantal voor de *Conservatives*. Structureel stelt het probleem zich het zwaarst voor de *Liberal Democrats*, die ondanks een stijgende populariteit en scores van meer dan 20 % van de stemmen, geen enkele keer meer dan 10 % van de zetels binnenrijfden. Het hoeft dus niet te verwonderen dat de invoering van een proportioneel kiessysteem een van de belangrijkste actiepunten is uit het partijprogramma van deze partij.[24]

---

24.   Als onderdeel van het coalitieakkoord wisten de *Liberal Democrats* een referendum
af te dwingen over de invoering van het *Alternative Vote*-stelsel. Op 5 mei 2011
stemde slechts 32,1 % voor de afschaffing van het FPTP-systeem. De opkomst lag
trouwens zeer laag. Slechts 41,9 % van de stemgerechtigden had een geldige stem
uitgebracht.

Tabel 5:   Stemmen- en zetelpercentages van de partijen *Conservatives,*
            Labour en *Liberal Democrats* (1945-2010)

	Stemmen (in %)				Zetels (in %)		
	CONSERV	LABOUR	LIB DEM		CONSERV	LABOUR	LIB DEM
1945	36,8	48	9	1945	31,1	61,4	1,9
1950	43,4	46,1	9,1	1950	47,7	50,4	1,4
1951	48	48,8	2,6	1951	51,4	47,2	1
1955	49,7	46,4	2,7	1955	54,8	44	1
1959	49,4	43,8	5,9	1959	57,9	41	1
1964	43,4	44,1	11,2	1964	48,3	50,3	1,4
1966	41,9	48	8,5	1966	40,2	57,8	1,9
1970	46,4	43,1	7,5	1970	52,4	45,7	1
Feb. '74	37,9	37,2	19,3	Feb. '74	46,8	47,4	2,2
Okt. '74	35,8	39,3	18,3	Okt. '74	43,6	50,2	2
1979	43,9	36,9	13,8	1979	53,4	42,4	1,7
1983	42,4	27,6	25,4	1983	61,1	32,2	3,5
1987	42,3	30,8	22,6	1987	57,8	35,2	3,4
1992	41,9	34,4	17,8	1992	51,6	41,6	3,1
1997	30,7	43,2	16,8	1997	25	63,4	7
2001	31,7	40,7	18,3	2001	25,2	62,7	7,9
2005	32,3	35,2	22,1	2005	30,5	55	9,6
2010	36,1	29	23	2010	47,1	39,7	8,8

(Bij de gearceerde cijfers bedraagt het verschil meer dan tien procentpunten, in het voor- of het nadeel)

Welke factoren verklaren deze enorme disproportionaliteit, die vooral bij de meest recente verkiezingen voor grote vertekeningen tussen stemmenuitslag en zetelresultaat hebben geleid?

a) *Geografische spreiding/concentratie van stemmen*

De mate van disproportionaliteit hangt voor een groot stuk af van de mate waarin een partij een matig aantal stemmen gelijkmatig over alle kiesdistricten heen behaalt, dan wel of haar stemmen geconcentreerd zijn in een beperkt aantal kieskringen. De eerste situatie (spreiding van stemmen) is het meest nadelig, omdat die partij dan waarschijnlijk in geen enkel kiesdistrict groot genoeg is om als winnaar uit de bus te komen en de zetel in de wacht te slepen. Anderzijds is het zo dat wanneer de stemmen zich in een beperkter aantal kiesdistricten concentreren (en men dus misschien in andere kiesdistricten nauwelijks of geen stemmen behaalt), men toch kans maakt om als grootste partij uit de plaatselijke stembusslag te komen, waardoor men zetels kan binnenhalen. Dit verklaart bijvoorbeeld het feit dat de *Scottish National Party* (SNP) relatief gemakkelijker aan zetels geraakt dan de *Liberal Democrats*, ondanks het feit dat de SNP in 2010 bijna veertien keer minder stemmen behaalde dan de *Liberal Democrats*.

b) Indeling van kieskringen

De disproportionaliteit wordt ook in de hand gewerkt door factoren die rechtstreeks terug te brengen zijn tot de indeling van de kieskringen.

De grootte van de constituencies – Ondanks het streven naar min of meer evenredige kieskringen wat het bevolkingsaantal betreft, noteren we toch grote verschillen tussen de kieskringen onderling. In 2010 was het eiland Isle of Wight, met 109 902 kiesgerechtigden, het grootste kiesdistrict, terwijl het kleinste district, Na-h-Eileann & Iar in Schotland nauwelijks 21 780 kiesgerechtigden telt. Men kan dus niet stellen dat het land in 650 'gelijke' kieskringen is opgedeeld, ook al streeft de *Boundary Commission* ernaar om het aantal inwoners in een kieskring zo dicht mogelijk bij het streefcijfer van een *electoral quota* van ongeveer 70 000 inwoners per zetel te laten uitkomen.[25] Deze verschillen kunnen ook een vertekenende en disproportionerende factor zijn, zoals we eerder in dit boek al aangegeven hebben. De *Conservatives* moeten gemiddeld ongeveer drieduizend stemmen meer behalen dan *Labour* om een zetel binnen te rijven.

Er zijn ook belangrijke regionale verschillen. De *constituencies* in Schotland en Wales zijn kleiner dan die in Engeland, waardoor er per hoofd van de bevolking meer Schotse en Welshe dan Engelse MP's zijn. Dat was een compromis om de angst van de Schotten en de Welsh te counteren, die een te grote dominantie van Engeland in het Britse Lagerhuis vreesden. In de aanloop naar de verkiezingen van mei 2005 werden de kieskringen in Schotland hertekend, waardoor de oververtegenwoordiging van de Schotse bevolking bijna volledig tenietgedaan werd. Aanleiding vormde de aanzienlijke overdracht van bevoegdheden die de Schotten verwierven in hun eigen Schotse parlement.

Boundary Commission – De Britse kieswetgeving voorziet in een permanente commissie, voorgezeten door de voorzitter van de *House of Commons* en bestaande uit een tiental ambtenaren aangeduid door de *deputy prime minister*, die zich bezighoudt met het aanpassen van de grenzen van de kiesdistricten. Dat kan enkel gebeuren op basis van recente migratiestromen: een recente stadsvlucht of – omgekeerd – een massale toeloop naar een stad of een plattelandsstreek.

---

25. Deze electorale quota worden berekend door het aantal ingeschreven kiezers te delen door het aantal te verdelen zetels. Voor Engeland zijn deze cijfers (2007): 36 995 495 ingeschreven kiezers, te delen door 529 kieskringen, wat een streefcijfer van 69 935 inwoners per kieskring oplevert.

In de *Parliamentary Constituencies Act* van 1986 is bepaald dat de *Boundary Commission* '[is] required to keep the representation of England in the House of Commons under continuous review and periodically report to the Secretary of State' (Boundary Commission for England, 2007, p. 2).[26] De commissie is verplicht om telkens na een rapport binnen een termijn van minimum acht tot maximaal twaalf jaar tijd een nieuw rapport op te stellen. Daarin kan ze voorstellen doen voor aanpassingen aan de grenzen van de diverse kieskringen. Er is telkens een *Boundary Commission* voor England, voor Wales en voor Schotland. Figuur 7 geeft een voorbeeld van het resultaat van een dergelijke hertekening van de grenzen van de kiesdistricten in het oosten van het graafschap Sussex.

Figuur 7: Het hertekenen van de kieskringen

Situatie in 2005:

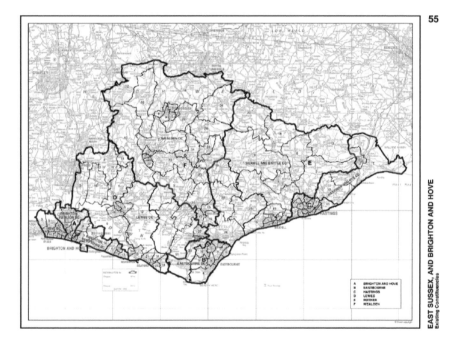

----

26. In 2013 heeft de *Boundary Commission for England* beslist dat de aanpassing van de *constituencies* in het najaar van 2018 zal plaatsvinden (bron: website *Boundary Commission for England*) en dus ten vroegste zal worden toegepast bij de verkiezingen van 2020 (tenzij er na 2015 vervroegde verkiezingen plaatsvinden).

Voorstel voor de indeling van de kiesdistricten vanaf de eerstvolgende verkiezingen (2010):

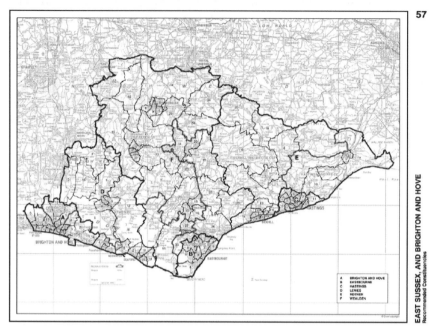

Bron: *Boundary Commission for England, Fifth Periodical Report, Volume 4, 2007, pp. 54-57.*

Gerrymandering – Hier gaat het om het 'ongeordend' (of onlogisch) verknippen van *constituencies*, waardoor een of meerdere partijen bevoordeeld worden. Uiteraard is de grens tussen de 'objectieve' maatstaven waarop de *Boundary Commission* haar werk baseert en de 'subjectieve' maatstaven waarop het *gerrymanderen* gebeurt, soms zeer dun of voor veel interpretatie vatbaar. Bij het voorbeeld van figuur 8 kan men zich de vraag stellen waarom de wijk Blackwood (omcirkeld), bij het kiesdistrict Coatbridge, Chryston and Bellshill hoort, en niet bij het geografisch meer nabije kiesdistrict Cumbernauld, Kilsyth and Kirkintilloch East.

Figuur 8: Gebrekkige logica bij het vastleggen van de grenzen in Schotland

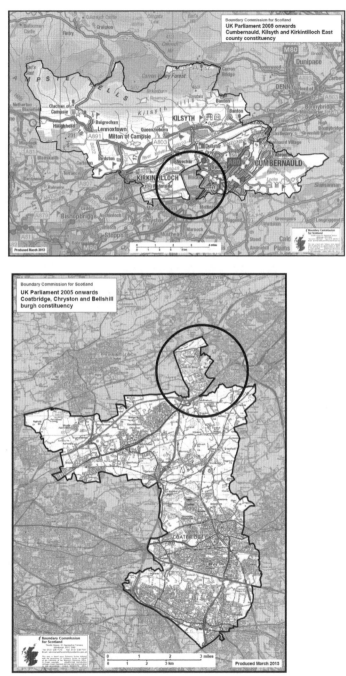

Bron: Boundary Commission for Scotland, Fifth Periodical Report, Appendix F, 2007. Zie ook http://
www.bcomm-scotland.independent.gov.uk/maps/westminster/2005/

IV. Voor- en nadelen van het *First Past The Post*-stelsel

Als we de voor- en nadelen van het First Past the Post-systeem bespreken, moeten we uitgaan van een typische verkiezingsuitslag. Daar hoort de atypische verkiezingsuitslag van 6 mei 2010 duidelijk niet bij: deze verkiezingen leverden immers geen duidelijke meerderheid op in het Lagerhuis, en bijgevolg werd voor het eerst sinds de Tweede Wereldoorlog een coalitieregering op de been gebracht. De overige kenmerken van een First Past the Post-stelsel gaan echter nog steeds even goed op.

Ongetwijfeld het grootste voordeel van het FPTP-systeem is dat de kiezer een duidelijke keuze heeft tussen twee partijen. Doordat het systeem zo flagrant de grote partijen bevoordeelt, draait het bij deze verkiezingen in wezen enkel om een strijd tussen twee partijen. De kleinere partijen spelen een veel kleinere rol dan in een proportioneel systeem; ze zijn immers niet nodig om een coalitie te vormen en ze hebben dus geen zogenaamde *blackmail potential* (Sartori, 1976). Ze komen – de verkiezingen van 2010 uitgezonderd – op geen enkel moment in de regeringsvorming aan bod en kunnen dus niet wegen op het regeringsprogramma.

Bijgevolg, en dit is het tweede voordeel, leidt dit stelsel in principe steeds tot een eenpartijregering. Dat is het gevolg van de eenduidige vertaling van de stembusslag: de partij met de meerderheid van de stemmen krijgt de meerderheid van de zetels en levert de regering. Er zijn in de naoorlogse periode slechts drie uitzonderingen geweest op de regel dat de partij met de *popular vote* steeds een absolute meerderheid in het parlement behaalt en bijgevolg de regering levert. In 1951 beschikte de conservatieve premier Winston Churchill niet over de *popular vote* (hij behaalde 48,0 % van de stemmen, terwijl *Labour* 48,8 % behaalde), maar Churchill had wel een nipte meerderheid aan zetels in het parlement (51,4 % ten opzichte van 47,2 % voor *Labour*). In februari 1974, daarentegen, probeerde de *Labour*leider Harold Wilson een regering op de been te brengen zonder dat hij over een parlementaire meerderheid beschikte. Zijn regering hield het minder dan een half jaar uit, waardoor er in oktober 1974 nieuwe verkiezingen plaatsvonden, die *Labour* deze keer wél aan een parlementaire meerderheid hielpen. In 2010 ten slotte leidde de conservatieve leider David Cameron zijn partij wel naar een overwinning in stemmenaantal, maar dat vertaalde zich niet in een meerderheid aan zetels in het Lagerhuis. Een dergelijke situatie, waarin geen enkele partij de absolute meerderheid van de zetels in de *House of Commons* haalt, heet in het Westminster jargon een *hung parliament*. Na vijf dagen van zenuwachtig getouwtrek tussen *Labour* en de *Conservatives,* die beide hengelden naar de steun van de *Liberal Democrats* om een coalitieregering te vormen, koos de *Liberal Democrats'* leider Nick Clegg om gesprekken aan te knopen met de *Conservatives.* Op 18 mei 2010 werd de regering van David Cameron beëdigd, met Nick Clegg als vicepremier.

Ten derde zorgt dit systeem ook voor een coherente oppositie. Doordat er minder partijen in het parlement zitten, is de oppositie ook minder verdeeld en versnipperd. Daardoor is een veel slagkrachtigere oppositie tegen de regeringsvoorstellen mogelijk. Dit wordt meestal veruiterlijkt in het zogenaamde schaduwkabinet (*shadow cabinet*). Wanneer *Labour* aan de macht is, zal de Conservatieve Partij een soort van spiegelregering maken, onder leiding van hun politieke leider (die zich zo kan manifesteren als potentieel toekomstig eerste minister), met leidende MP's die zich toeleggen op het beleidsdomein van een van de echte ministers. Uiteraard gebeurt hetzelfde wanneer de *Conservatives* aan de macht zijn en er een *Labour*schaduwkabinet wordt geïnstalleerd. Deze schaduwministers maken als vanzelfsprekend een grote kans op de echte ministerpost wanneer de rollen tussen de partijen omkeren.

Een vierde voordeel is het feit dat de politieke partijen verplicht zijn om zich als bredere 'volkspartijen' te organiseren. Partijen worden er immers toe gedwongen om reeds vóór de verkiezingen na te denken over een zo breed mogelijke basis van kiezers die ze willen vertegenwoordigen. Daardoor moeten ze zich profileren als 'bredere' volkspartijen dan bij ons soms het geval is (waar iedereen eerst zijn eigen standpunt verdedigt en pas na de verkiezingen allianties zoekt).

Ten vijfde barreert dit stelsel de weg naar het parlement voor extremistische partijen. Dat is niet alleen voor *rechts-extremistische partijen* het geval. Voor álle kleine partijen geldt dat de weg naar het parlement bijzonder moeilijk is. Extremistische partijen moeten immers plaatselijk al de relatieve meerderheid van de stemmen behalen vooraleer ze de zetel krijgen. En vooralsnog is er geen enkele extremistische partij die op een relatieve meerderheid in een kieskring kan rekenen. *De facto* geldt dit ook voor de 'kleine partijen'. Van de 127 partijen die deelnamen aan de verkiezingen in 2010, geraakten er maar tien tot in het parlement.

Uiteraard betekent dit ook dat het zeer moeilijk is voor nieuwe partijen om door te breken tot in het Britse parlement. Dit is ook een van de redenen waarom het Verenigd Koninkrijk geen aparte of succesvolle groene partij heeft, terwijl dat wel het geval is in Nederland (GroenLinks), Frankrijk (*Les verts*), België (Groen en *Ecolo*) en Duitsland (*Bündnis 90/Die Grünen*). Pas in 2010 slaagde *Green* erin om met de verkiezing van Caroline Lucas (Brighton Pavilion) het oligopolie van *Labour*, *Conservatives* en *Liberal Democrats* in de Engelse kiesdistricten te doorbreken.

Ten zesde draagt het meerderheidsstelsel er automatisch toe bij dat de Britse parlementsleden zich in het parlement als de vertegenwoordigers van hun eigen geografische regio gaan manifesteren. Doordat het parlementslid zo veel mogelijk kiezers achter zich moet scharen met het oog op zijn herkiezing, kan hij of zij het zich niet veroorloven enkel rekening te houden met zijn of haar eigen partijkiezers. Een conservatieve kandidaat moet ook de kiezers van *Labour* en zeker die van de *Liberal Democrats* proberen te overtuigen om voor hem of haar te (blijven) stemmen. En dat doet het parlementslid het best door zich in te zetten voor het algemeen belang van zijn of haar eigen *constituency*, waarbij het vrijwaren van arbeidsplaatsen en het aantrekken van nieuwe investeerders in de regio hem of haar uiteraard een vrijgeleide kan geven tot een vernieuwing van zijn of haar parlementsmandaat.

Doordat de partijen elk maar één kandidaat naar voren schuiven om de zetel in de wacht te slepen, draait de campagne vaak uit op een strijd tussen individuele kandidaat-parlementsleden. Doordat het er bovendien op aankomt om de eigen *constituency* zo goed mogelijk te verdedigen, komt het parlementslid vaak in de aandacht (lokale media) en weet de Britse bevolking aldus veel beter dan kiezers in een proportioneel stelsel wie zijn of haar vertegenwoordiger in het parlement is.

Alles welbeschouwd kan men dus – en dat is het achtste voordeel – van een zeer transparant systeem spreken. De winnaar van de verkiezingen zit doorgaans de volgende dag al in Downing Street 10, de ambtswoning van de eerste minister. Er komen, op de verkiezingen van 2010 na, geen coalitiebesprekingen met allerlei achterkamertjespolitiek meer aan te pas. Voor de kiezer is het zeer helder omdat er een duidelijke vertaling is van het aantal stemmen in het aantal zetels.

Er zijn ook onmiskenbaar veel *nadelen* aan het systeem. Ten eerste zijn kleinere partijen niet of nauwelijks vertegenwoordigd in het parlement. Zie bijvoorbeeld de recente geschiedenis van de *Liberal Democrats* in het Verenigd Koninkrijk: de partij behaalde soms tot 20 % van de stemmen, wat zich dan vertaalde in een schamele 6 % van de zetels (zie tabel 5). Zo is er ook het voorbeeld van de *Progressive Party* in Canada, die in het begin van de jaren negentig tot 16 % van de stemmen behaalde maar daarmee slechts 0,7 % van de zetels in de wacht kon slepen.

Het systeem is ook bijzonder ongunstig voor kandidaten van allochtone origine. Zij geraken nauwelijks tot in het parlement. We hebben reeds gezien dat partijen proberen om de kiezers te overtuigen met een zo acceptabel mogelijk programma en een zo acceptabel mogelijke kandidaat. Men zou zich dan de provocatieve vraag kunnen stellen, welke partij ervoor zal kiezen om een allochtoon aan de kiezers aan te bieden. Het is een van de belangrijkste verklaringen van het feit dat er nog steeds zo weinig kleurlingen in het Britse parlement zetelen, ondanks de grote verscheidenheid aan rassen die op het Britse grondgebied leven. Bij de verkiezingen van 6 mei 2010 kwam een record aantal van minstens 89 moslimkandidaten op, op een totaal van 4133 kandidaten. Het aantal parlementsleden van een andere etnische oorsprong steeg daardoor tot 26 (of 0,4 % van het totale aantal zetels). Er werden voor het eerst drie moslima's tot parlementslid verkozen (Keep, 2010, p. 10).

Tabel 6:   Aantal vrouwelijke en mannelijke kandidaten bij de Britse verkiezingen 2010

	Total		Female		
	number	change from 2005	number	%	%age point change from 2005
▌Conservative	631	+1	150	24%	+4%
▌Labour	631	+4	189	30%	+3%
▌Liberal Democrats	631	+5	137	22%	-1%
▌UKIP	558	+62	78	14%	+1%
▌BNP	339	+220	55	16%	-2%
▌Green	335	+132	108	32%	+19%
▌English Democrats	104	+80	11	11%	-8%
▌Christian Party	67	+67	16	24%	n/a
▌Scottish National Party	59	0	18	31%	+8%
▌Plaid Cymru	40	0	7	18%	+8%
▌TUSC	39	+39	8	21%	n/a
▌Socialist Labour	17	-32	5	29%	-3%
▌Alliance	18	+6	6	33%	-8%
▌SDLP	18	0	5	28%	+6%
▌Sinn Féin	17	-1	3	18%	-5%
▌Ulster Conservatives and Unionists	17	-1	3	18%	+12%
▌Christian People's Alliance	16	+7	3	19%	-3%
▌Democratic Unionist Party	16	-2	0	0%	-17%
▌Independents	337	+161	31	9%	-10%
Others (excl. Independents)	243	-175	28	12%	-7%
Totals	**4,133**	**+573**	**861**	**21%**	**+1%**

Bron: Cracknell e.a., 2010, p. 42.

Dezelfde redenering gaat op voor vrouwen. Met een nog wat scherpere provocatieve formulering dan daarnet, zou men zich immers kunnen afvragen welke partij een vrouw naar voren zal durven schuiven als meest acceptabele kandidaat. De cijfers in tabel 6, waarin het aantal vrouwelijke en mannelijke kandidaten bij de Britse verkiezingen van 2010 is uitgezet, spreken boekdelen. Slechts bij een handvol partijen is een vierde van de kandidaten van het vrouwelijke geslacht, ondanks een bescheiden toename van het aantal vrouwelijke kandidaten (+ 0,5 % ten opzichte van 2005). Vergelijkend onderzoek van de Amerikaanse politicologe Pippa Norris (2004) bevestigt deze vaststelling. Wereldwijd zaten er aan het begin van de 21ste eeuw 15,6 % vrouwen in de parlementen. In FPTP-stelsels was dat 14,4 % (VK 2005: 19,8 %), terwijl het er in proportioneel samengestelde parlementen veel meer zijn: gemiddeld 27,6 %.

Ten vierde is er het gevaar van een partijvorming op basis van clan of etniciteit. In principe staat het iedereen vrij om een partij op te richten. Als partijvorming echter louter op basis van clan of etniciteit zou gebeuren, dan zou er mogelijk een vrij explosieve situatie ontstaan van 'witte' partijen tegen 'gekleurde' partijen. In een aantal Afrikaanse staten, veelal oud-Britse kolonies, geeft dit regelmatig aanleiding tot interne spanningen en een bedreiging voor het democratische systeem.

Het FPTP-kiesstelsel leidt bovendien tot een groot aantal 'verloren stemmen', waardoor men zich vragen kan stellen bij de legitimiteit van de verkiezingen (en dus van het verkozen parlement). Doordat alleen een tweetal grote partijen zetels behaalt, gaan veel stemmen verloren. Denk aan het voorbeeld uit de inleiding op dit hoofdstuk: in een kieskring waar vier partijen opkomen, is het theoretisch mogelijk dat een partij met amper 26 % van de stemmen de zetel behaalt, terwijl de andere drie partijen met 25 %, 25 % en 24 % van de stemmen met lege handen achterblijven. In deze situatie spreken we dus van 74 % verloren stemmen. Hoe groot is dan nog de legitimiteit van deze verkozene?

Ten zesde is dit stelsel ongevoelig voor *swings* in de publieke opinie. De sociologische evolutie van een kiesdistrict is veelal niet van dien aard dat het vaak en snel wijzigt met grote partijpolitieke consequenties tot gevolg. Denk aan de streken rond de steden Liverpool en Manchester, die worden gedomineerd door oude industrieën en bijgevolg een grote arbeidersklasse hebben. De *Conservatives* koesteren er ijdele hoop om in de eerstvolgende decennia een zetel binnen te rijven. Op vele plaatsen moeten verschuivingen in de publieke opinie wel bijzonder groot zijn om ook zichtbaar te worden in de stemuitslag, tenzij er uiteraard een aanzienlijk aantal sterk competitieve (of marginale) zetels is. Nochtans is het noodzakelijk voor de aanvaarding en het overleven van dit kiesstelsel dat de meerderheid alterneert en er niet één partij is die lang aan de macht blijft. Een te lange dominantie van een van de grote partijen ondermijnt de legitimiteit van dit systeem.

Ten slotte is het Britse kiesstelsel ook erg gevoelig voor veranderingen of toevalligheden in de marge. Het resultaat van de verkiezingen (die winst en verlies bepalen) is vaak uitsluitend afhankelijk van de wijze waarop de grenzen tussen de kiesdistricten getrokken zijn. Wanneer men de kiesdistrictgrens trekt midden in een concentratie van stemmen van een bepaalde bevolkingsgroep (socio-economisch, etnisch of religieus bepaald), slaagt men erin om die invloed te breken. Door sterk geconcentreerde groepen in twee of meer stukken te delen, wordt het meteen veel lastiger voor die bevolkingsgroep om voldoende stemmen te verzamelen en zo aanspraak te kunnen maken op de zetel in een van beide (of meerdere) kiesdistricten.

V. *House of Lords*

Tot hier toe hebben we enkel de verkiezing voor het Britse Lagerhuis, of de *House of Commons*, besproken. Het Britse parlement telt evenwel ook een Hogerhuis, de *House of Lords*. We kunnen het Britse politieke bestel niet verlaten zonder ook even stil te staan bij de manier waarop deze parlementaire assemblee samengesteld wordt en wat haar bevoegdheden zijn.

1. Samenstelling

Lange tijd was de *House of Lords* een bastion van conservatieve edellieden. Tot 1 januari 1999 maakten er niet minder dan 1296 leden deel van uit, waarvan geen enkel rechtstreeks verkozen door de bevolking en waarvan 759 zogenaamde *life peers*, personen die op basis van erfopvolging recht hadden op een zitje in het Hogerhuis (Delmartino & Swenden, 2002).

Het was al van tijdens de verkiezingscampagne voor de verkiezingen van 1 mei 1997 duidelijk dat de nieuwe socialistische partijleider en latere premier Tony Blair komaf wou maken met het weinig democratische karakter van deze instelling. Kort na zijn aantreden werkte hij een zorgvuldig plan uit om de *House of Lords* af te slanken en van zijn minst democratische trekjes te ontdoen. Hij had het vooral gemunt op de categorie van erfadel. In 1999 zag Blair zijn inspanningen al deels beloond, met de goedkeuring van een grondige hervorming van het Hogerhuis (de zogenaamde *House of Lords Act*). Het aantal leden werd zo goed als gehalveerd tot 695 (Berlinski et al., 2009). In 2005 ging *Labour* nog een stap verder met de hervorming van de *House of Lords*. Via de zogenaamde *Constitutional Reform Act* werd de categorie van de *law lords* – twaalf rechters die tot hun zeventigste lid mochten blijven en de hoogste beroepsinstantie voor burgerlijke zaken en strafrechtelijke aangelegenheden, het *Lords of Appeal*, vormden – afgeschaft. Deze *law lords* werden vanaf 1 oktober 2009 rechters van het nieuw opgerichte *Supreme Court* – dat ook bevoegd werd voor het beslechten van geschillen tussen de verschillende regeringen en parlementen van het Verenigd Koninkrijk (Arnold, 2010, pp. 443-444) – en dus niet langer onderdeel van de wetgevende maar van de rechterlijke macht.

Momenteel onderscheiden we drie categorieën. Er zijn een 700-tal zogenaamde *life peers*, die voor het leven worden benoemd door het staatshoofd op advies van de eerste minister. Een tweede categorie bestaat uit de twee aartsbisschoppen en 24 bisschoppen van de Anglicaanse Kerk. Ten slotte zijn er nog 92 erfadellijke leden van het Hogerhuis (dit zijn de zogenaamde *elected hereditary lords*). Dat er van deze laatste categorie nog vertegenwoordigers overgebleven zijn, was een toegeving van Blair om ten minste toch de hoofdlijnen van zijn hervormingsplan goedgekeurd te krijgen. Het is de bedoeling dat op termijn alle erfadel uit de *House of Lords* zal verdwijnen.

De leden van de *House of Lords* hebben doorgaans een veel minder uitgesproken band met een van de politieke partijen dan hun collega-parlementsleden uit de *House of Commons*. Als men toch een indeling naar partijaanhorigheid maakt, stelt men vast dat er naast de 217 leden die tot het *Labour*kamp gerekend kunnen worden, 208 leden behoren tot de *Conservatives* en 89 tot de *Liberal Democrats*. Daarnaast zijn er 182 zogenaamde *crossbenches*, lords die niet tot één bepaalde politieke partij behoren. Ten slotte zijn er de – uiteraard neutrale – vertegenwoordigers van de clerus en nog een 30-tal vertegenwoordigers die niet gelieerd zijn aan een bepaalde partij of behoren tot een 'andere' partij. Merk op dat – in tegenstelling tot de *House of Commons* – het totale aantal fluctueert (door de benoeming van nieuwe leden, overlijdens enz.) en er geen maximum is vastgelegd.

Tabel 7:   Samenstelling van de *House of Lords*[27]

Partij/groep	*Life peers*	*Excepted hereditary peers*	Bisschoppen	Totaal
Bisschoppen	0	0	24	24
Conservative	160	48		208
Labour	213	4		217
Liberal Democrat	85	4		89
Crossbench	151	31		182
Non-affiliated	21	0		21
Andere partijen	12	1		13
Totaal	642	88	24	754

2.   Taken

Omdat geen enkel lid van de *House of Lords* rechtstreeks verkozen is door de bevolking, ligt het politieke zwaartepunt van het partijleven dus zeker niet in deze kamer. De taken van de *lords* zijn bijgevolg heel wat beperkter dan die van de leden van de *House of Commons*. Ze werden vastgelegd in de *Parliaments Act* van 1911 en zijn in essentie terug te brengen tot controle op de wetteksten. *Lords* kunnen zelf geen wetgeving initiëren; ze kunnen dus zelf geen wetsvoorstellen indienen. Ze kunnen daarentegen wel een tweede

---

27.   Toestand op 1 juli 2013. Bron: website *House of Lords*. Twee bisschopszetels zijn op dat moment niet ingevuld.

lezing van een wettekst aanvragen en op die manier het van kracht worden van een wettekst opschorten voor de duur van maximaal één jaar. Na afloop van dat jaar kan de wet dan gewoon opnieuw gestemd worden door de *House of Commons*, zonder verdere beroepsmogelijkheid van de *lords* of van een andere politieke actor. Met andere woorden: *lords* hebben het recht om een wettekst op te schorten en de tenuitvoerlegging ervan te vertragen, maar kunnen geen veto stellen tegen een wet. Uiteraard kan aan de *lords* gevraagd worden om omwille van hun expertise een bijdrage te leveren aan het verbeteren van de wetteksten die in de *House of Commons* worden uitgewerkt.

VI. De relaties tussen de wetgevende en de uitvoerende macht

Uit het bovenstaande blijkt duidelijk dat de *House of Commons* het zenuwcentrum is van alle parlementaire activiteit. Omdat de *House of Lords* niet kan stoelen op democratische legitimiteit is de *Commons* uitgegroeid tot de sterkste van de twee kamers (Delmartino & Swenden, 2001). De *lords* spelen, een enkele uitzondering niet te na gesproken, meestal geen rol in het bepalen van het politieke beleid, hoewel hun invloed niet onderschat kan worden aangezien ze een tweede lezing van de wetgeving kan aanvragen en deze ultiem zelfs gedurende twaalf maanden kan tegenhouden (Saalfeld, 2003, p. 626).

Toch betekent dit niet dat het Lagerhuis de dominante actor is in de Britse politieke besluitvorming. Zoals in het merendeel van de parlementaire democratieën, ligt dat overwicht in de schoot van de regering, en in het Verenigd Koninkrijk sterk geconcentreerd in de positie van de eerste minister.

1. De uitvoerende macht gedomineerd door de *prime minister*

De uitvoerende macht wordt officieel gevormd door het staatshoofd en de regering. Maar voor de monarch is niet veel meer weggelegd dan een ceremoniële functie. Hij/zij opent het parlementaire jaar met de voorlezing van de *King's/Queen's Speech*, neemt deel aan allerlei publieke functies, en vertegenwoordigt het Verenigd Koninkrijk bij buitenlandse staatsbezoeken. De monarch staat sinds de zestiende eeuw ook aan het hoofd van de Anglicaanse Kerk (Delmartino & Swenden, 2001, p. 51). De vorst heeft dus geen enkele politieke beslissingsmacht. Die heeft hij/zij als het ware gedelegeerd aan de eerste minister.

Tabel 8:   De Britse eerste ministers (1945-...)

datum aantreden	naam	partij
23.05.1945	Clement Attlee	*Labour*
26.10.1951	Sir Winston Churchill	*Conservative*
06.04.1955	Sir Anthony Eden	*Conservative*
10.01.1957	Harold Macmillan	*Conservative*
19.10.1963	Sir Alec Douglas-Home	*Conservative*
16.10.1964	Harold Wilson	*Labour*
19.06.1970	Edward Heath	*Conservative*
04.03.1974	Harold Wilson	*Labour*
05.04.1976	L. James Callaghan	*Labour*
04.05.1979	Margaret Thatcher	*Conservative*
28.11.1990	John Major	*Conservative*
02.05.1997	Tony Blair	*Labour*
27.06.2007	Gordon Brown	*Labour*
11.05.2010	David Cameron	*Conservative*

Die eerste minister staat aan het hoofd van *Her/His Majesty's Most Loyal Government*, een verzameling van meer dan honderd verschillende posities. Het aantal leden van het kernkabinet varieerde van 1945 tot 2007 tussen de 18 en 23 leden. Maar het geheel van *cabinet ministers, junior ministers* en *non-cabinet ministers* die op het regeringsbudget betaald worden, liep in 2005 op tot 111 (Berlinski et al., 2009, p. 62). Het behoort tot een van de kerntaken van de eerste minister om al deze personen te benoemen. Meestal gebeurt dat binnen de twee dagen na de verkiezingen, en gaat het om leden van het schaduwkabinet. Dit schaduwkabinet bestaat uit leden van de grootste oppositiepartij (*Conservatives* of *Labour*), die zich toeleggen op het opvolgen van een bepaald domein van het regeringsbeleid. Deze leden van het *shadow cabinet* zitten als het ware als een schaduw achter de veren van de beleidsvoerende ministers aan, en geven op die manier uitdrukking aan *His/Her Majesty's Most Loyal Opposition*. Nochtans laten leiders van de *Conservatives* zich minder leiden door de kennis die men opgedaan heeft tijdens het schaduwkabinet dan leiders van *Labour* (Berlinski et al., 2009, p. 60). De analyse van de ministeriële carrières levert geen vast patroon op, al maken *lords* opmerkelijk minder kans om in de regering opgenomen te worden dan leden van het Lagerhuis.

De eerste minister dankt zijn sterke positie in het Britse politieke systeem aan de combinatie van een aantal functies. Naast het feit dat hij eigenhandig zijn regeringsploeg samenstelt, heeft hij de gewoonte om die regeringsploeg minstens een keer per legislatuur dooreen te halen in een zogenaamde *cabinet reshuffle*. Ministers die niet goed presteren worden verwijderd of krijgen minder belangrijke departementen toegewezen; anderen maken promotie tot de regering of tot belangrijkere departementen. De enige beperking die de eerste minister in zijn keuze van regeringsleden heeft, is dat zij lid moeten zijn (of worden) van het Lagerhuis of het Hogerhuis (Saalfeld, 2003). Ten derde combineert de eerste minister zijn functies als eerste minister met die van partijvoorzitter. Aangezien de regering slechts door één partij gevormd wordt (met uitzondering van de regering Cameron), is hij meteen de ongecontesteerde leider van zijn partij én zijn regering. Ten vierde neemt hij ook een grote rol op naar de buitenwereld. Het is niet zozeer de Britse minister van Buitenlandse Zaken, maar wel de eerste minister die het buitenlands beleid bepaalt, en ook in de contacten met de media verdringt de eerste minister de andere leden van zijn kabinet. Hij is de verpersoonlijking van de regering, de partij en het politieke beleid. 'Zeker is dat de Britse *Prime Minister*, los van individuele verschillen in stijl en leiderschapskwaliteiten een voornamere machtspositie bekleedt dan de Duitse bondskanselier of de Franse *premier ministre*. Omdat de Britse premier, in tegenstelling tot de Franse premier of de Amerikaanse president minder afhankelijk is van institutionele factoren (*cohabitation, divided government*) zodat individuele leiderschapscapaciteiten sterker doorwegen in de evaluatie van de diverse Britse premiers' (Delmartino & Swenden, 2001, p. 56). Sommigen interpreteren de evoluties in het regeringsbeleid van na de Tweede Wereldoorlog als zou het systeem verschoven zijn van een *cabinet government* naar een *prime ministerial government* of zelfs een *quasi presidentiële* regering (Saalfeld, 2003, p. 636).

Toch heeft de Britse premier recentelijk ook aan macht ingeboet. Sinds de invoering van de *Fixed Term Parliaments Act* in 2011 heeft hij niet meer het voorrecht om op gelijk welk ogenblik het parlement te ontbinden en nieuwe verkiezingen uit te schrijven. Voortaan werkt de *House of Commons* met een vaste legislatuur van vijf jaar en zijn vervroegde verkiezingen (*snap election*) alleen mogelijk indien een constructieve motie van wantrouwen niet tijdig een meerderheid krijgt en indien twee derde van de parlementsleden beslissen om het parlement te ontbinden.

2. Een statig maar onmachtig parlement

Tegen zo een dominante positie van de regeringsleider kan het parlement uiteraard niet op. Ondanks de vaak beklijvende staaltjes van retoriek en *gentlemanship* die het parlement in Westminster kenmerken. Doordat het kiesstelsel een flinke bonus geeft aan de regeringspartij wat het aantal zetels in het parlement betreft, staat de oppositie immers zo goed als buitenspel. Oppositie en conflict zitten als het ware in de Britse parlementaire traditie ingebakken, en zelden worden over de partijgrenzen heen compromissen gesloten. En ook vanuit zijn eigen partij hoeft de eerste minister niet veel oppositie te verwachten. Meestal heeft hij al de belangrijkste factieleiders in zijn regeringsploeg opgenomen, en de aanstelling van een aantal fractieleiders, de zogenaamde *whips*, houden de onervaren of uitgerangeerde parlementsleden op de achterste banken, de zogenaamde *backbenchers*, in bedwang. Het Verenigd Koninkrijk staat gekend om zijn strenge partijtucht (Depauw, 2002).

Daarenboven controleert de regering op verschillende manieren het verloop van de parlementaire werkzaamheden. Elk parlementair kalenderjaar begint met de plechtstatige *King's* of *Queen's Speech*, waarin de regering de beleidsprioriteiten voor het komende jaar bekendmaakt. Omdat, zoals op het einde van de jaren tachtig, tot 92 % van de wetgeving berust op een initiatief van de regering (Newton & van Deth, 2003, p. 105), wordt maar weinig ruimte gemaakt voor de behandeling van zogenaamde *private bills* die door leden van het Lagerhuis worden ingediend.[28] Per jaar gaat het om niet meer dan een tiental vrijdagen (Delmartino & Swenden, 2001, p. 45).

Dit wil evenwel niet zeggen dat het parlement helemaal monddood gemaakt wordt. In theorie blijft het mogelijk dat het parlement de regering de laan uitstuurt. Al gebeurde dat in de recente Britse geschiedenis slechts tweemaal: in 1924 en in 1979 (Delmartino & Swenden, 2001). Belangrijker is het parlementaire debat dat georganiseerd wordt nadat de monarch zijn of haar *speech* heeft gegeven. Het is een unieke kans voor de oppositie om het regeringsbeleid in vraag te stellen. Ten tweede worden er per sessie een twintigtal zogenaamde *Opposition Days* georganiseerd. Zeventien keer is het de grootste oppositiepartij (*His/Her Majesty's Most Loyal Opposition*) die het onderwerp van dat debat bepaalt; de andere drie keer is het de tweede grootste partij. Deze *Opposition Days* stellen de oppositiepartijen in staat om het monopolie van de regering op het bepalen van de parlementaire agenda te doorbreken (Saalfeld, 2003, p. 634).

De meeste aandacht gaat evenwel uit naar *Question Time*, een vragenhalfuurtje dat viermaal per week georganiseerd wordt, maar slechts eenmaal per week met deelname van de eerste minister. Gemiddeld worden per sessie een twintigtal vragen behandeld, wat op jaarbasis leidt tot ongeveer 3000 mondelinge vragen. Daarbovenop moeten nog 40 000 schriftelijke vragen gerekend worden (Delmartino & Swenden, 2001). Maar, zoals we ook in de analyse van de andere parlementaire stelsels zullen zien, zorgen parlementaire vragenuurtjes slechts heel zelden voor klamme handjes op de regeringsbanken.

Wellicht het meest krachtige wapen dat het Lagerhuis in handen heeft tegen de regering, zijn de achttien zogenaamde *select committees*. Sommige daar-

---

28. Ter vergelijking: in België bedroeg dit percentage op het einde van de jaren 1980 23 % (Newton & van Deth, 2003, p. 105).

van zijn gespecialiseerd in het *ex post* doorlichten van het beleid en de administratieve opvolging ervan, in een bepaald domein van regelgeving. Deze commissies hebben het recht om beleidsvoerders voor een getuigenis op te vorderen, om documenten en dossiers op te vragen, en een doorlichting te maken van het regeringsbeleid (Saalfeld, 2003, p. 635).

VII. Het Verenigd Koninkrijk als typevoorbeeld van een Westminstermodel

Zoals duidelijk gebleken is uit de voorgaande alinea's, leidt het Britse kiesstelsel tot een heel specifiek systeem, waarin twee partijen domineren en alternerend de macht uitoefenen. Omdat deze situatie zo specifiek is, is het hele Britse politieke bestel een schoolvoorbeeld geworden van het zogenaamde meerderheidsstelsel. Daarom worden deze stelsels vaak ook *Westminster models* genoemd, naar de naam van het gebouw waarin het Britse parlement in Londen zetelt. Het Westminstermodel wordt in de literatuur steeds afgezet tegen de zogenaamde consensusdemocratieën, of met een Engelse term: *consociational democracies*. De bekende Nederlands-Amerikaanse politicoloog Arend Lijphart somt tien verschilpunten op tussen beide systemen (Lijphart, 1999). Hierbij bespreken we eerst de kenmerken van het Westminstermodel (WMM).

Eenpartijregering – Slechts heel zelden komen coalitieregeringen voor in het Westminstermodel. Meestal is er één partij die de regering vormt. Dat is uiteraard het gevolg van het FPTP-kiesstelsel, dat we hierboven uitvoerig besproken hebben. Heel af en toe komen er wel eens minderheidsregeringen voor; dat zijn regeringen die door één partij gevormd worden maar die niet over een meerderheid beschikken in het parlement (zoals de *Labour*regering van Harold Wilson in maart 1974) of niet beschikken over de *popular vote* (zoals de conservatieve regering van Winston Churchill in 1951). Dergelijke regeringen houden meestal ook niet lang stand. Ofwel worden er nieuwe verkiezingen georganiseerd (zoals in 1974), ofwel sluit de regeringspartij een verbond met een van de kleinere partijen in het parlement, zodat die haar vanuit de oppositie steunt. Meestal gebeurt dat laatste in ruil voor de realisatie van een symbolisch beleidsdossier van die kleinere partij. De regering Cameron-Clegg (2010-…) is de eerste coalitieregering in de Britse naoorlogse geschiedenis.

Dominantie van de regering op het parlement – De regering bestaat officieel slechts bij gratie van het parlement, want zonder parlementaire meerderheid komt er geen wetgeving. In realiteit is de situatie evenwel omgekeerd en domineert de regering het parlement. Zeker wanneer alle 'clanleiders' in de regering zijn opgenomen, ligt er een grote morele druk op het parlement om de wetsontwerpen van de regering te steunen en goed te keuren.

Tweepartijensysteem – Westminstermodellen worden gekenmerkt door een politiek systeem waarin twee partijen dominant zijn. Dat was lange tijd het geval in het Britse systeem. Maar zoals we al aangaven in de vorige alinea's, zijn er steeds meer andere partijen die zetels afsnoepen van de twee grote partijen. In de *House of Commons* zitten niet minder dan tien partijen, waarvan de *Liberal Democrats*, de *Scottish National Party*, *Plaid Cymru*, de *Ulster Unionist Party* en *Sinn Féin* de belangrijkste zijn. Toch blijven *Labour* en de *Conservatives* oververtegenwoordigd in het parlement, dankzij het kiesstelsel.

De oorsprong van de Britse partijdeling gaat terug op de sociaaleconomische breuklijn. *Labour* verdedigde de rechten van de arbeidersklasse, terwijl de *Conservatives* zich richtten op de middenklasse en de rijkere klasse. *Labour* had tot in 1996 de beroemde *Clause 4* in haar partijstatuten staan, waarin de partij verklaarde te streven naar de nationalisering van de industrieën. Het was voor velen een doorn in het oog of een stap te ver, en dat verklaarde waarom *Labour* niet beter scoorde in de verkiezingen van de jaren tachtig en de eerste helft van de jaren negentig, ondanks het onpopulaire beleid van de conservatieve eerste ministers Margaret Thatcher en John Major.

Figuur 9:   *Clause 4* van de partijstatuten van de Britse *Labour*partij

> *'To secure for the workers by hand or by brain the full fruits of their industry and the most equitable distribution thereof that may be possible upon the basis of the common ownership of the means of production, distribution and exchange, and the best obtainable system of popular administration and control of each industry or service.'*

De andere sociale breuklijnen (de etnische en de religieuze) spelen veel minder een rol in de Britse politiek, hoewel het relatieve succes (hoewel, 'wisselende succes' is misschien een betere formulering) van de nationalistische partijen *Plaid Cymru* en de *Scottish National Party* enerzijds en het protestantse *Ulster Unionist Party* en het katholieke *Sinn Féin* anderzijds wel wijst op een aanzienlijke invloed van de etnonationalistische en religieuze breuklijn in sommige delen van het Britse grondgebied.

Kiessysteem = relatieve meerderheidssysteem – Westminstermodellen maken gebruik van het relatieve meerderheidsstelsel als kiessysteem. De werking en de effecten van dit stelsel werden uitvoerig besproken in de voorgaande alinea's.

Pluralisme van belangengroepen – Doordat meerderheidsstelsels competitieve systemen zijn, van regering versus oppositie, en de meerderheden vrij snel kunnen wisselen, is er ook veel meer strijd tussen de belangengroepen om in de gunst van de regering te komen. Daarom komt het er voor de belangengroepen op aan om goede banden te onderhouden met álle politieke partijen. Er zijn hier dus minder exclusieve banden tussen een groepering en een politieke partij dan in een neocorporatistisch systeem (zoals het Belgische), zodat men gewag kan maken van een pluralistisch systeem. De competitie tussen de belangengroeperingen heeft als nadeel dat ze vaker elkaar onderling aan het bekampen zijn en zich daardoor een heel stuk minder slagkrachtig kunnen opstellen tegenover de regering.

Unitair en gecentraliseerd bestuur van het land – Het gevolg van de sterke regering is dat er weinig tot geen regionaal zelfbestuur is. Alleen het politieke centrum telt en de regionale bestuurseenheden zijn veel minder sterk uitgebouwd. Toch zijn er een aantal uitzonderingen. Zo is er de Noord-Ierse kwestie, die al jaren op de politieke agenda staat en die leidde tot de installatie van een semiautonome Noord-Ierse regering. Bovendien werden in mei 1999 het eerste Schotse parlement en het eerste Welshe *Assembly* verkozen.[29] Het was een verkiezingsbelofte voor meer zelfbestuur die Tony Blair had gedaan in de aanloop naar de verkiezingen van 1997 en die hem toen veel strategische stemmen opleverde van Schotse kiezers. Die verkozen massaal om op *Labour* te stemmen in plaats van een traditionele stem op de SNP uit te brengen, vanuit de redenering dat Tony Blair wellicht beter in staat zou zijn om een eigen Schots parlement waar te maken. *Labour* heeft intussen weer veel stemmen verloren in Schotland. Dit proces van regionalisering heet in het Verenigd Koninkrijk *devolution*, en de wetten waar vaak naar verwezen wordt, zijn de *Scotland Act* en de *Government of Wales Act* van 17 november 1998.

Eenkamerstelsel – Typisch voor Westminstermodellen is dat de wetgevende macht geconcentreerd wordt in één kamer, ook al bestaat het parlement officieel uit twee kamers. Dit betekent dat er asymmetrie is in de bevoegdheden: het Lagerhuis is in het Verenigd Koninkrijk veel belangrijker dan de *House of Lords*. De *House of Lords* kan de wetgeving hoogstens vertragen, maar nooit tegenhouden.

Grondwettelijke flexibiliteit – Anders dan in de meeste andere landen kent het Verenigd Koninkrijk geen geschreven grondwet. Het is integendeel een bundeling van zogenaamde *basic laws* die waken over de grondrechten van de Britten. Het voordeel van deze situatie is dat in de meeste gevallen wijzigingen kunnen gebeuren via eenvoudige meerderheden, zonder dat er speciale of tweederdemeerderheden nodig zijn. Toch betekent dit niet dat de grondrechten om de haverklap veranderen.

---

29. In dezelfde trend van decentralisatie werden vanaf 1999-2000 rechtstreekse verkiezingen georganiseerd in de grootste Britse steden waaronder Londen, dat sindsdien ook elke vier jaar een 25-koppig *London Assembly* verkiest.

Afwezigheid van gerechtelijk toezicht – Dit vloeit voort uit het vorige punt. Doordat er geen geschreven grondwet is, kan er ook niet aan die grondwet getoetst worden. Het houdt meteen ook in dat het parlement de hoogste soevereine autoriteit is. In het Verenigd Koninkrijk bestaat er dus geen volwaardig grondwettelijk hof. De in 2009 opgerichte *Supreme Court* heeft slechts beperkte bevoegdheden gekregen. Het kan enkel uitvoeringsbesluiten *(secondary legislation)* herroepen, maar niet de eigenlijke wetgeving zoals gestemd in het parlement *(primary legislation)*. Toen de Britten in 1973 de toenmalige Europese Economische Gemeenschap vervoegden, was dit overigens een heikel punt in de discussie, omdat de Britten voor het eerst aanvaardden dat andere wetgeving (met name de Europese) voorrang zou kunnen hebben op de eigen nationale wetgeving, die door hun soevereine autoriteit (het parlement) werd opgemaakt.

De centrale bank wordt gecontroleerd door de regering – Er bestaat in de meeste Westminstermodellen geen aparte gouverneur van de nationale bank. Het is integendeel de minister van Begroting die beide functies combineert, met als titel *Chancellor of the Exchequer*. Aan de basis van deze uitwerking ligt de scherpe polarisatie in het land en de alternerende regeringen (die greep wilden hebben op de staatsfinanciën). Maar ook daar heeft de Britse premier Tony Blair komaf mee gemaakt. Sinds de *Bank of England Act* van 1998 opereert de centrale bank los van de regering en oefent ze autonoom het monetaire beleid uit.

VIII. Besluit

Het meerderheidsstelsel heeft een aantal aanlokkelijke troeven, omdat het grote transparantie biedt in de omzetting van stemmen in zetels. Het levert een systeem op dat een aantal voordelen biedt en duidelijkheid brengt inzake politieke verantwoordelijkheid. Een regeringspartij kan zich niet verschuilen achter onwillige coalitiepartijen, maar kan voor de volle 100 % verantwoordelijk gesteld worden voor haar daden en beslissingen.
Tegelijk echter blijven heel wat stemmen van kiezers onbenut, is er minder diversiteit in de populatie parlementsleden, en is de disproportionaliteit tussen stemmenwinst en zetelwinst soms buitensporig groot. Het gevolg is een partijsysteem dat eerder door conflict dan wel door compromisbereidheid wordt gekenmerkt. Daardoor is dit kiesstelsel niet geschikt voor samenlevingen met een grote etnische of culturele diversiteit.

Hoofdstuk 3

ABSOLUTEMEERDERHEIDSSTELSELS

I. Inleiding

Naast het eennamige relatievemeerderheidsstelsel uit het Verenigd Koninkrijk zijn er nog twee andere soorten meerderheidsstelsels waar we in het kader van dit boek dieper op ingaan. Het gaat telkens om een kiesstelsel waarbij een absolute meerderheid van de uitgebrachte stemmen wordt verwacht vooraleer de zetel aan een kandidaat wordt toegewezen. Het tweerondensysteem wordt in een 22-tal landen gebruikt (Reynolds, Reilly & Ellis, 2005), terwijl het systeem van de *Alternative Vote* slechts beperkt toegepast wordt. We beginnen onze analyse met dit laatste kiesstelsel.

II. *Alternative Vote* (of het stelsel van de overdraagbare stem)

1. Inleiding

Dit kiesstelsel wordt wereldwijd niet frequent gebruikt om de uitslag van de verkiezingen te vertalen naar een omzetting van zetels in het parlement. Het komt voor in Oceanië (Australië en een aantal exotische eilanden zoals Nauru, de Fiji-eilanden en Papoea-Nieuw-Guinea), Sri Lanka en Ierland (voor de presidentsverkiezingen en voor *by-elections* van de *Dáil Éireann*, de Ierse eerste kamer) (Farrell, 2011, p. 51).[30] Toch is het een aantrekkelijk kiesstelsel, omdat het de kiezers de kans geeft een duidelijke rangorde op te geven van de kandidaten. De kiezer kan immers meteen aangeven wie hij/zij in tweede orde als parlementslid zou aanvaarden indien de kandidaat van zijn/haar voorkeur niet verkozen zou geraken. Bij alle andere systemen, behalve de *Single Transferable Vote* (zoals het gebruikt wordt voor de reguliere parlementsverkiezingen in Ierland), beschikt de kiezer niet over deze mogelijkheid en heeft hij als het ware dus maar één kans om het verkiezingsproces te beïnvloeden. In het stelsel van de *Alternative Vote* krijgt men daar dus meer kansen toe.

---

30. *Alternative Vote* wordt ook op regionaal niveau gebruikt in Australië en – onder de naam *supplementary vote* – voor de rechtstreekse burgemeesterverkiezing in Londen.

2.   Kenmerken van het *Alternative Vote*-stelsel

Dit meerderheidsstelsel vertrekt van de vereiste dat de kandidaat, om verkozen te worden, een volstrekte meerderheid van de stemmen achter zijn of
haar naam moet krijgen. Het biedt een antwoord op de nadelen van het
tweerondenstelsel, dat vaak moet overgaan tot de organisatie van een
tweede ronde vooraleer één kandidaat daarin slaagt. De *Alternative Vote* is
een preferentieel stelsel (en wordt daarom door de Australiërs ook *preferential voting* genoemd). Dit betekent dat kiezers niet moeten kiezen voor
slechts één kandidaat maar hun preferentie of voorkeur kunnen aangeven
over meerdere kandidaten. We maken een onderscheid tussen *full preferential voting*, waarbij men álle kandidaten op het formulier verplicht moet
rangschikken, en *optional preferential voting*, een stelsel waarbij men niet
verplicht is om álle kandidaten te rangschikken.

Normaal komt het voor in eennamige kiesdistricten (waar er dus maar één
kandidaat per partij is), maar er zijn ook varianten mogelijk met meerdere
kandidaten per partij. Deze variant zullen we niet bespreken.

Een kandidaat wordt in het *Alternative Vote*-stelsel pas verkozen wanneer
hij of zij de absolute meerderheid van de geldige stemmen achter zich heeft.
Het aantal kandidaten dat daaraan voldoet wanneer alleen het aantal eerste
preferenties geteld wordt (dit is de zogenaamde *primary count*), is er met de
jaren sterk op achteruit gegaan. Terwijl in de jaren vijftig gemiddeld 12 %
van de zetels werd toegewezen na het verdere uitpluizen van de voorkeuren,
was dit aantal in de jaren zestig al verdubbeld tot gemiddeld 27 %. In de
jaren zeventig en tachtig was de toename minder spectaculair (gemiddeld
30 %), om in de jaren negentig (gemiddeld 54 %) en het jaar 2001 (58 %)
sterk te stijgen (Farrell & McAllister, 2005, p. 91). Dus in bijna 60 % van de
gevallen moet in een stappenproces worden uitgemaakt wie recht heeft op
de zetel, waarbij telkens de zwakste kandidaat wordt geëlimineerd. Diens
stembiljetten worden dan weer herverdeeld over de overblijvende kandidaten, op basis van zijn of haar tweede voorkeur.

Figuur 10: Het stelsel van *Alternative Vote*

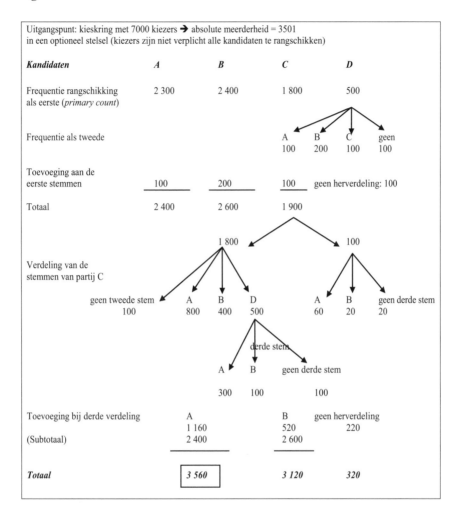

Uitgangspunt: kieskring met 7000 kiezers ➜ absolute meerderheid = 3501
in een optioneel stelsel (kiezers zijn niet verplicht alle kandidaten te rangschikken)

Kandidaten	*A*	*B*	*C*	*D*
Frequentie rangschikking als eerste (*primary count*)	2 300	2 400	1 800	500

Frequentie als tweede   A   B   C   geen
     100   200   100   100

Toevoeging aan de
eerste stemmen   100   200   100   geen herverdeling: 100

Totaal   2 400   2 600   1 900

     1 800   100

Verdeling van de
stemmen van partij C

geen tweede stem   A   B   D   A   B   geen derde stem
    100   800 400 500   60   20   20

derde stem

A   B   geen derde stem
300 100   100

Toevoeging bij derde verdeling	A		B	geen herverdeling
	1 160		520	220
(Subtotaal)	2 400		2 600	

| *Totaal* | **3 560** | | *3 120* | *320* |

In dit voorbeeld behaalt kandidaat A de zetel, ondanks het feit dat hij in de eerste ronde niet de meeste stemmen achter zich had gekregen. Dit is eerder de uitzondering dan de regel. De kans dat een andere kandidaat het haalt dan die kandidaat die de meeste stemmen achter zijn naam had bij de *primary count*, is immers vrij beperkt (zie tabel 9).

Tabel 9: Het belang van de *primary count* bij het *Alternative Vote*-systeem

	% kieskringen waarin de tweede, derde … keuze van belang was voor de toekenning	% kieskringen met een andere winnaar dan de *primary count*-winnaar
1984	29,7	8,8
1987	36,5	2,7
1990	60,1	6,1
1993	42,2	8,2
1996	39,2	4,7

Bron: Print, 2007.

3. Voor- en nadelen van het *Alternative Vote*-systeem

Als eerste *voordeel* van het *Alternative Vote*-systeem kan men vermelden dat het gaat om een virtueel tweerondenstelsel waarbij men er zeker van is dat de verkozene een absolute meerderheid van het electoraat achter zich heeft. En dit zonder de organisatiekost van het tweerondenstelsel.

Omdat het een meerderheidsstelsel is, bezorgt het een bonus aan de grootste partijen, wat op zijn beurt weer leidt tot de vorming van stabiele regeringen. Ten derde kan de kiezer zijn of haar eigen identiteit bewaren, kiezen voor de kandidaat die zijn of haar voorkeur wegdraagt en toch meteen aangeven wie hij of zij de tweede, derde … beste optie vindt, mocht die kandidaat van de eerste voorkeur geëlimineerd worden. Daardoor is men ervan verzekerd dat de publieke opinie weerspiegeld wordt in de stembusuitslag, zonder dat kleine of extremistische partijen een effectieve kans krijgen op een zetel in het parlement.

Er ontstaat – ten vierde – een zekere vorm van samenwerking tussen partijen, dankzij pre-electorale akkoorden. Dit is zeker in het voordeel van de kleinere partijen omdat zij hun kiezers kunnen oproepen om de kandidaat van een andere (grotere) partij als tweede beste keuze op het formulier aan te kruisen. Daarenboven stimuleert het kandidaten om op zoek te gaan naar de tweede, derde … voorkeur van de kiezers. Dat betekent meteen ook dat er minder *negatief* campagne gevoerd wordt.

Dit stelsel is – ten vijfde – minder polariserend dan het tweerondensysteem, dat meestal uitdraait op een strijd tussen een linkse en een rechtse kandidaat. Kiezers hebben alle vrijheid om aan te geven wie hun meest geprefereerde kandidaat is, zonder dat ze in een kunstmatige setting met slechts twee overblijvende kandidaten worden gedwongen. Precies daarom is het – ten zesde – een kiesstelsel dat interessant is om aan te wenden in verdeelde samenlevingen. Net omdat de kiezers hun eigenheid kunnen bewaren, en hen toch gevraagd wordt om verder na te denken over de andere kandidaten.

Als grootste *nadeel* – dit valt niet te ontkennen – is dit een vrij complex systeem dat moeilijk uit te leggen is aan minder in politiek geïnteresseerde kiezers. Het stelsel blinkt niet uit in transparantie. Vooral in stelsels van *full preferential voting* (waar men álle kandidaten moet rangschikken, dus ook deze die men niet of nauwelijks kent) ligt het aantal ongeldige stemmen bovendien een pak hoger dan in eenvoudigere stelsels.

Bovendien werkt het eigenlijk enkel in eennamige kiesdistricten, waar men de partijen dus verplicht om slechts één kandidaat te presenteren. Al gebiedt de volledigheid ons te vermelden dat het stelsel van 1919 tot 1946 in Australië wel toegepast werd in meernamige kiesdistricten.

Ten derde mag het verschil met een FPTP niet overschat worden. Zoals duidelijk bleek uit tabel 9 geeft dit systeem dus niet méér kansen aan kandidaten die niet de *primary count* hebben gewonnen dan in een stelsel van FPTP. In slechts 5 à 10 % van de gevallen wint een andere kandidaat dan de winnaar van de eerste stemmenverdeling.

Ten slotte is dit kiesstelsel bij uitstek vatbaar voor zogenaamd *donkey voting*, waarbij de kiezers nummertjes geven volgens de volgorde op het stembriefje: de eerste kandidaat krijgt de eerste voorkeur, de tweede kandidaat de tweede voorkeur etc. Wat meteen een groot vraagteken plaatst bij de complexiteit van het systeem, bij de grote politieke interesse die het verwacht van de kiezers en bijgevolg dus ook bij de legitimiteit van het stelsel (Reynolds, Reilly & Ellis, 2005, pp. 47-49).

III. Tweerondenstelsel

1. Inleiding

Het derde meerderheidsstelsel dat we in het kader van dit boek bespreken, is het tweerondenstelsel. Anno 2005 werd het in 22 van de 199 staten uit de IDEA-analyse toegepast (Reynolds, Reilly & Ellis, 2005). Het is daarmee de derde grootste categorie van kiesstelsels na de 47 staten met FPTP en de 70 landen met een lijstproportioneel stelsel. Net zoals bij de *Alternative Vote* gaat men er in een tweerondenstelsel van uit dat een kandidaat de absolute meerderheid van de stemmen moet behalen alvorens hij of zij verkozen is. Er zijn twee varianten, die allebei voorkomen in de huidige Vijfde Franse Republiek. Het stelsel dat gebruikt wordt bij de Franse presidentsverkiezingen verschilt licht van dat voor de Franse parlementsverkiezingen.

2. Verkiezing van de *Président de la République* (*Majority Run-off Two-Round System*)

Dit is een kiesstelsel dat zuiver volgens absolute meerderheid verloopt. In het Engels wordt ernaar verwezen als een *Majority Run-Off Two-Round System*. Het vereist dus dat de winnaar door meer dan de helft van de bevolking verkozen wordt (*majority*, geen *plurality*). Het is een systeem dat niet met-een bij de aanvang van de Vijfde Franse Republiek werd ingevoerd. De eer-ste president van de Vijfde Republiek, Charles de Gaulle, was in 1958 namelijk aangesteld door een *Collège des grands électeurs* maar omdat de Gaulle niet langer afhankelijk wilde zijn van partijpolitieke 'combines', voerde hij de *forcing* en haalde hij in 1962 zijn gram. Via een referendum werd de nog jonge grondwet hervormd en de president voortaan recht-streeks verkozen.

Om de president een krachtige positie te geven, schrijft de grondwet voor dat hij of zij een absolute meerderheid van de uitgebrachte stemmen achter zich moet krijgen. Het stelsel werd voor het eerst toegepast in 1965. Er zijn twee manieren om die absolute meerderheid van 50 % plus één stem te behalen. Ofwel gebeurt dat reeds in de eerste ronde (*premier tour*) en moet er geen tweede ronde (*deuxième tour*) georganiseerd worden. Dat is echter nog nooit voorgevallen, zodat er telkens een tweede ronde nodig was om te beslissen wie de nieuwe president zou worden. Die tweede ronde (de zoge-naamde *ballotage*) wordt dan steevast veertien dagen later georganiseerd. Enkel de twee best geplaatste kandidaten uit de eerste ronde mogen aan die tweede ronde deelnemen, zodat een van beide meer dan de helft van de stemmen achter zich krijgt. Dit is een veelvoorkomende manier om presi-dentsverkiezingen te organiseren. Het verhindert in principe dat er té veel kandidaten opkomen, omdat kleine kandidaten uiteindelijk toch geen kans maken en dus nodeloos geld verspillen aan dure campagnes.

Doorheen de jaren is het aantal kandidaten in de eerste ronde voor de Franse presidentsverkiezingen evenwel tot een problematisch niveau geste-gen. Waren er in 1965 slechts zes kandidaten voor het presidentschap, dan was dat in 1969 al gestegen tot zeven, en in 1974 waren het er twaalf. Nadat de regels voor een voordracht in 1976 strenger werden gemaakt (een kan-didaat moet nu vijfhonderd handtekeningen verzamelen van gekozen bur-gemeesters, leden van de regionale raden, parlementsleden etc. gespreid over dertig departementen) viel het aantal presidentskandidaten terug tot tien in 1981 en negen in 1988 (Chagnollaud, 1993, p. 372). Bij de presi-dentsverkiezingen van 2002 was het aantal kandidaten echter opnieuw opgelopen tot zestien.

Het relatief grote aantal kandidaten duidt op een grote versplintering, die de uitkomst van de eerste stemronde soms een verrassende wending kan geven. Een mooi voorbeeld daarvan kregen we bij de presidentsverkiezingen van april 2002, toen de versplintering van het linkse kamp er voor zorgde dat de gedoodverfde favoriet voor de tweede ronde, aftredend eerste minister Lionel Jospin (*Parti socialiste*, PS), niet eens door de eerste ronde geraakte. Bovendien is er een extra pervers gevolg van dat grote aantal kandidaturen: stemmen uit de eerste ronde worden niet zelden aangewend als pasmunt om van een van de overblijvende kandidaten toegevingen te verkrijgen in ruil voor een openlijke steun aan deze overblijvende kandidaat. Nochtans is het in het verleden al vaak gebleken dat de idee van coalitievorming tussen de twee stemrondes in op los zand was gebouwd.

Tabel 10: Uitslag van de eerste en tweede ronde van de Franse presidentsverkiezingen in 2007 en 2012

2007					
1ste ronde				2de ronde	
Kandidaat	Partij	Stemmen	%	Stemmen	%
Sarkozy	UMP	11 450 302	31,18	18 983 138	53,06
Royal	PS	9 501 295	25,87	16 790 440	46,94
Bayrou	UDF	6 820 914	18,57		
Le Pen	FN	3 835 029	10,44		
Besancenot	LCR	1 498 835	4,08		
De Villiers	MPF	818 704	2,23		
Buffet	PCF	707 327	1,93		
Voynet	Les verts	576 758	1,57		
Laguiller	LO	488 119	1,33		
Bové	Conf. Pay.	483 076	1,32		
Nihous	CPNT	420 775	1,15		
Schivardi	PT	123 711	0,34		
Totaal		36 724 845	100	35 773 578	100

2012					
1ste ronde				2de ronde	
Kandidaat	Partij	Stemmen	%	Stemmen	%
Hollande	PS	10 272 705	28,63	18 004 656	51,63
Sarkozy	UMP	9 753 629	27,18	16 865 340	48,37
Le Pen	FN	6 421 426	17,90		
Mélenchon	FDG	3 984 822	11,10		
Bayrou	MoDem	3 275 122	9,13		

2012					
1ste ronde				2de ronde	
Kandidaat	Partij	Stemmen	%	Stemmen	%
Joly	EELV	828 345	2,31		
Dupont-Aig-nan	DLR	643 907	1,79		
Poutou	NPA	411 160	1,15		
Arthaud	LO	202 548	0,56		
Cheminade	S&P	89 545	0,25		
Totaal		35 883 209	100	34 869 996	100

In 2007 daalde het aantal presidentskandidaten tot twaalf. Ongeveer even-veel kandidaten waren vruchteloos op zoek gegaan naar de steun van vijf-honderd gekozen mandatarissen (*Le Monde*, 13 maart 2007). Uittredend president Jacques Chirac kon een derde ambtstermijn aanvatten, maar kon-digde op 11 maart 2007 zijn afscheid van de politiek aan. In de eerste ronde, op 22 april 2007, haalden de socialistische kandidate Ségolène Royal (PS) en de rechtse kandidaat Nicolas Sarkozy (*Union pour un mouvement popu-laire*, UMP) het afgetekend voor de andere kandidaten met respectievelijk 25,9 % en 31,2 % van de stemmen. Andere belangrijke kandidaten waren onder anderen François Bayrou (*Union pour la démocratie française*, UDF, 18,6 %) en Jean-Marie Le Pen (*Front National*, FN, 10,4 %). Voor deze laat-ste waren de verkiezingen een grote teleurstelling na zijn onverwacht door-stoten tot de tweede ronde in 2002 (toen hij 16,9 % van de stemmen behaalde). In 2007 verloor Le Pen een vijfde van zijn electoraat (ongeveer één miljoen stemmen) en werd hij pas vierde. De duidelijke aftekening tus-sen twee kandidaten in 2007 verschilt grondig van de grote versplintering die er in 2002 was. Bovendien werd de eerste ronde gekenmerkt door een uitzonderlijk hoge opkomst van kiezers (83,8 %).

Dankzij de zwakke score van Le Pen kreeg Frankrijk in 2007 opnieuw tra-ditionele verkiezingen tussen een linkse en een rechtse kandidaat. Het was lang uitkijken naar de positie die de centrumkandidaat Bayrou zou inne-men. De stemmen van zijn centrumkiezers zouden het verschil kunnen maken tussen winst voor Royal of winst voor Sarkozy. Pas enkele dagen voor de verkiezingen besliste Bayrou dat hij 'niet voor Sarkozy' zou stem-men, evenwel zonder openlijk partij te kiezen voor Royal. In de tweede ronde, op 6 mei 2007, werd de strijd beslecht in het voordeel van Sarkozy, die met 53,1 % van de stemmen president van Frankrijk werd.

In 2012 zette de daling van het aantal kandidaten zich verder. Slechts tien kandidaten namen deel aan de eerste ronde. In de eerste ronde, gehouden op 22 april 2012, haalden PS-kandidaat François Hollande (28,6 %) en uittredend president Sarkozy (27,2 %) het afgetekend van de desondanks sterk scorende Marine Le Pen van het FN (17,9 %), die zo de zwakke score van haar vader in 2007 van het bord veegde.[31] Ook Jean-Luc Mélenchon van het *Front de gauche* (11,1 %), een alliantie van partijen die vooral gedragen wordt door de *Parti communiste français* (PCF) en de *Parti de gauche*, scoorde sterk. Voor Bayrou daarentegen waren de verkiezingen een grote teleurstelling. Met zijn tot MoDem (*Mouvement Démocrate*) omgevormde UDF behaalde hij slechts de helft van het stemmenaantal dat hij in 2007 behaalde (9,1 %).

Ondanks de sterke score van Le Pen kreeg Frankrijk in 2012 opnieuw traditionele verkiezingen tussen een linkse en een rechtste kandidaat. Opvallend was het standpunt van Le Pen, die voor de tweede ronde van de verkiezingen, gehouden op 6 mei, weigerde haar voorkeur voor Sarkozy uit te spreken. Ze hoopte immers dat Sarkozy in de tweede ronde het onderspit zou delven tegen Hollande, wat de UMP mogelijk sterk zou verzwakken met het oog op de parlementaire verkiezingen in juni 2012. De extreem-linkse kandidaat Mélenchon daarentegen had zijn kiezers expliciet opgeroepen om voor Hollande te stemmen in de tweede ronde. Dan was er nog Bayrou, die zelf duidelijk maakte dat hij voor Hollande zou stemmen, zonder daarbij een duidelijke raad aan zijn kiezers mee te geven (*Le Monde*, 1 mei 2012). Op 6 mei werd de strijd beslecht in het voordeel van Hollande, die met 51,6 % van de stemmen president van Frankrijk werd.

3. Verkiezing van de Franse *Assemblée nationale* (*Majority-Plurality Two Round System*)

De wijze waarop de president verkozen wordt, is verankerd in de grondwet (artikel 7). Dit in tegenstelling tot het kiesstelsel van de Franse *Assemblée nationale*, waarover grondwetsartikel 24 enkel stelt dat ze bij algemeen stemrecht verkozen moet worden.

Het kiesstelsel voor de Franse parlementsverkiezingen werd, in tegenstelling tot dat voor de presidentsverkiezingen, al ingevoerd in 1958. De Franse *Assemblée nationale* telt 577 leden, die in evenveel eennamige *circonscriptions* worden verkozen. Hoewel gepoogd werd om die kiesdistricten min of meer in te delen op basis van bevolkingsaantallen, en er bij de meest recente *redécoupage* van de *circonscriptions* expliciet verwezen werd naar de demografische evoluties, stellen we toch grote verschillen vast. In 2012 varieerde de grootte van de kieskringen van 4926 ingeschreven kiezers in het overzeese gebied St-

---

31. Merk op dat Marine Le Pen in 2012 een hogere score behaalde dan haar vader tien jaar eerder, maar dat zij, in tegenstelling tot vader Le Pen, niet tot de tweede ronde kon doorstoten.

Pierre-et-Miquelon (1re) tot 146 866 in de zesde kieskring van het district Seine-Maritime.[32] Men moet er bovendien rekening mee houden dat Frankrijk nog tal van overzeese gebieden heeft en dat zij ook apart vertegenwoordigd zijn in de *Assemblée nationale*: 555 zetels worden toegekend in *la France métropolitaine* (dat is het vasteland) en 22 in de zogenaamde *outre mer*-gebieden.

In 2009 werd het geheel van *circonscriptions* echter herzien, een proces dat paste binnen de bredere grondwetsherziening van 2008. Een opvallende nieuwigheid was de toewijzing van 11 zetels van de *Assemblée* aan Fransen in het buitenland, wat een aanpassing vereiste van artikel 24 van de Franse grondwet: '*Les Français établis hors de France sont représentés à l'Assemblée nationale et au Sénat*'. Met in het achterhoofd dat vooral zijn partij hiervan zou profiteren, drong president Sarkozy er na zijn verkiezing (2007) op aan om ook in de *Assemblée* zetels te voorzien voor Fransen die in het buitenland verbleven. Het was tot dan toe immers steeds het rechtse kamp geweest dat het leeuwendeel van de stemmen van Fransen uit het buitenland binnenhaalde. Ook de PS was er van overtuigd dat de stem van de Fransen in het buitenland vertaald mocht worden naar afzonderlijke zetels in de *Assemblée*. Echter, omdat men het totale aantal zetels van 577 niet wou verhogen, moest er gesleuteld worden aan de kieskringen in Frankrijk en in de overzeese gebieden: kieskringen werden geschrapt of aangepast en er werden nieuwe kieskringen in het leven geroepen (zie figuur 10). Dit was volgens de *Conseil constitutionnel*, die al jaren ijverde voor een dergelijke aanpassing, noodzakelijk om de demografische veranderingen die sinds 1982 hadden plaatsgevonden in overeenstemming te brengen met de *circonscriptions*. Na de *redécoupage* bleven er 556 zetels over voor *la France métropolitaine*, 10 voor de *collectivités d'outre-mer* en dus 11 voor de Fransen in het buitenland.

Hoewel de linkerzijde in principe wel akkoord was met het toewijzen van zetels in de *Assemblée* aan de Fransen in het buitenland, beschuldigde ze de partij van Sarkozy echter van *gerrymandering* bij het uittekenen van de nieuwe *circonscriptions* binnen en buiten Frankrijk. Zo strekt de 7de *circonscription* voor Fransen in het buitenland zich uit van Duitsland tot Roemenië en Kosovo, de 8ste van Italië tot Turkije en Israël en de 11de, de grootste kieskring, van Moldavië tot Nieuw-Zeeland. Echter, terwijl vóór de verkiezingen geopperd werd dat de UMP zo goed als zeker was van negen van de elf zetels, haalde de partij uiteindelijk maar drie van de elf zetels binnen. Zeven zetels gingen naar de PS, waaronder die voor de Benelux, en – dankzij het electorale akkoord met de PS – één naar *Europe Écologie les Verts* (EELV). Het nut van deze elf kieskringen stond echter meteen ter discussie aangezien slechts 20,9 % van de Franse *expats* zijn stem uitbracht (Collard, 2013, pp. 213-228).

---

32. Dit is abstractie makend van de 1ste kieskring voor buitenlanders, die 157 363 Franse kiesgerechtigden in de Verenigde Staten en Canada vertegenwoordigt.

Figuur 11:   Indeling van Frankrijk in 577 *circonscriptions*

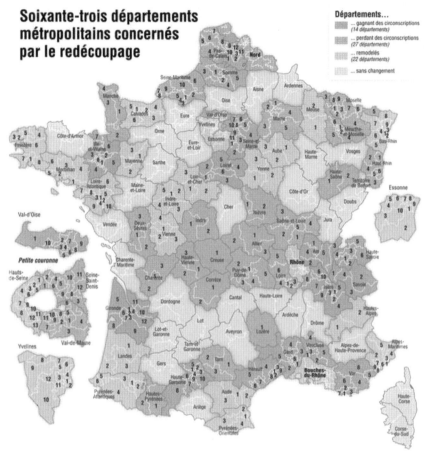

Bron: Le Figaro, 6 augustus 2009 (website).

De parlementsverkiezingen vinden plaats in twee ronden, met een tussenpauze van nauwelijks één week. In vergelijking met de presidentsverkiezingen gelden er andere regels over wie verkozen kan worden in de eerste
ronde, of – veel gebruikelijker – welke kandidaten doorstoten naar de
tweede ronde. Om in de eerste ronde verkozen te worden, geldt een dubbele
voorwaarde. De winnende kandidaat moet niet alleen de absolute meerderheid van de uitgebrachte stemmen (50 % plus één stem) behalen, hij of zij
moet ook 25 % van de ingeschreven kiezers achter zich weten te scharen.
Deze voorwaarde werd ingeschreven om te vermijden dat parlementsleden
verkozen zouden worden ondanks een zeer lage opkomst. Het aandeel van
de personen die in de eerste ronde verkozen raken, is afhankelijk van de
mate van strijd tussen de partijen in een bepaalde kieskring, maar dus ook

van de opkomst bij die verkiezingen. In 1968 waren ze nog met 166 die in de eerste ronde verkozen werden, in de zwaar verdeelde verkiezingen van 1997 nog met amper 12. In 2002 waren het er 58 en bij de verkiezingen van 2007 lag het aantal opnieuw op 110. In 2012 daalde het aantal opnieuw tot 36. Er tekent zich dus geen duidelijke trendlijn af.

Tabel 11: Mogelijke *triangulaires* na de eerste ronde van de parlements-verkiezingen in Frankrijk op 10 juni 2007

Regio	Departement	Kieskring	Kandidaat 1	%	Kandidaat 2	%	Kandidaat 3	%
Aquitaine	Pyrénées-Atlantiques	Pau-Est, Sud	*F. Bayrou (MoDem)*	37,25	J.-P. Mariné (UMP)	25,92	M.-P. Cabanne (PS)	23,32
Aquitaine	Pyrénées-Atlantiques	Oloron-Sainte-Marie	H. Lucbe-reilh (UMP)	31,36	*J. Lassalle (MoDem)*	29,54	J.-P. Domecq (PS)	19,86
Bretagne	Finistère	Douarnenez	*H. Tanguy (UMP)*	36,33	**A. Le Loch (PS)**	32,13	M. Canévet (MoDem)	19,51
Île-de-France	Hauts-de-Seine	Bagneux	J.-L. Metton (UMP)	36,30	**M.-H. Amiable (PCF)**	27,40	C. Picard (PS)	22,88
Île-de-France	Seine-Saint-Denis	Rosny-Sous-Bois	**P. Calmejane (UMP)**	32,89	E. Pochon (PS)	26,51	C. Pernès (PSLE)	22,67
Île-de-France	Seine-Saint-Denis	Aulnay-Sous-Bois	G. Ségura (PS)	28,83	**G. Gaudron (UMP)**	27,51	P. Dallier (divers droite)	24,29
Île-de-France	Val-de-Marne	Villiers-sur-Marne	*J.-A. Benisti (UMP)*	37,93	S. Abraham-Thisse (PS)	22,92	M.-C. Ciuntu (divers droite)	21,21
Île-de-France	Val-de-Marne	Vitry-sur-Seine-Nord	P. Gosnat (PCF)	28,93	P. Bachschmidt (UMP)	25,24	J.-L. Laurent (MRC-PS-PRG)	23,56
Basse-Normandie	Calvados	Falaise, Lisieux	*C. Leteurtre (PSLE)*	29,94	C.Valder (PS)	29,94	E. Lehericy (UMP)	22,20
Haute-Normandie	Seine-Maritime	Dieppe	J. Bazin (UMP)	34,63	**S. Hurel (PS)**	22,06	S. Jumel (PCF)	20,03
Pays de la Loire	Vendée	La Roche-sur-Yon-Nord	*J.-L. Preel (PSLE)*	31,03	A. Leboeuf (divers droite)	27,94	P. Cereijo (PS)	25,26
Outre-Mer	La Réunion	Saint-Joseph, Saint-Pierre	**P. Lebreton (PS)**	33,06	M. Fontaine (UMP)	31,64	E. Hoarau (PCR)	26,73

Cursief: aftredend parlementslid
Grijs: de enige triangulaire die plaatsgevonden heeft
Onderlijnd: de kandidaat heeft zich teruggetrokken en heeft niet deelgenomen aan de tweede ronde
Vetjes: de kandidaat die de zetel wint in de tweede ronde

Bron: *Le Monde, 12 juni 2007, pp. 26-55.*

In de meerderheid van de kieskringen wordt dus een tweede ronde georganiseerd. Dat is de zogenaamde *ballotage*. Tot die tweede ronde worden niet meer alle kandidaten uit de eerste ronde toegelaten. Alleen zij die in de eerste ronde meer dan 12,5 % van de ingeschreven kiezers achter hun naam kregen, kunnen nog meedoen. In tegenstelling tot de presidentsverkiezingen is het dus niet uitgesloten dat er meer dan twee kandidaten aan de tweede ronde deelnemen. Toch zijn zogenaamde *triangulaires*, waarbij drie kandidaten voldoen aan de voorwaarde van 12,5 % van de ingeschreven kiezers én ze alle drie beslissen om zich kandidaat te stellen bij de tweede ronde, eerder uitzonderlijk. In 2007 waren er in twaalf kiesomschrijvingen *triangulaires* mogelijk; in elf kiesomschrijvingen trok er zich echter een van de kandidaten terug (vaak om het linkse of het rechtse kamp te versterken). Alleen in Oloron-Sainte-Marie, een kleine kieskring in de Pyrénées-Atlantiques, was er een strijd tussen drie kandidaten (zie tabel 11).

Dat er in 2007 slechts één *triangulaire* plaatsvond, was te wijten aan het slechte resultaat van het FN, dat slechts 4,3 % van de stemmen binnenhaalde bij de eerste ronde van de verkiezingen (Hewlett, 2012). Bij de verkiezingen daarvoor vonden er immers heel wat meer *triangulaires* plaats: in 2002 waren dit er 10 en in 1997 maar liefst 79. Dit dient verklaard te worden door het electorale succes van het FN in 1997 (14,9% van de stemmen in de eerste ronde), waardoor de partij in 133 *circonscriptions* meer dan 12,5 % van de geregistreerde kiezers achter zich kreeg en zo uiteindelijk deelnam aan 76 van de 79 *triangulaires*.

Bij de eerste ronde van de verkiezingen in 2012 kreeg het FN 13,8 % van de stemmen achter zich, en ging in 61 *circonscriptions* over de drempel van 12,5 % van de geregistreerde kiezers. Mede daardoor steeg het aantal *triangulaires* in de tweede ronde (17 juni 2012) opnieuw tot 34.

Het feit dat men soms met drie aan de tweede ronde deelneemt, maakt ook dat men geen absolute meerderheid kan garanderen. Het is effectief zo dat in de tweede ronde een relatieve meerderheid volstaat om verkozen te worden (vandaar de verwijzing in het Engels naar een *plurality* en niet naar een *majority*).

Meestal worden er in de tussenpauze ook afspraken gemaakt tussen de linkse en de rechtse partijen om elkaars kandidaten te steunen. Rechtse partijen hoeden er zich evenwel voor om met extreem-rechts akkoorden te sluiten. De PS daarentegen sluit doorgaans wel akkoorden af met extreemlinkse partijen. Zo kon de partij in 2012 alle steun uit linkse hoek gebruiken om de net verkozen president Hollande aan een meerderheid in de *Assemblée nationale* te helpen. In het grootste samenwerkingsverband beloofde de PS in meer dan 60 *circonscriptions* de kandidaat van EELV te steunen. Daardoor zou die partij bij een goed resultaat 25 tot 30 verkozenen overhouden, bij een slecht resultaat 15. Een tweede samenwerkingsverband werd gesloten met de *Parti radical de gauche* (PRG), waardoor de PS zich ertoe verplichtte in 32 *circonscriptions* (waarvan ongeveer 20 *'gagnable'*) de kandidaat van de PRG te steunen. Een laatste samenwerkingsverband werd gesloten met de *Mouvement républicain et citoyen* (MRC). De PS steunde in 9 *circonscriptions* de kandidaat van de MRC, waarvan er 4 tot 6 als *'gagnable'* gezien werden. In de tweede ronde haalde de PS zelf 280 zetels, een winst van 94 maar onvoldoende voor een absolute meerderheid (289 zetels). De steun van EELV (17 zetels), PRG (12 zetels) en nog enkele kleine linkse formaties (22 zetels) was dus noodzakelijk om tot een comfortabele *'majorité présidentielle'* te komen.[33]

De kiesdrempel van 12,5 % van de ingeschreven kiezers dateert nog maar van 1976. Voordien, toen er veel minder kandidaten deelnamen aan de verkiezingen, lag die drempel een heel pak lager, met name op 5 %. Strikt genomen is de 12,5 %-kiesdrempel voor vele partijen geen utopisch ideaal en dus niet onoverkomelijk om te halen. Ze hebben dus geen reden om hun kans niet te wagen. Dat heeft een aantal belangrijke gevolgen. In tegenstelling tot het Britse systeem blijft op die manier een multipartijcompetitie in stand (ook omwille van de uitgebreide staatssubsidies): partijen hebben geen enkele *incentive* om te proberen tot grotere volkspartijen te komen. Ten tweede vinden er soms al vóór de eerste ronde afspraken plaats om de versnippering van de stemmen toch enigszins tegen te gaan. Zo hadden de PS en *Les Verts* in 2002 een akkoord gesloten om elkaar bij de parlementsverkiezingen niet te fel te bekampen. Zo kwam er in 57 *circonscriptions* een groene kandidaat op, als 'verenigde kandidaat van links', zonder dat er een PS-kandidaat was en was er in 109 *circonscriptions* alleen een socialistische kandidaat. In 2007 werd er geen akkoord tussen beide bereikt, maar de PS werkte wel samen met twee andere partijen (samen 543 kandidaten, waarvan 501 socialistisch of verwant). Ook de andere partijen maakten stemafspraken. In 2012 bijvoorbeeld 'reserveerde' de UMP enkele *circonscriptions* voor verwante centrumrechtse kandidaten (*Le Figaro*, 28 januari 2012). Bovendien zijn deze stemafspraken duidelijk zichtbaar in de aanloop naar de tweede ronde. Zo trokken in 2007 elf kandidaten zich terug in een kiesdistrict waar zich een *triangulaire* had gevormd om de andere linkse of rechtse kandidaat te steunen (zie tabel 11).

Ten derde kan dit stelsel zeer *disproportioneel* werken ten aanzien van de scores die de partijen in de eerste ronde behalen. Er is soms veel verschil tussen de scores van de partij in de eerste ronde en de scores in de tweede

---

33. Uiteraard werden deze partijen daarvoor beloond, zelfs al in de eerste regering van PS-premier Jean-Marc Ayrault (15 mei 2012-18 juni 2012) – dus nog voor de tweede ronde van de parlementsverkiezingen – met twee ministerposten en drie *'minor ministers'* (*ministres délégués*). In de regering die aantrad na 18 juni 2012 kwam daar nog een derde minister bij.

ronde. Nochtans wordt dit enigszins gecamoufleerd door het feit dat ondanks deze 'discriminatie' het Franse partijpolitieke landschap een groot aantal politieke partijen telt. Tabel 12 etaleert de verschillen in stemmenaantal versus zetelaantal in de periode 1978-2012. Zowel bij de verkiezingen van 1981 als bij die van maart 1993, juni 1997 en juni 2002 liep dat verschil op tot meer dan 20 procentpunten. Tevens wordt duidelijk dat dit stelsel bijzonder nefast is voor jonge politieke partijen. In juni 1988 werd zo het *Front National* (FN) de weg naar het parlement afgesneden. In 1993 was dat nog flagranter het geval voor de groenen, die ondanks een score van 10,7 % van de stemmen geen enkele zetel konden bemachtigen.

Tabel 12:   Effecten van het meerderheidsstelsel (1978-2012)

Verkiezingen	PC	PS	UDF	RPR	Ecolo	FN
Maart 1978						
% van de stemmen	20,5	22,6	21,5	22,6	2,2	
% van de zetels	17,5	23	25	31,4	-	
Verschil	-3	+0,4	+3,5	+8,8	+2,2	
Juni 1981						
% van de stemmen	16,2	37,5	19,2	20,8		
% van de zetels	9	58	12,6	17,9		
Verschil	-7,2	+20,5	-6,6	-2,9		
Juni 1988						
% van de stemmen	11,3	34,8	18,5	19,2		9,7
% van de zetels	4,3	47,7	22,5	22,5		0,2
Verschil	-7	+12,9	+4	+3,3		-9,5
Maart 1993						
% van de stemmen	9,2	17,6	19,1	20,4	10,7	12,4
% van de zetels	4	9,2	36,9	42,8	-	-
Verschil	-5,2	-8,4	+17,8	+22,4	-10,7	-12,4
Mei – juni 1997						
% van de stemmen	9,9	23,5	14,2	15,7	6,8	14,9
% van de zetels	6,2	43,5	19,6	24,3	1,2	0,2
Verschil	-3,7	+20	+5,4	+8,6	-5,6	-14,7
Juni 2002	PCF			UMP	Les verts	
% van de stemmen	4,8	24,1	4,9	33,3	4,5	11,3
% van de zetels	3,6	24,3	4,7	62	-	-
Verschil	-1,2	+0,2	-0,2	+28,7	-4,5	-11,3

Juni 2007	PCF	PS	UDF-MoDem	UMP	Les Verts	FN
% van de stemmen	4,3	24,7	7,6	39,5	3,3	4,3
% van de zetels	2,6	32,2	0,5	54,2	0,7	-
Verschil	-1,7	+7,5	-7,1	+14,7	-2,6	-4,3
Juni 2012	Front de Gauche		Modem	EELV		
% van de stemmen	6,9	29,4	1,8	27,1	5,5	13,6
% van de zetels	1,7	48,5	0,3	33,6	2,9	0,3
Verschil	-5,2	+19,1	-1,5	+6,5	-2,6	-13,3

Bron: http://www.assemblee-nationale.fr/histoire/leg5rep.asp

In 2002 behaalde de *Union pour la majorité présidentielle* (UMP) van president en boegbeeld Jacques Chirac – een formatie van centrumrechtse krachten ter ondersteuning van een parlementaire meerderheid voor de herverkozen president – slechts 33,4 % van de stemmen, maar wel 63,3 % van de zetels.[34] In 2007 was dit verschil kleiner en behaalde de UMP van president Nicolas Sarkozy 47,8 % van de stemmen, samen met de *Mouvement pour la France* (MPF) en *Divers Droite*, en 56 % van de zetels. Het overwicht van de UMP uit de eerste ronde (45,5 % van de stemmen en een voorspelling van 383 zetels) vertaalde zich niet in de tweede ronde. Uiteindelijk behaalde de UMP zestig zetels minder dan voorspeld en strandde de partij op 323 zetels. Hoewel dit aantal uiteraard nog steeds een comfortabele meerderheid opleverde, maakten de krantencommentaren toch gewag van een '*avertissement adressé à Sarkozy*' (*Le Monde*, 19 juni 2007).Toch kan men niet om de vaststelling heen dat dit kiesstelsel de grote partijen bevoordeelt: zo gingen in 2007 liefst 86 % van de zetels (497 op een totaal van 577) naar de twee grote partijen PS en UMP. Het is voor kleinere partijen immers veel moeilijker om in de tweede ronde te geraken en in die tweede ronde voldoende steun te verzamelen om ook effectief de zetel te winnen. Indien men in 2007 een lijstproportioneel stelsel had gehanteerd, dan zou de centrumpartij *Mouvement Démocrate* (MoDem) 24 zetels meer behaald hebben dan onder het vigerende tweerondenstelsel (tabel 13).

---

34. De *Union pour la majorité présidentielle* (UMP) werd op een congres in november 2002 omgevormd tot de *Union pour un Mouvement Populaire*.

Tabel 13: Het resultaat van 17 juni 2007 volgens verschillende kiessystemen

Partij	Meerderheid in twee ronden	Proportioneel stelsel (type 1986)*	Parallel stelsel met 50 % proportioneel*en 50 % meerderheidsstelsel	Gemengd stelsel met 15 % proportioneel en 85 % meerderheidsstelsel	FPTP-systeem	*Mixed Member Proportional-systeem*
PCF	18	11	4	8	0	8
PS	184	179	155	126	199	112
MRC	0	0	0	0	0	1
PRG	7	0	2	2	0	3
Verts	4	3	1	1	0	2
Diverse linkse partijen	14	4	0	0	0	0
MoDem	4	28	32	10	61	2
Diverse	3	3	0	0	0	3
PSLE	20	9	11	18	0	21
UMP	313	333	370	410	317	421
Diverse partijen bij UMP	8	0	1	1	0	2
MPF (alliantie met UMP)	2	2	1	1	0	2
FN	0	5	0	0	0	0
Totaal	577	577	577	577	577	577
* met kiesdrempel van 5 %						

Bron: Le Monde, 19 juni 2007

Bij de verkiezingen voor de *Assemblée* in 2012 waren vooral de UMP en het FN de dupe van het tweerondenstelsel. Terwijl het verschil in de tweede ronde tussen de PS en de UMP slechts 3% bedroeg (PS: 40,9 % – UMP: 37,9 %), bedroeg het uiteindelijke verschil in percentage zetels in de *Assemblée* bijna 15% (PS: 48,5 % – UMP: 33,6 %). Echter, de partij die het meest benadeeld werd, was het FN. Terwijl de partij in de eerste ronde 13,8 % van de stemmen en in de tweede ronde 3,7 % van de stemmen behaalde, bleef de partij achter met slechts twee zetels (0,35 %) in de *Assemblée*. De EELV daarentegen, dat minder stemmen dan het FN kreeg (3,6 %), haalde dankzij een electoraal akkoord met de PS 17 zetels binnen (2,95 %).

Als gevolg van het ontbreken van een institutionele rem op het presenteren van kandidaten in de eerste ronde zijn er in Frankrijk heel veel politieke partijen actief bij de verkiezingen. Er is een ware multipartijcompetitie, die mee in de hand gewerkt wordt door een zeer aantrekkelijk systeem van staatssubsidies waardoor partijen eerder aangemoedigd worden om aan de verkiezingen deel te nemen dan er zich van te onthouden. Wat het aantal partijen betreft, lijkt het Franse politieke systeem zo eerder aan te leunen bij het proportionele dan bij het meerderheidsstelsel.

4.   Voor- en nadelen van het tweerondenstelsel

Het tweerondenstelsel heeft heel wat voor- en nadelen (Reynolds, Reilly & Ellis, 2005, pp. 52-56). Bij de voordelen hoort alleszins vermeld te worden dat de kiezers twee kansen krijgen om zich uit te spreken. Daarbij kunnen ze 'met hun hart' stemmen in de eerste ronde (op de kandidaat van hun échte voorkeur, *le vote du coeur*) en 'met hun verstand' (*le vote du raison*) in de tweede ronde (indien de kandidaat van hun voorkeur de tweede ronde niet gehaald heeft). Deze strategische keuzemogelijkheid hebben kiezers in andere stelsels niet, met uitzondering van het *Alternative Vote-* en het *Single Transferable Vote*-systeem.

Het tweede voordeel zijn de gebundelde krachten in de tweede ronde. Er vinden als het ware al coalitiebesprekingen plaats vóór de tweede ronde heeft plaatsgehad. In ruil voor het verkrijgen van de expliciete steun van een kandidaat die het niet gehaald heeft, zijn overblijvende kandidaten vaak tot heel wat programmatorische toegevingen bereid. Dat levert voor de kiezer duidelijke alternatieven op waartussen hij kan kiezen in de tweede ronde. Partijen zijn er van hun kant mee gediend omdat dit stelsel onmiskenbaar tijdswinst oplevert wanneer na de verkiezingen een regering gevormd moet worden, ook al bleken veel van die coalities zeer broze bestanden op te leveren.

Er is – ten derde – minder *vote splitting* tussen partijen die ideologisch dicht bij elkaar staan. Het voorbeeld bij uitstek zijn de verkiezingen van 2002, toen de Franse groenen en socialisten een pact sloten om elkaar niet in álle kieskringen te bekampen. Die *vote splitting* gebeurt frequent in een FPTP-systeem, waarbij twee partijen die ideologisch dicht bij elkaar liggen, elkaar stemmen afsnoepen, waardoor een derde – minder gewenste – kandidaat soms met de zetel gaat lopen. Het akkoord dat partijen sluiten in dit tweerondenstelsel leidt ertoe dat de overblijvende kandidaat zich gemakkelijker kan plaatsen voor de tweede ronde.

Er zijn echter ook grote nadelen aan dit systeem. Vooreerst al de organisatiekost om twee weken na elkaar verkiezingen te organiseren (stemlokalen op orde zetten, stembussen aan- en afvoeren, stemcomputers installeren …). Maar de kost is ook groot voor het electoraat dat twee zondagen op rij naar de stembus moet.[35] Vooral voor het 'verweesde' electoraat, dat zijn

---

35. Door de snelle opeenvolging van presidents- en parlementsverkiezingen worden de Fransen in een periode van acht weken niet minder dan vier keer naar de stembus geroepen.

eigen geprefereerde kandidaat niet terugvindt in de tweede ronde, is het geen evidentie om nog deel te nemen aan de tweede ronde. Het verklaart ook de lagere opkomst in de tweede ronde: in 2002 bedroeg de opkomst 64,4 % in de eerste ronde en 60,3 % in de tweede ronde. In 2007 was het verschil kleiner: de deelname aan de eerste ronde was 60,44 %, die aan de tweede ronde 60,0 %.[36] In 2012 ging het om een laagterecord in de geschiedenis van de Vijfde Republiek: slechts 57,2 % van de Fransen nam deel aan de eerste ronde. Dat aantal zakte in de tweede ronde nog verder tot 55,4 %. Vele Fransen hadden immers het gevoel dat de strijd al gestreden was bij de presidentsverkiezingen van vijf weken voordien. Toen nam een zeer hoge 83,4 % van de kiezers deel aan de tweede ronde van de presidentsverkiezingen.

Ten tweede werkt het stelsel vaak erg disproportioneel. We komen daar in het volgende hoofdstuk op terug. Ten derde is de blokvorming die tussen de partijen ontstaat tussen de eerste en de tweede ronde niet erg stabiel. Vele akkoorden die snel-snel tussen twee verkiezingsrondes werden beklonken, gaven tijdens de daaropvolgende legislatuur aanleiding tot twisten of geruzie.

Dit systeem, ten slotte, is niet echt bruikbaar in sterk verdeelde staten. Zo kan men verwijzen naar Algerije, waar in 1992 parlementsverkiezingen werden gehouden volgens dit systeem. Op basis van de eerste ronde werd duidelijk dat het radicale *Front islamique du salut* (FIS) op een grote meerderheid afstevende. De tweede ronde werd afgeblazen en het verzet van de radicale aanhangers van het FIS leidde een burgeroorlog in. Ook in Egypte leidde de invoering van het tweerondenstelsel bij de verkiezingen van 2012 tot een polarisering tussen seculieren en de moslimbroederschap waarbij de democratisch verkozen president Mohamed Morsi niet aanvaard werd door het seculiere gedeelte van de samenleving en – met behulp van het Egyptische leger – na één jaar werd afgezet.[37]

IV. Besluit

Absolutemeerderheidssystemen zijn aantrekkelijk omdat ze de garantie bieden dat de kandidaat die uiteindelijk de zetel binnenrijft, meer dan de helft van de stemmen achter zijn naam heeft staan. In dat opzicht hebben deze

---

36. In de gebieden *outre mer* bedroeg de afwezigheidsgraad in de tweede ronde in 2007 zelfs 46,87 %.
37. In de eerste ronde van de presidentsverkiezingen op 23 en 24 mei 2012 haalde Morsi 24,8 % van de stemmen. In de tweede ronde op 16 en 17 juni versloeg hij de onafhankelijke tegenkandidaat Ahmed Shafik (die in de eerste ronde 23,7 % had gescoord) met 51,7 % van de stemmen (bij een opkomst van slechts 51,9 %).

systemen op de meest overtuigende manier gezocht naar een manier om vorm te geven aan de belangrijkste karakteristiek van een democratie: met name dat het de meerderheid is die beslist. Bovendien geeft het de mogelijkheid aan kiezers om minstens twee keer hun keuze kenbaar te maken. In het tweerondenstelsel is dat heel manifest het geval omdat men een tweede keer naar de stembus moet om te beslissen welke van de twee overblijvende kandidaten zijn voorkeur geniet (of eventueel drie overblijvende kandidaten wanneer het om parlementsverkiezingen gaat). In het stelsel van *Alternative Vote* heeft de kiezer die beïnvloedingsmogelijkheid zelfs zo vaak als er kandidaten gerangschikt moeten worden.

Evenwel heeft alles zijn prijs. De kiezer wordt geconfronteerd met een vrij ingewikkeld proces om te bepalen wie de absolute meerderheid heeft behaald, terwijl die kiezer in Frankrijk twee keer kort na elkaar naar de stembus moet. De voorbeelden die we in dit hoofdstuk in detail besproken hebben, tonen echter aan dat dit geen effect heeft op de deelname van de kiezers (althans wat de Franse presidentsverkiezingen betreft).

Hoofdstuk 4

DE GEVOLGEN VAN EEN TWEERONDENSYSTEEM: DE WERKING VAN DE VIJFDE FRANSE REPUBLIEK (1958- …)

I. Voorgeschiedenis

Net na de Tweede Wereldoorlog werd Frankrijk gekenmerkt door een erg onstabiel politiek klimaat. In die zogenaamde Vierde Republiek (1946-1958) telde men niet minder dan 22 regeringen op amper twaalf jaar tijd. Gemiddeld hield een regering het niet langer dan een half jaar vol. Dit was voornamelijk te wijten aan het proportionele kiesstelsel dat van toepassing was in deze periode, waardoor kleinere partijen soms disproportioneel veel invloed kregen om regeringen te doen slagen of te doen mislukken. Toch is het niet fair om de instabiliteit van de Vierde Republiek uitsluitend toe te schrijven aan het proportionele kiesstelsel. Ook de voorafgaande Derde Republiek was immers erg onstabiel gebleken, ondanks het meerderheids-stelsel dat toen van toepassing was (Colomer, 2001; Alexander, 2004). Een deel van de echte verklaring moet gezocht worden in de bittere machtsstrijd die de Franse politieke partijen tijdens de Vierde Republiek leverden. De staat was in de ogen van de architecten van de latere Vijfde Republiek ver-worden tot een loutere optelsom van belangen van partijen. De staatsher-vorming van 1958 zorgde er integendeel voor dat de staat geconcipieerd werd als onafhankelijke actor die op zijn beurt het partijlandschap bepaalde, en niet omgekeerd (Elgie, 2005).

De onmiddellijke aanleiding tot de implosie van de Vierde Republiek was de 'Algerijnse kwestie'. In dat Noord-Afrikaanse territorium, dat integraal deel uitmaakte van Frankrijk, groeide de tegenstand tegen de Franse 'bezetter'. De brede beweging van dekolonisatie die zich in grote delen van Afrika en Azië voltrok, was daar uiteraard niet vreemd aan. De toenmalige president Coty kon de situatie op politiek en militair vlak niet langer de baas en riep in de lente van 1958 generaal Charles de Gaulle, de Franse held uit de Tweede Wereldoorlog, terug om uit de crisis te geraken. Het was duidelijk dat de ondergang van de Vierde Republiek de geloofwaardigheid van al haar instellingen had ondermijnd en dat een grondige hertekening van de instel-lingen zich opdrong (Elgie, 2005). De Gaulle stemde ermee in om opnieuw een grotere rol te spelen in het Franse politieke leven (eigenlijk wilde hij niets liever), maar hij stelde meteen ook zijn eisen. De Gaulle zou niet zomaar terug in de politieke arena treden. Hij wilde dat enkel doen als president van de Franse Republiek én op voorwaarde dat hij de staatsinstellingen mocht hervormen tot een stelsel waarin de president de centrale positie zou innemen.

De Gaulle schreef uiteindelijk zijn eigen grondwet, die berustte op drie basisprincipes. Ten eerste zou het algemeen kiesrecht de grondslag zijn van zowel de uitvoerende als de wetgevende macht. Voortaan zouden dus zowel de staatsleider als het parlement rechtstreeks door de Franse bevolking verkozen moeten worden. Ten tweede betrachtte de Gaulle een duidelijke scheiding tussen de wetgevende macht en de uitvoerende macht. Op die manier kon hij verhinderen dat de politieke partijen in het parlement de werking van de regering zouden verlammen. Ten slotte is de regering ook in de nieuwe staatsvorm te allen tijde verantwoording verschuldigd aan het parlement. Op deze manier is er geen sprake van een zuiver presidentieel systeem, waar het staatshoofd ook regeringsleider is en zelfs zijn eigen ministers aanstelt.

De Gaulle kreeg zijn zin en werd op 1 juni 1958 tot nieuwe president aangesteld. Dat gebeurde toen nog niet via een rechtstreekse verkiezing door de bevolking (zoals de Gaulle het zelf graag had gewild) maar door een electoraal college (*collège électoral*) bestaande uit volksvertegenwoordigers en senatoren. De Gaulle koos Michel Debré, voordien de belangrijkste woordvoerder van zijn institutionele hervormingsplannen (Elgie, 2005), tot nieuwe eerste minister. De idee om de president rechtstreeks door de bevolking te laten kiezen, zou de Gaulle echter pas in 1962, na een referendum bij de bevolking, door het parlement goedgekeurd krijgen.

II. Kenmerken van de Vijfde Franse Republiek

Het belangrijkste kenmerk van de Vijfde Franse Republiek is ongetwijfeld dat *de president rechtstreeks door het hele Franse electoraat verkozen* wordt. Toch is de wijze waarop het stelsel is uitgetekend geen volwaardig presidentieel stelsel zoals we het in de Verenigde Staten kennen. De Fransen houden immers vast aan een aparte functie van een premier, die bovendien maar een regering kan leiden indien hij beschikt over een meerderheid in het parlement. De Gaulle installeerde hiermee dus een *duaal of tweehoofdig politiek leiderschap*, waarin de staatsleider niet dezelfde persoon is als de regeringsleider, wat wel het geval is in een écht presidentieel systeem.

Het Franse systeem werd in 1980 door de Franse politicoloog Maurice Duverger gedoopt tot het zogenaamde semipresidentiële systeem (Duverger, 1980). Het bevindt zich ergens tussen het zuivere *parlementaire systeem* en het zuivere *presidentiële systeem*. In feite verenigt het elementen uit beide systemen. In de volgende alinea's gaan we daar uitvoerig op in.

Ten tweede heeft de invoering van de rechtstreekse verkiezing van de president tot een grote mate van *stabiliteit* geleid. Dat blijkt uit het geringe aantal presidenten – zeven – die Frankrijk sinds de invoering van de Vijfde Republiek heeft gekend (zie tabel 14, op pagina 119). De gemiddelde ambtstermijn bedraagt acht jaar en vijf maanden.[38]

Ten derde wordt er zeer frequent gesleuteld aan de *grondwet* en de *kieswetgeving*. De grondwet werd intussen reeds 24 keer hervormd waarvan 19 keer sinds 1990 (Costa, 2013, p. 133). Grosso modo kan men vier categorieën van wijzigingen onderscheiden: het verhogen van 'de kwaliteit van de democratie' (met in 1999 de invoering van genderpariteit bij verkiezingen en in 2007 de afschaffing van de doodstraf), decentralisatie en Europese integratie, en de aanpassing van het politieke systeem. Van deze laatste categorie zijn de belangrijkste recente wijzigingen het inkorten van de termijn van het presidentiële mandaat van zeven naar vijf jaar (in 2000) en het verbod op een derde presidentiële ambtstermijn (in 2008).

Wat de kieswetgeving voor het parlement betreft, tellen we zeven ingrijpende wijzigingen tussen het begin van de Vierde Republiek in 1946 en de start van het tweede mandaat van president François Mitterrand in 1988. Aan de presidentsverkiezingen, daarentegen, werd nog maar heel weinig gemorreld. Dat komt omdat de wijze waarop de presidentsverkiezingen verlopen in de grondwet is vastgelegd, terwijl dat voor de parlementsverkiezingen niet het geval is. De meest ingrijpende wijziging op het gebied van de *parlementsverkiezingen* vond in 1986 plaats. Deze verkiezingen werden immers niet volgens het gebruikelijke tweerondensysteem afgewerkt, maar verliepen via een proportioneel stelsel. Drie elementen lagen ten grondslag aan deze wijziging. Ten eerste was er de belofte van Mitterrand uit 1981 aan de *Parti communiste français* (PCF). In ruil voor de expliciete steun voor zijn kandidatuur voor het presidentschap beloofde Mitterrand werk te zullen maken van de invoering van een proportioneel stelsel. Dit laatste stelsel was immers veel gunstiger voor een kleine partij als de PCF dan het kiesstelsel dat tot dan toe werd gebruikt. Ten tweede werd er een nederlaag voorspeld voor links en door het proportionele stelsel in te voeren kon de nederlaag

---

38. In de veronderstelling dat Hollande zijn termijn volledig uitdoet en dus president blijft tot (minstens) mei 2017.

beter ingedijkt worden, omdat een aantal kleinere politieke partijen de kracht van het rechtse blok zou doorbreken. Ten slotte wilde Mitterrand ook het rechtse kamp verdelen: in tegenstelling tot een meerderheidsstelsel is het in een proportioneel systeem immers wél interessant voor kiezers van het *Front National* (FN) om extreem-rechts te blijven kiezen en de meerderheid van gematigd rechts niet te groot te laten worden. Het proportionele stelsel bood perspectieven op zetels die in het tweerondensysteem uitgesloten waren. Uiteindelijk slaagde Mitterrand in zijn opzet: het rechtse kamp won wel de verkiezingen, maar het werd niet zo groot als verwacht, mede omdat er 35 FN-verkozenen in het parlement geraakten.

Het Franse politieke systeem is – ten vierde – zeer sterk gericht op *individuele politici en partijleiders*. Bijgevolg vindt men in Frankrijk politici met extreem lange carrières. Zie bijvoorbeeld de carrière van de Gaulle (°1890-†1970) zelf, die eerst het verzet predikte tegen de Duitse bezetter in 1940, zich na de bevrijding van Parijs in de coulissen van het politieke toneel terugtrok, maar nooit helemaal uit de politiek verdween. In 1958 werd hij tot president aangesteld. In 1962 liet hij de machten van de president grondwettelijk uitbreiden en installeerde hij – via een referendum bij de bevolking – meteen ook de rechtstreekse verkiezing van de president. Hij verliet het toneel pas in 1969, na een verloren referendum over een reeks hervormingsvoorstellen, en stierf één jaar later.[39]

Ook de carrière van Mitterrand (°1916-†1996) startte al vroeg, toen hij in januari 1947 minister van Oud-strijders werd in de regering-Paul Ramadier. Daarna was hij bijna onafgebroken parlementslid en – tot zijn verkiezing tot president in 1981 – burgemeester van Château-Chinon. Maar hij kreeg pas volle nationale bekendheid na de zogezegde aanslag op zijn leven in 1959 (die hij zelf had geënsceneerd), en in 1965, als kandidaat voor het presidentschap (een strijd die hij pas in de tweede ronde verloor tegen Charles de Gaulle). In 1974 probeerde hij het – tevergeefs – opnieuw, als kandidaat van het verenigde links (socialisten en communisten). Pas in 1981, bij zijn derde poging, werd hij effectief tot president verkozen. Hij is tot nog toe de langst zetelende Franse president uit de geschiedenis van de Vijfde Republiek: hij voltooide twee termijnen en bleef daarmee veertien jaar in functie, tot mei 1995. Op 8 januari 1996 stierf hij aan de gevolgen van een kanker die reeds vóór zijn aanstelling als president was vastgesteld.[40]

---

39. Onder andere over de herstructurering van de lokale overheden en een hervorming van de Senaat (Thiébault, 2003).
40. Uit staatsbelang heeft zijn lijfarts zijn ziekte vele jaren verzwegen.

Ook zijn opvolger als president, Jacques Chirac (°1932), ging een hele tijd mee in de Franse politiek. Hij werd voor het eerst staatssecretaris in 1968, waarna hij in 1974 opklom tot eerste minister onder president Valéry Giscard d'Estaing. In 1981 deed hij een vruchteloze eerste gooi naar het presidentschap en hij berokkende daarmee veel schade aan de poging van aftredend president Valéry Giscard d'Estaing (met wie Chirac intussen in onmin leefde) om herkozen te worden. Chirac geraakte niet voorbij de eerste ronde en richtte zich vanaf 1983 op zijn nieuwe functie van burgemeester van Parijs. In 1988, terwijl hij eerste minister was (1986-1988), deed hij een tweede gooi naar het presidentschap. Hij raakte deze keer wel tot in de tweede ronde, maar verloor kansloos van aftredend president François Mitterrand. In 1995 lukte het hem uiteindelijk wel. Hij werd president van de Franse Republiek, met het vooruitzicht van een termijn van twee keer zeven jaar. Hij kon het voorstel van de linkse regering-Jospin om het mandaat van president terug te brengen tot een mandaat van vijf jaar (grondwetswijziging in 2000) evenwel niet tegenhouden, zodat hij in 2007, na twaalf jaar presidentschap, het politieke toneel verliet. Er was in 2007 geen enkel grondwettelijk beletsel voor Chirac om een derde ambtstermijn na te streven. Hij liet dat idee dan ook lange tijd sudderen, om zijn politieke tegenstanders in zijn eigen partij te jennen, maar besliste uiteindelijk om niet de strijd aan te gaan met de intussen erg populaire andere rechtse kandidaat, Nicolas Sarkozy. Sinds de grondwetshervorming van juli 2008 geldt er een limiet van twee presidentiële mandaten, waardoor een president maximaal tien jaar aan het bewind kan blijven.

Ondanks de poging van de Gaulle om de situatie met de zeer zwakke politieke partijen in de Vierde Republiek tegen te gaan, wordt ook de Vijfde Republiek gekenmerkt door hetzelfde euvel. Het is het tweede gevolg van de sterke *personalisering* van de Franse politiek. Alle partijen zijn ten prooi aan zowel sterke *tendances* (ideologische stromingen) als facties (dit is een groepering van partijleden binnen de partij die zich rond één persoon scharen).[41] In figuur 12 wordt de factievorming in de *Parti socialiste* (PS) in 1991 in kaart gebracht.

---

41. Het verschil tussen een *tendance* (tendens) en een factie is dat deze laatste verdwijnt wanneer de centrale persoon van het politieke toneel verdwijnt, terwijl de *tendances* los staan van de diverse leiders.

Figuur 12: Factievorming in de Franse *Parti socialiste* (situatie in 1991)

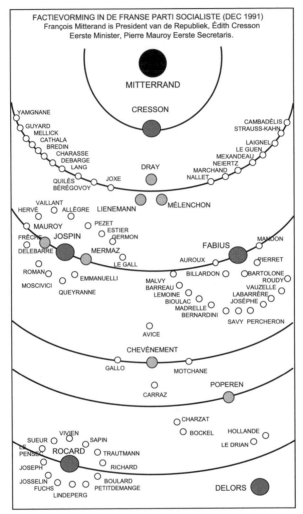

Bron: Leyrit, 1997.

Er tekenen zich verschillende kampen af, waarbij de dissensus in de partij wel erg manifest aan de oppervlakte komt. De PS is, net zoals de rechtse UMP overigens, geen eendrachtige partij. Er zijn de *mitterrandistes*, die in diverse concentrische cirkels rond de president zweven. Maar er vormen zich ook kernen van aanhangers rond de oud-premiers Michel Rocard (de *rocardistes*) en Laurent Fabius (de *fabusiens*), terwijl zich ook een kern aftekent rond de intellectueel en latere eerste minister Lionel Jospin.

Dankzij het presidentiële prerogatief om zelf de eerste minister te mogen benoemen en te ontslaan, bediende Mitterrand zich van deze interne strijd om zijn eigen positie binnen de partij te versterken. Nadat hij klinkende ruzie had gemaakt met eerste minister Michel Rocard (1988-1991) werd deze laatste ontslagen en ook in de partijhiërarchie verbannen naar lagere oorden. Uit het niets – zie haar geïsoleerde positie – stelde Mitterrand vervolgens Edith Cresson (1991-1992) aan als eerste vrouwelijke premier uit de Franse geschiedenis. Maar haar beleid faalde op economisch gebied en de partij scoorde bijzonder slecht in de peilingen. Na amper een jaar moest Cresson de baan ruimen voor Pierre Bérégovoy, persoonlijke vriend en trouwe *lieutenant* van Mitterrand. Ondanks Bérégovoys pogingen om de situatie om te keren stevende de PS bij de parlementsverkiezingen van maart 1993 af op een absolute catastrofe: de partij behaalde amper 17,4 % van de stemmen en verloor liefst 215 van haar 282 zetels (ze hield er nog amper 67 over).[42]

Mitterrand is alleszins de koploper wat het aantal premiers tijdens zijn presidentschap betreft (zeven: zie tabel 14 verderop in het boek), hoewel natuurlijk in rekening moet worden gebracht dat hij de president is met het langste mandaat en dus het hoogste aantal parlementsverkiezingen (*élections législatives*) tijdens zijn ambtstermijn.

Een andere karakteristiek van het Franse partijleven was de aanwezigheid en de invloed van een sterke communistische partij. In tegenstelling tot de andere West-Europese staten (Italië uitgezonderd), waar de communistische partij vanaf de jaren vijftig nooit meer een rol van betekenis speelde, was de PCF een factor waarmee terdege rekening gehouden moest worden. Bij de eerste naoorlogse verkiezingen van 1946 behaalde de PCF 28,6 % van de stemmen. Tot aan de verkiezingen van 1978, toen ze nog steeds meer dan 20 % scoorde, was ze zelfs groter dan de socialistische partij! Die uitzonderlijke score mag grotendeels op het conto van de strenge partijleider Georges Marchais geschreven worden. Hij voerde een zeer autoritaire koers en stelde zich zeer onafhankelijk op ten aanzien van de orders die uit Moskou werden uitgestuurd naar alle West- (en uiteraard ook Oost-) Europese communistische partijen. Vanaf het midden van de jaren tachtig was de rol van de PCF evenwel helemaal uitgespeeld. Bij de proportionele verkiezingen van 1986 behaalde de PCF nog slechts 9,7% van de stemmen. Het is niet toevallig dat deze electorale teloorgang van de partij gepaard ging met de contestatie en – later ook – vervanging van Marchais door Robert Hue. Hue heeft het zin-

---

42. Bérégovoy pleegde op 1 mei 1993, amper een maand na de catastrofale verkiezingen, zelfmoord met het dienstwapen van zijn lijfwacht.

kende schip nooit meer recht gekregen. In de eerste ronde van de presidentsverkiezingen in mei 2002 behaalde hij nog amper 3,37% van de stemmen en moest hij onder meer de uiterst linkse Arlette Laguiller laten voorbijgaan (5,7%). In 2007 werd Hue vervangen door Marie-George Buffet, die amper 1,9% van de stemmen behaalde in de eerste ronde van de presidentsverkiezingen. Bij de parlementsverkiezingen in 2007 behaalde de partij 3,3% en achttien zetels. In 2012 haalde het *Front de gauche* van Jean-Luc Mélenchon slechts 1,1% en tien zetels, een historisch dieptepunt.[43]

Bijkomend gevolg van de zwakke partijstructuren is dat de partijen veelvuldig van uitzicht, naam en structuur veranderen. De PCF (opgericht in 1920) even buiten beschouwing gelaten, dateert de oudste van de huidige politieke partijen (de PS) van 1969. Daarna volgen het FN (1972), *les Verts* (1984) en de UMP (2002).[44] De UMP is de opvolger van de gaullisten (1958-'76), die zelf opgevolgd werd door de RPR (*Rassemblement Pour la République*) (1976-2002). De meest recente telg onder de politieke partijen is de *Mouvement démocratique* (MoDem) van François Bayrou, opgericht in november 2007. De oprichting van de partij werd aangekondigd in de tussenperiode tussen de presidentsverkiezingen van mei 2007 en de parlementsverkiezingen van juni 2007, nadat Bayrou een opvallend sterke score had behaald in de eerste ronde van de presidentsverkiezingen. Het is geen totaal nieuwe partij maar de opvolger van *Union pour la démocratie française* (UDF) waarvan Bayrou al enkele jaren de onbetwiste politieke leider was. Figuur 13 geeft het overzicht van de turbulente geschiedenis van de Franse politieke partijen.

---

43. Hoewel Mélenchon in de eerste ronde van de presidentsverkiezingen een zeer behoorlijk resultaat had behaald (11,1%), slaagde hij er niet in de tweede ronde van de parlementsverkiezingen te halen in het 11de circonscription van Pas-de-Calais. Dat hij het onderspit moest delven tegen FN-voorzitter Marine Le Pen, maakte de nederlaag extra pijnlijk.
44. Andere politieke partijen zijn onder meer PSLE (2007), de MRC (2003), het MPF (1994) en de *Parti Radical de Gauche* (PRG, 1972).

Figuur 13:   Evoluties in het Franse partijlandschap

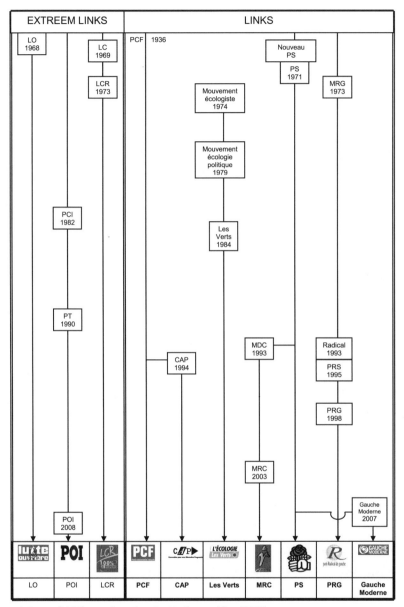

Bron: C. Leyrit (1997), geüpdatet door Ine Vanlangenakker (2008).

Linkse en centrum-linkse partijen: LO = Lutte Ouvrière, POI = Parti Ouvrier Indépendant, LCR = Ligne Communiste Révolutionaire, PCF = Parti Communiste Français, CAP = Convention pour une Alternative Progressiste, MRC = Mouvement Républicain et citoyen, PS = Parti Socialiste, PRG = Parti Radical de Gauche

Partijen in vetjes = verkozenen in de *Assemblée nationale* of de Senaat in 2007

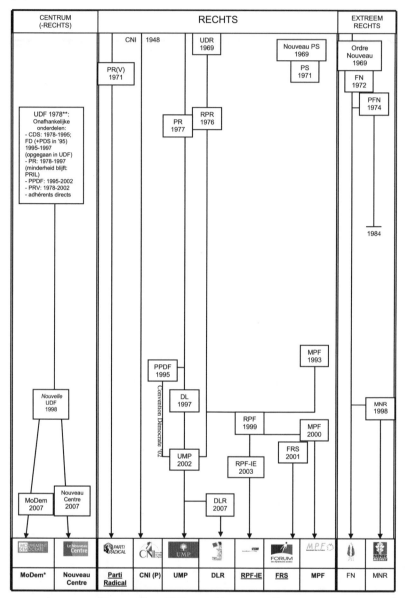

Centrum-rechtse en rechtse partijen: MoDem = Mouvement Démocrate, PR = Parti Radical, CNI(P) =Centre National des Indépendants et Paysans, UMP = Union pour un Mouvement Populaire, RPF-IE = Rassemblement pour la France et l'Indépendance de l'Europe, FRS = Forum des Républicains sociaux, DLR = Debout la République, MPF = Mouvement pour la France, FN = Front National, MNR = Mouvement National Républicain

Partijen in vetjes = verkozenen in de *Assemblée nationale* of de Senaat in 2007

Partijen onderlijnd = Parti Radical, RPF-IE en FRS zijn sinds 2002 geassocieerde partijen van de UMP. CNI(P) is een 'personne morale associé' sinds 2002 (voordien ook geassocieerd met andere partijen).
* CAP21 (Citoyenneté, Action, Participation pour le XXIe siècle) is een geassocieerde partij van MoDem.
** UDF bleef bestaan als overgangsfase naar MoDem en Nouveau Centre tot en met 2010.

Bron: Leyrit, 1997, pp. 24-25; eigen update.

Ten slotte is er een zesde belangrijk kenmerk van de Vijfde Franse Republiek, met name dat de regering steeds op *le fait majoritaire* berust. Dit betekent dat men ervan uitgaat dat zowel de regering als de president uit één en hetzelfde kamp komen. Het is evenwel een misverstand te denken dat de regering bijgevolg maar door één partij gevormd wordt. Precies omwille van het grote aantal 'persoonlijke' partijen wordt die meerderheid gevormd door verschillende partijen in een coalitieverband. In de periode 1958-2007 was er slechts gedurende tien jaar een eenpartijregering aan de macht. Dat was het geval ten tijde van de gaullisten (1968-1973) en in de periode dat de PS aan de macht was (1981-1986). Na de verkiezingen van 2007 vormt de (uitgebreide) UMP een derde periode van eenpartijregering. Sinds 2012 is er opnieuw een partijencoalitie die de meerderheid vormt.

In wat volgt, analyseren we de positie van elk van de hoofdrolspelers uit het Franse politieke systeem.

III. Gevolgen van het semipresidentiële systeem

Doordat het Franse semipresidentiële systeem een tweehoofdig leiderschap voorziet, met zowel een president als een eerste minister, stelt zich uiteraard de vraag hoe de bevoegdheden tussen beide actoren verdeeld zijn. Het moge duidelijk zijn dat de positie van de Franse president de belangrijkste is. Dat was ook de bedoeling van Charles de Gaulle toen hij in 1958 zijn nieuwe staatsbestel uitwerkte. Vandaag de dag komt dit nog duidelijk naar voren in de beschrijving van de bevoegdheden in de grondwet. Daar waar de grondwettelijke bepalingen over de positie van de Franse president (art. 5-19) vrij vaag en dus voor (ruime) interpretatie vatbaar gehouden zijn, zijn de bepalingen voor het eersteministerschap bijzonder accuraat weergegeven (art. 20-23). Daardoor heeft de president meer ruimte om zijn eigen stempel te drukken op het beleid. Dit is minder het geval in de andere landen met een semipresidentieel stelsel. Het gaat om Finland, IJsland, Portugal, Ierland en Oostenrijk. In elk van deze landen ligt het centrum van de politieke activiteit bij de eerste minister en niet zozeer bij de president.

1.   De zeven presidenten van de Vijfde Franse Republiek

Slechts zeven personen hebben het *Palais de l'Elysée* (de ambtswoning van de Franse president) betreden sinds de start van de Vijfde Franse Republiek in 1958.[45] Het zijn:

*   Charles de Gaulle: van 8 januari 1959 tot 28 april 1969. Hij stapt op na een verloren referendum over de hervorming van de Senaat en de transfer van bepaalde bevoegdheden naar de regio's.
*   Georges Pompidou: van 20 juni 1969 tot 2 april 1974. Hij sterft in functie aan de gevolgen van kanker.
    (Er volgt, zoals na het plotse aftreden van de Gaulle een kort interim-presidentschap van Alain Poher, voorzitter van de Senaat, die volgens de grondwettelijke voorschriften de president opvolgt tot er nieuwe verkiezingen gehouden worden.)
*   Valéry Giscard d'Estaing: van 27 mei 1974 tot 21 mei 1981. Hij verliest verrassend de strijd om zijn herverkiezing van de linkse uitdager François Mitterrand en is zo de eerste president die niet herverkozen wordt door de bevolking.
*   François Mitterrand: van 21 mei 1981 tot 17 mei 1995. De eerste socialistische president. Hij wordt gedwongen te stoppen nadat hij het maximum van twee termijnen van zeven jaar heeft voltooid.
*   Jacques Chirac: van 17 mei 1995 tot 16 mei 2007. Hij kondigt pas in maart 2007 zijn afscheid van de politiek aan. In principe had hij een derde ambtstermijn als president kunnen aanvatten, als gevolg van het compromis waarbij de duur van één presidentsmandaat werd teruggebracht van zeven naar vijf jaar.
*   Nicolas Sarkozy: van 16 mei 2007 tot 15 mei 2012. Hij verliest de verkiezingen van François Hollande wat betekent dat zijn presidentschap (voorlopig) beperkt blijft tot één ambtstermijn. Omdat de ambtstermijn intussen teruggebracht is tot vijf jaar, is dit tevens het op één na (Pompidou) kortste presidentschap.
*   François Hollande: van 15 mei 2012 tot ... Hij is de tweede socialistische president, 17 jaar na Mitterrand.

2.   Het statuut van de president

De president geniet een sterk beschermde positie, als gevolg van de eis van Charles de Gaulle voor een sterk presidentschap met reële politieke macht.

---

45. Nochtans gaat de telling van het aantal presidenten terug tot de Tweede Franse Republiek (24 februari 1848 tot 2 december 1851) en het eerste presidentschap van Louis-Napoléon Bonaparte. Volgens deze telling was de Gaulle de 18de president, Pompidou de 19de en Hollande dus de 24ste.

Zo moet de president niet lijdzaam en machteloos toezien hoe de politieke partijen het land ten gronde richten, zoals dat in de Vierde Republiek het geval was geweest (Thiébault, 2003).

Die sterke positie van de president blijkt onder meer uit de volgende grondwetsartikels.

- Artikel 6 regelt de duur van het mandaat. Tot de grondwetswijziging van 2000 was een president aan de macht voor zeven jaar (het zogenaamde *septennat*). De linkse meerderheid besliste in 2000 evenwel via parlementaire weg, en bekrachtigd door een referendum bij de Franse bevolking, de duur van één presidentsmandaat terug te brengen tot vijf jaar (het *quinquennat*). Op deze manier is er een overeenkomst met de duur van een parlementair mandaat, dat al sinds 1958 op vijf jaar lag. Zo zal het risico op een zogenaamde *cohabitation* – dit is een situatie waarin een linkse president moet regeren met een rechtse meerderheid in het parlement of omgekeerd – in de toekomst veel kleiner worden, zo niet volledig verdwijnen. Als compensatie voor de inkorting van de termijn werd het een zetelend president eerst nog toegestaan om een derde ambtstermijn na te streven. Bij de grondwetswijziging van juli 2008 werd de limiet van maximaal twee ambtstermijnen, die reeds van kracht was tijdens het *septennat* maar geschrapt was bij de grondwetswijziging van 2000, opnieuw in ere hersteld.

  Artikel 6 regelt ook dat de president aangeduid wordt via *suffrage universel direct*; dit gebeurt dus via een rechtstreekse verkiezing, wat hem een rechtstreekse legitimatie van en door het volk bezorgt. De wijze waarop de verkiezing van de president verloopt, met name via een tweerondenstelsel, wordt geregeld in artikel 7.

- De Vijfde Franse Republiek kent geen vicepresident. Wanneer het presidentschap vacant is, of de president om welke reden dan ook verhinderd is om zijn mandaat uit te oefenen, wordt hij, zodra het door het grondwettelijk hof officieel is vastgesteld, krachtens artikel 7 van de grondwet vervangen door de voorzitter van de Senaat. Indien ook deze functionaris verhinderd is om het mandaat op te nemen, komt het de regering toe om het presidentschap tijdelijk waar te nemen. *In casu* zou de eerste minister dan tijdelijk ook de presidentiële functies vervullen. In de geschiedenis van de Vijfde Republiek is men al twee keer op een interimpresidentschap teruggevallen. Telkens was het Alain Poher, Senaatsvoorzitter van 1968 tot 1992, die de functie tijdelijk waarnam. Hij maakte de brug tussen de presidentschappen van de Gaulle en Pompidou (van 28 april 1969 tot 20 juni 1969) en die van Pompidou en Giscard d'Estaing (van 2 april 1974 tot 27 mei 1974).

- De president kan niet verantwoordelijk gesteld worden voor zijn beleidsdaden (art. 67), tenzij hij manifest zou tekortschieten in de uitoefening van zijn functie (art. 68). Hij kan door geen enkele rechtbank verhoord worden, niet als getuige, noch als verdachte. Het is pas een maand na het neerleggen van zijn presidentiële functie, dat dergelijke acties ondernomen kunnen worden. Dit is geen onbelangrijk aspect, omdat tijdens het presidentschap van Chirac veelvuldig de vraag rees of deze immuniteit ook gold voor vroegere fraude of criminele daden. Met andere woorden of die immuniteit ook gold voor daden die vóór het opnemen van het presidentschap begaan waren. Nadat de jonge rechter Eric Halphen het aangedurfd had om de president te convoceren als getuige in een fraudezaak, stak het grondwettelijk hof daar een stokje voor, door de president volledige immuniteit te verlenen voor de volledige duur van zijn presidentieel mandaat. Minder dan twee maanden nadat Chirac op 16 mei 2007 de sleutels van het *Elysée* aan Sarkozy had overhandigd, werd Chirac toch in verdenking gesteld en verhoord in een zaak van mogelijke verduistering van overheidsgeld. In november en december 2007 volgden nog een aantal verhoren in deze zaak. Twee jaar later wordt hij uiteindelijk veroordeeld – een unicum voor een Franse ex-president – tot twee jaar celstraf met uitstel (*Le Figaro*, 15 december 2011). Ook Sarkozy werd na het verlopen van zijn onschendbaarheid in enkele rechtszaken verwikkeld, met name over campagnefinanciering. In 2013 werd hij in één zaak verplicht geld terug te storten aan de Franse staat; in een andere zaak werd hij in verdenking gesteld, de laatste stap voor de beschuldiging van een misdrijf.

3. De bevoegdheden van de president

Krachtens artikel 5 heeft de president van de Franse Republiek tot opdracht 'garant [te staan] voor de nationale onafhankelijkheid, de integriteit van het territorium en het respect voor de internationale verdragen'. In de concrete uitoefening van zijn mandaat kan men twee soorten bevoegdheden onderscheiden.

Ten eerste zijn er de zogenaamde *pouvoirs propres*. Dat zijn de bevoegdheden die tot het exclusieve domein van de president behoren.

a) *Aanstelling eerste minister* – De president staat in voor de benoeming (en het ontslag) van de eerste minister (art. 8). Hij kan dat naar eigen inzicht doen. Hij kan dus ook iemand van buiten de politiek tot eerste minister benoemen, zoals de Gaulle heeft gedaan met de benoeming van de bankier Georges Pompidou tot eerste minister (1962). Jacques Chirac heeft dat in 2002 nog eens dunnetjes overgedaan door de relatief onbekende Jean-Pierre Raffarin (die van 1995-1997 wel minister van kmo's was geweest maar in 2002 enkel voorzitter was van de regionale raad van Poitou-Charentes) te benoemen tot eerste minister. Het gerucht gaat dat de Gaulle zijn eerste ministers al op de dag van hun aanstelling een ongedateerde ontslagbrief liet ondertekenen (die hij dan naar believen kon tevoorschijn halen en dateren). Het ontslag van de eerste minister betekent automatisch ook het ontslag van de hele regering.

Tabel 14: Overzicht van presidenten en eerste ministers in de Vijfde Republiek

Verkiezing president	President	Aantreden eerste minister	Eerste ministers
21.12.1958	Charles de Gaulle (UNR)	08.01.1959	Michel Debré (UNR)
(19.12.1965)		14.04.1962	Georges Pompidou (UNR)
		10.07.1968	Maurice Couve de Murville (UNR)
15.06.1969	Georges Pompidou (UDR)	20.06.1969	Jacques Chaban-Delmas (UNR)
		05.07.1972	Pierre Messmer (UNR)
19.05.1974	Valéry Giscard d'Estaing (RI)	27.05.1974	Jacques Chirac (UNR)
		25.08.1976	Raymond Barre (CDS)
10.05.1981	François Mitterrand (PS)	21.05.1981	Pierre Mauroy (PS)
		17.07.1984	Laurent Fabius (PS)
		20.03.1986	Jacques Chirac (RPR)
(08.05.1988)		10.05.1988	Michel Rocard (PS)
		15.05.1991	Edith Cresson (PS)
		02.04.1992	Pierre Bérégovoy (PS)
		29.03.1993	Edouard Balladur (RPR)
07.05.1995	Jacques Chirac (RPR)	17.05.1995	Alain Juppé (PS)
		02.06.1997	Lionel Jospin (PS)
(05.05.2002)		06.05.2002	Jean-Pierre Raffarin (UMP)
		31.05.2005	Dominique de Villepin (UMP)
06.05.2007	Nicolas Sarkozy (UMP)	17.05.2007	François Fillon (UMP)
06.05.2012	François Hollande (PS)	15.05.2012	Jean-Marc Ayrault (PS)

(De data tussen haakjes verwijzen naar de data van herverkiezing van de president)

UNR: Union pour la Nouvelle Republique; UDR: Union des démocrates pour la République; RI: Républicains indépendants, RPR: Rassemblement pour la République; UMP: Union pour un mouvement populaire, CDS: Centre des démocrates sociaux. PS : Parti socialiste.

b) *De relatie met het parlement* – De president heeft het recht om, na consultatie van de regering en de voorzitters van de parlementaire assemblees, het parlement te ontbinden (art. 12). Het gevolg van deze regel is dat er zowel in 1981 als in 1988 onmiddellijk na de presidentsverkiezingen vervroegde parlementsverkiezingen werden uitgeschreven. Op die manier kon Mitterrand zijn overwinning verzilveren met een comfortabele(re) parlementaire meerderheid. Soms kan dat ook wel eens faliekant aflopen, zoals in de lente van 1997, toen Jacques Chirac flaterde door, tegen het advies van het merendeel van zijn adviseurs in, nieuwe verkiezingen aan te kondigen. Hij was er immers van overtuigd dat hij zo over een solide meerderheid zou beschikken om de laatste vijf jaar van zijn eerste mandaat (tot 2002) te volmaken. De publieke opinie had zich evenwel al sinds de winter van 1995-1996 gekeerd tegen de plannen van eerste minister Alain Juppé om het socialezekerheidsstelsel grondig te hervormen, en tot Chiracs afgrijzen was het niet zijn eigen partij maar de linkse oppositie die de verkiezingen won. Het verplichtte de rechtse president Chirac tot een vijf jaar lange *cohabitation* met de linkse meerderheid in het parlement en de regering. Tot nog toe werd het parlement slechts vijf keer ontbonden door de president: in 1962, 1968, 1981, 1988 en 1997 (Costa & Kerrouche, 2007, p. 145).

De rest van de communicatie tussen president en parlement gebeurt via *messages* (art. 18), die door de parlementsvoorzitters worden voorgelezen. Met andere woorden, de Franse president *in personem* is, net zoals in een zuiver presidentieel stelsel, niet welkom in het parlement. Deze *messages* geven geen aanleiding tot een politiek debat; de leden van de *Assemblée nationale* en de Senaat kunnen er enkel nota van nemen.

Ten slotte kan de president, omdat het officieel aan hem toekomt om de wetten goed of af te keuren (art. 10), een ontwerp terugsturen naar het parlement met de vraag om het in heroverweging te nemen. Zodra die tweede behandeling achter de rug is, moet de president dan wel de uitkomst aanvaarden. Er is geen tweede beroepsmogelijkheid voorzien.

c) *Het uitschrijven van referenda* – De president heeft ook het recht om referenda uit te schrijven (art. 11), voor zover ze betrekking hebben op de organisatie van de staatsinstellingen, op hervormingen in de sociaaleconomische sfeer en inzake het milieubeleid of op de ratificatie van internationale verdragen. In de zogenaamde hyperpresidentialistische visie van de Gaulle was het de bedoeling om via referenda af en toe het parlement te omzeilen. Het initiatief moet officieel wel van de regering komen. De president kan het officieel dus niet zelf aankondigen, maar doet dat via zijn eerste minister. Na het enthousiasme van de Gaulle, die vijf keer een referendum organiseerde, zijn er in totaal nog maar vijf andere referenda op nationaal niveau gehouden.[46] De meest bekende zijn de referenda over de goedkeuring van het Verdrag van Maastricht (op 20 september 1992), dat slechts door een nipte meerderheid van 51,05 % werd goedgekeurd, en het referendum over de Europese grondwet, die op 29 mei 2005 door 55 % van de Franse kiezers verworpen werd.[47] In 1972 legde Georges Pompidou het voorstel voor uitbreiding van de Europese Commissie met Denemarken, Ierland en het Verenigd Koninkrijk voor aan de bevolking. In 1988 lag de vraag voor of de bevol-

---

46. Sinds 2003 is het ook mogelijk om op lokaal niveau referenda te houden.
47. Sindsdien is er geen enkel nationaal referendum meer georganiseerd (situatie op 1 september 2013).

king de zogenaamde akkoorden van Matignon (26 juni 1988) erkende, waardoor Nieuw-Caledonië een beperkte vorm van autonomie kreeg, en in 2000 lag de vraag voor of het presidentiële mandaat gereduceerd kon worden tot vijf jaar.

Sinds de grondwetswijziging van 21 juli 2008 is er een nieuwe mogelijkheid in grondwetsartikel 11 ingeschreven voor de organisatie van referenda. Daardoor is het niet langer een exclusieve bevoegdheid van de president. Onder toezicht van het grondwettelijk hof is het voortaan immers mogelijk dat een vijfde van de parlementsleden (die samen minstens een tiende van de ingeschreven kiezers vertegenwoordigen) overgaat tot de organisatie van een nieuw referendum. Het kan enkel gaan om dezelfde materies als in de vorige alinea beschreven en enkel in reactie op een wet die minder dan een jaar oud is. De aanvraag voor het referendum wordt als een wetsvoorstel ingediend. Indien het wordt goedgekeurd door de bevolking, is de president gehouden om het binnen de vijftien dagen goed te keuren. Indien het verworpen wordt, kan de daaropvolgende twee jaar geen referendum over hetzelfde thema georganiseerd worden.

d) *Volmachten* – De president beschikt ook over volmachten (art. 16) wanneer hij de noodtoestand afkondigt. Vooraleer hij over die bijzondere machten kan beschikken, moeten wel een aantal voorwaarden vervuld zijn. Zo moet er een reële bedreiging van het Franse grondgebied zijn en moet de president een aantal consultaties houden voor hij tot het uitroepen van de noodtoestand kan overgaan. Het is niet onbelangrijk erop te wijzen dat het parlement het recht behoudt om te vergaderen wanneer de noodtoestand van kracht is en dat de president tijdens die periode het parlement niet kan ontbinden. Tot voor 2005 werd de noodtoestand slechts één keer afgekondigd, namelijk van april tot september 1961. Reden was de oproer naar aanleiding van de aanslepende Algerijnse kwestie. Op 8 november 2005 werd de noodtoestand een tweede keer afgekondigd naar aanleiding van rassenrellen in verscheidene Franse voorsteden. De noodtoestand werd voor een periode van drie weken verlengd, maar uiteindelijk al op 17 november 2005 weer opgeheven.

Naast de zogenaamde *pouvoirs propres* zijn er ook *pouvoirs partagés*. Dat zijn de bevoegdheden die de president deelt met de eerste minister.

e) De leden van de regering worden samen benoemd door de president en de eerste minister (art. 8). Volgens de letter van de grondwet is het de eerste minister die de nieuwe regeringsleden voordraagt en keurt de president die voordracht alleen maar goed. Uiteraard gebeurt de samenstelling in tweespraak.

f) De president is de eigenlijke voorzitter van de ministerraad (art. 9). Dat blijkt in de praktijk veel meer te zijn dan een ceremoniële functie. De president roept de ministerraad bijeen, stelt de agenda van de vergadering op en zit de vergadering ook daadwerkelijk voor. De impact van de president op het politieke beleid is op die manier niet gering. Indien de president niet aanwezig kan zijn, is het de eerste minister die hem vervangt en de ministerraad voorzit.

g) De president kan het parlement in buitengewone zitting bijeenroepen, waarbij hij die vergadering zelf voorzit.

h) Dit is sowieso de te volgen procedure bij een voorstel tot wijziging van de grondwet. Dat gebeurt op initiatief van de president van de Republiek. Nadat precies dezelfde tekst door de *Assemblée nationale* en de Senaat in afzonderlijke zitting is goedgekeurd, volgt een gezamenlijke zitting ter bekrachtiging van de nieuwe tekst. Dit gebeurt onder de noemer van *le Congrès* en wordt telkens in het statige paleis van Versailles georganiseerd. Sinds 1958 is het Congres twintig keer bijeengeweest. Om een wetsvoorstel en dus een aanpassing van de grondwet aanvaard te krijgen, is een meerderheid van 60 % van de aanwezige parlementsleden vereist. Bij de grondwetswijziging van 21 juli 2008 had de rechtse meerderheid van president Sarkozy welgeteld één stem op overschot om de voorgestelde grondwetswijziging goed te keuren.

i) Ook de beslissingen over de (grote) burgerlijke en militaire benoemingen worden gezamenlijk genomen door de president en de premier. Het gewijzigde grondwetsartikel 13 somt in detail op welke benoemingen in de schoot van de regering genomen moeten worden. Daarnaast biedt het de ruimte aan de president om benoemingen te doen 'wegens het belang voor de garantie van de rechten en vrijheden [of] voor het economische en sociale leven van de Natie'. Sinds 2008 is de president daarbij evenwel gehouden om het advies te vragen aan twee permanente commissies van de *Assemblée nationale* en van de Senaat. Enkel indien 60 % van de leden van deze commissies tegenstemt, kan de benoeming ongedaan gemaakt worden.

Uiteraard leveren deze gedeelde bevoegdheden voldoende conflictstof op tussen beide mandatarissen tijdens de *cohabitation*. Denk aan de bijna hallucinante historische beelden uit 1986, toen de ministerraad van de rechtse RPR-ministers voor het eerst bijeenkwam, onder leiding van de socialistische president Mitterrand. De vergadering verliep in een ijzige sfeer en de spanning was om te snijden. Oud-RPR-partijleider en toenmalig minister Philippe Séguin getuigt: 'Het was elke week hetzelfde scenario. Mitterrand kwam binnen, schudde niemand de hand en ging zitten. (…) Ik heb gedurende die twee jaar het gevoel gehad dat ik een indringer was. We hadden alle dertig, de eerste minister inbegrepen, het gevoel dat we indringers waren. Lastposten die daar niets te zoeken hadden en die node getolereerd werden. (…) De ministerraden duurden twaalf, vijftien of dertig minuten.

(…) Er was geen debat. Er was voor eens en voor altijd afgesproken om geen onenigheid te tonen in het bijzijn van de president, die onze tegenstrever was. Dus hielden we ons strikt aan de mededelingen, deel A, deel B, deel C, en we lazen met een monotone stem. De president van de Republiek schepte er genoegen in om met een mooie regelmaat te vragen: 'Zijn er bijkomende opmerkingen?' Niemand antwoordde. Soms zei de eerste minister dan twee of drie dingen of soms gaf de president daarop zijn mening: telkens ging het om een giftige aanval waaruit wij dan verscheurd naar buiten kwamen' (Lacouture & Rotman, 2000, pp. 185-187, eigen vertaling).

Om veelvuldige bevoegdheidsconflicten in de *pouvoirs partagés* te vermijden, is in de loop der jaren de gewoonte gegroeid dat de politiek van de president op een aantal vlakken voorrang heeft op die van de eerste minister. Dit is het zogenaamde *domaine réservé*. Uiteraard zal deze claim van de president eerder gerespecteerd worden wanneer president en premier uit dezelfde partij komen dan wanneer dat niet het geval is. In tijden van *cohabitation* blijven deze bij uitstek de domeinen waarop president en premier kibbelen over het initiatiefrecht.

Het gaat dan vooreerst over de volgende aspecten van het *buitenlands beleid*. De benoeming van Franse ambassadeurs in het buitenland en de ontvangst van buitenlandse ambassadeurs in Frankrijk is het voorrecht van de president van de Republiek (art. 14). Het is de president die de onderhandelingen voert van internationale verdragen (art. 52) en de vergaderingen van de Europese Raad van staatshoofden en regeringsleiders bijwoont. Dit gaf uiteraard aanleiding tot conflict tijdens periodes van *cohabitation*, omdat de eerste minister verantwoordelijk is voor het uitstippelen van het regeringsbeleid (inclusief buitenlandse zaken), terwijl de president dat dan als zijn exclusieve bevoegdheid beschouwt. Frankrijk is ook het enige EU-land dat zowel zijn staatshoofd als zijn eerste minister op de Europese Raden afvaardigt.

Ten tweede is er het domein van de defensiepolitiek, waar de verdeling van de bevoegdheden veel duidelijker geregeld is. Zo is de president het hoofd van het Franse leger, maar is de eerste minister verantwoordelijk voor het defensiebeleid. De zeggingskracht over de nucleaire *force de frappe* van de Fransen ligt dan weer in handen van de president. Sinds het decreet van 15 mei 2002 is het *domaine réservé* van de Franse president uitgebreid met het voorzitterschap van de Raad voor Binnenlandse Veiligheid (*Conseil de sécurité intérieure*) (*L'Assemblée nationale* …, p. 25).

4.   De eerste minister en de overige leden van de ministerraad

Bij de analyse van de bevoegdheden van de president is meermaals gebleken dat de eerste minister – die zijn ambtswoning heeft in het *Hôtel de Matignon* – een ondergeschikte rol speelt ten aanzien van de president van de Republiek. Dat besef leidde in 1987 bij Chirac tot grote ontzetting toen hij ermee dreigde om op te stappen als eerste minister omdat Mitterrand een aantal van zijn hervormingsplannen tegenhield. Mitterrand antwoordde laconiek 'dat hij maar moest doen wat hij juist achtte' (Lacouture & Rotman, 2000). De vertekende machtsverhoudingen komen al snel naar boven wanneer men er de Franse grondwet grondig op naleest.

a) De eerste minister (en uiteraard meteen ook alle andere regeringsleden) staat in een duidelijk ondergeschikte positie ten aanzien van de president: niet alleen wordt de eerste minister door de president aangesteld en ontslagen (cf. de frequente wijzigingen onder Mitterrand in het begin van de jaren negentig). Er is het *domaine réservé* van de president waarop de eerste minister zich in principe niet mag profileren. Ten derde zetelt de president de wekelijkse ministerraad voor, terwijl de premier voorzitter is van de voorbereidende kabinetsraad. Ten slotte is, bij het ontslag van de eerste minister, meteen de hele regering ontslagnemend.

b) De bevoegdheden van de eerste minister worden gedetailleerd in de grondwet omschreven (art. 20-22). Hij heeft tot taak het beleid van het land te bepalen, waarbij hij de beschikking heeft over het leger en aan het hoofd staat van de regering. Hij ziet erop toe dat de wetten worden nageleefd en kan (lagere) ambtenaren en militairen benoemen. Op deze wijze blijven ze sterk beperkt in vergelijking met die van de president. Wat nogmaals bewijst dat de Gaulle vooral een zeer sterk presidentschap voor ogen had, met een ondergeschikte eerste minister, toen hij in 1958 de constitutie schreef.

c) De regering en de president vormen samen de uitvoerende macht. Dat betekent meteen dat het in hoofde van de grondwetschrijvers nooit de bedoeling kon zijn dat er een diarchie was tussen de president en de premier. Men had geen rekening gehouden met een situatie waarin beiden tot twee verschillende politieke partijen zouden kunnen behoren. Er was geen scenario voor een *cohabitation* voorzien. Door het samenbrengen van de electorale kalenders in 2000 (zowel het presidentiële als het parlementaire mandaat liggen nu vast voor vijf jaar) is de kans op een *cohabitation* zo goed als uitgesloten.

d) De regeringsleden zijn persoonlijk en strafrechtelijk verantwoordelijk voor het gevoerde beleid. Hun wordt dus veel minder het hand boven het hoofd gehouden dan in parlementaire systemen het geval is. In 1993 werd speciaal hiertoe een *Cour de la justice de la République* opgericht, bestaande uit zes volksvertegenwoordigers, zes senatoren en drie magistraten van het Hof van Cassatie.

e) Er zijn overigens verschillende soorten organen waarin de ministers bijeenkomen. Vooreerst is er de ministerraad (*Conseil des ministres*), die krachtens grondwetsartikel 9 voorgezeten wordt door de president van de Republiek. Deze ministerraad vindt plaats op woensdagochtend en duurt nooit erg lang. Belangrijker is immers de kabinetsraad (*Conseil de cabinet*, voorgezeten door de eerste minister) die aan de ministerraad voorafgaat en waarop de netelige dossiers behandeld worden. Ten slotte zijn er ook de interministeriële raden en comités, die bijeenkomsten van eerder technische aard zijn.[48]

Het is ten slotte ook belangrijk om erop te wijzen dat de Vijfde Franse Republiek drie keer met een situatie van *cohabitation* (letterlijk: samenwonen) werd geconfronteerd, waarbij twee keer een linkse president werd verplicht om samen te werken met een rechtse eerste minister en één keer een rechtse president met een linkse eerste minister. De gevoeligheden lagen evenwel niet altijd gelijk.

a) 1986-1988: president François Mitterrand (PS) – eerste minister Jacques Chirac (RPR). Dit wordt in de literatuur wel eens de *cohabitation conflictuelle* genoemd. Beide mannen hadden hun zinnen gezet op de presidentsverkiezingen van 1988 en konden zowel op het politieke als op het persoonlijke vlak moeilijk met elkaar overweg. Het feit dat Chirac zich ook op het domein van de internationale politiek probeerde te profileren, ten koste van het *domaine réservé* van de president, bemoeilijkte verder de verhoudingen tussen beiden. Mitterrand liet een aantal keer niet na om Chirac publiekelijk te vernederen. Zoals na de Europese Top van Madrid, toen voor de persconferentie enkel Mitterrand het podium besteeg, en de eerste minister zich tevreden moest stellen met een plaatsje tussen de journalisten, of bij de persconferentie na de G8-ontmoeting in Japan, toen Mitterrand zijn eerste minister botweg het woord ontnam toen deze laatste wilde antwoorden op een vraag van een jour-

---

48. Ook wat de soorten leden van de regering betreft, zijn er nogal wat verschillen. Er is uiteraard de *eerste minister*. Daarnaast zijn er *ministres d'État*; dat zijn ministers zonder departementale bevoegdheid die als raadgever bij de eerste minister optreden. Een derde categorie zijn de *ministres à portefeuille* (zoals wij ze ook kennen): ministers die aan het hoofd van een ministerieel departement staan en bevoegd zijn voor een specifiek deel van het regeringsbeleid. '*Minor ministers*' heten in Frankrijk *ministres délégués*; dat zijn ministers die toegevoegd worden aan een *ministre d'État* of aan een *ministre à portefeuille*. Ten slotte is er een overblijvende categorie van *secrétaires d'État*, de laagste rang van regeringsleden (Kam & Idridason, 2009: p. 48). De tweede regering-Ayrault (16 mei 2012 – 18 juni 2013) telde twintig ministers, achttien *ministres délégués* en geen enkele *secrétaire d'État* (decreet van 21 juni 2012).

nalist, met de woorden 'er is geen verschil in antwoord tussen dat van de eerste minister en dat van de president van de Republiek' (Lacouture & Rotman, 2000).

b) 1993-1995: president Mitterrand (PS) – eerste minister Edouard Balladur (RPR). Dit is de zogenaamde *cohabitation consensuelle,* omdat noch Mitterrand, noch Balladur zin hadden in een open oorlog. Deze laatste koesterde ambities om Mitterrand als president op te volgen, waarbij hij voordeel poogde te putten uit zijn imago als 'staatsman' die verder keek dan de eigen partijbelangen. Het waren bovendien de laatste jaren van het presidentschap van Mitterrand. De partijpolitieke strijd was gestreden en wat vooral telde, was zijn plaats in de geschiedenisboeken.

c) 1997-2002: president Chirac (RPR) – eerste minister Lionel Jospin (PS). Dit is de zogenaamde *cohabitation constructive.* De verstandhouding tussen de president en de eerste minister was redelijk goed, wellicht geholpen door het feit dat beiden er zich van bewust waren dat ze voor vijf jaar tot elkaar veroordeeld waren (tot aan de presidentsverkiezingen van 2002).

Het is opmerkelijk dat geen enkele eerste minister voordeel haalde uit een periode van *cohabitation.* In 1988 (Chirac), 1995 (Balladur) en 2002 (Jospin) stelde de eerste minister zich wel kandidaat tegen de aftredende president bij de presidentsverkiezingen, maar telkens beet hij in het zand. In 1995 en 2002 haalde de aftredende eerste minister zelfs de tweede ronde niet. Noch in 2007 noch in 2012 stelden de uittredende eerste ministers zich kandidaat om president te worden.

IV. Het parlement en de relaties tussen de uitvoerende en de wetgevende macht

Ondanks een geleidelijke toename van het aantal parlementsleden, van 465 in 1958 tot 577 sinds 1986, heeft het parlement in het Franse staatsbestel zeer weinig invloed, laat staan enige macht.[49] Zijn invloed wordt sterk beperkt door een regeling in de grondwet die een limitatieve opsomming bevat van de domeinen waarop het parlement wetgevend werk mag verrichten. Artikel 34 somt deze reeks bevoegdheden op: burgerrechten, nationaliteitsaangelegenheden, strafrecht, het belastings- en monetair beleid, het kiesstelsel, nationaliseringen en privatiseringen van overheidsbedrijven, en de fundamentele principes waarop defensie, lokale overheden, onderwijs, eigendomsrechten, arbeidsverhoudingen en de sociale zekerheid worden

---

49. In 2008 werd het maximum aantal van 577 in de grondwet opgenomen (art. 24).

geregeld. Het wetgevende werk op de beleidsdomeinen die niet in deze lijst zijn opgenomen, behoort krachtens grondwetsartikel 37 toe aan de regering (Thiébault, 2003).

Het is bijgevolg niet onlogisch dat de agenda van het parlement in sterke mate door de regering wordt bepaald, al bracht de grondwetshervorming van 2008 daar ten dele verandering in. Voortaan is de *Assemblée nationale* gedurende een van de vier weken volledig baas over haar eigen agenda en slechts twee weken onderhevig aan de agenda opgelegd door de regering. Ondanks deze zwakke inspraak oefent het mandaat nog steeds een grote aantrekkingskracht uit. Bij de verkiezingen van 2002 dongen er per kiesomschrijving gemiddeld 15,21 kandidaten mee naar de zetel. In totaal voerden zo 8444 kandidaten campagne, drie keer zoveel als er kandidaten waren in 1958 (Costa & Kerrouche, 2007, p. 71).[50] Dankzij soepele cumulregels combineren Franse parlementsleden vaak diverse politieke mandaten op nationaal, regionaal of lokaal vlak, iets wat in Nederland bijvoorbeeld uit den boze is. Op 1 november 2003 telde de *Assemblée nationale* slechts 53 leden (9,2 %) die genoegen namen met een parlementair mandaat alleen. Liefst 524 parlementsleden combineerden hun baan met een ander politiek mandaat, waarvan 287 als burgemeester (Costa & Kerrouche, 2007, p. 93).

Hoewel het cumuleren van mandaten erg populair is bij Franse politici, zegt de grondwet (art. 23 en 25) dat er een onverenigbaarheid bestaat tussen het parlementaire en het ministeriële mandaat. Dit betekent dat ministers zich voor de duur van hun mandaat moeten laten vervangen in het parlement. Toch blijven ministers een nauwe band onderhouden met hun eigen kiesdistrict. Dat moet immers, willen ze opnieuw verkozen worden. De Franse hoofdstad loopt daarom op donderdagavond al leeg omdat de heren en dames politici op vrijdag in hun eigen kiesdistrict taken te vervullen en ontmoetingen te regelen hebben.

Wat de samenstelling van de Franse *Assemblée nationale* betreft, die in het *Palais Bourbon* samenkomt, kunnen we verwijzen naar het vorige hoofdstuk, waarin we een omstandige analyse hebben gemaakt van de wijze waarop die *Assemblée nationale* met haar 577 leden wordt samengesteld. De Senaat (*le Sénat*), daarentegen, komt bijeen in het *Palais du Luxembourg* en bestaat uit 348 leden, die niet rechtstreeks verkozen worden. Het aantal leden is in 2008 opgetrokken van een oorspronkelijke 311, en in 2011 zijn

---

50. Toen namen 2783 kandidaten deel in 465 kiesomschrijvingen (Costa & Kerrouche, 2007, p. 71).

er nog vijf leden bijgekomen (*L'Assemblée nationale* ..., p. 39). De senatoren zetelen voor zes jaar – tot in het begin van de jaren negentig duurde het mandaat zelfs negen jaar – en worden op een indirecte manier verkozen. Er worden op de dag van de verkiezingen voor de *Assemblée nationale* dus geen verkiezingen voor de Senaat gehouden.

Het orgaan dat de senatoren aanduidt, heet het *Collège des grands électeurs*. Dit *Collège* bestaat uit ongeveer 104 000 *grands électeurs*.[51] Het gaat om alle volksvertegenwoordigers, alle leden van de regionale raden, leden van de *Assemblée de Corse* en de gemeenteraadsleden van Parijs. Daarnaast zetelen ook gemeenteraadsleden, a rato van het inwonersaantal van hun gemeente: kleine gemeenten met minder dan 9000 inwoners krijgen tussen één en vijftien afgevaardigden, middelgrote gemeenten (tussen 9000 en 30 000 inwoners) mogen hun volledige gemeenteraad afvaardigen en grote gemeenten krijgen daarbovenop nog eens de kans om extra vertegenwoordigers aan te duiden (één extra vertegenwoordiger door de gemeenteraad goedgekeurd per schijf van duizend inwoners extra) (*L'Assemblée nationale* ..., p. 39). Om de drie jaar wordt een derde van de senatoren vernieuwd. De Senaat kan niet vroegtijdig worden ontbonden. Net zoals in België speelt de Senaat een ondergeschikte rol ten aanzien van de *Assemblée nationale*.

V. Besluit

Zoals uit bovenstaande analyse duidelijk is gebleken, zijn de spelregels van de Franse democratie gecentreerd rond de positie van de president van de Vijfde Republiek. Het tweerondenstelsel waarop die republiek is gebouwd, levert de president in principe ook een meerderheid in het parlement op. Zeker nu de kalender van de presidentsverkiezingen sinds 2002 op die van de vijfjaarlijkse parlementsverkiezingen is afgesteld. Daardoor ontstonden er comfortabele regeerperiodes van vijf jaar, die niet door tussentijdse verkiezingen kunnen worden doorkruist.

De drie periodes waarin dat niet het geval was, en de linkse president met een rechtse meerderheid in het parlement geconfronteerd werd (1986-1988 en 1993-1995) en een rechtse president met een linkse parlementaire meerderheid werd geconfronteerd (1997-2002), schurkte men dicht aan tegen de limieten van het Franse staatsmodel.

---

51. De senatoren worden verkozen per departement. In zeventig departementen die maximaal drie senatoren verkiezen en in de *territoires d'outre-mer* wordt het tweerondenstelsel gebruikt. In de 39 departementen waar vier of meer senatoren worden gekozen, gebruikt men het proportionele stelsel (Costa, 2013, p. 132).

Het is opvallend hoe dit absolutemeerderheidsstelsel er niet voor gezorgd heeft dat er brede volkspartijen ontstaan. Integendeel, het Franse partijpolitieke landschap blijft gekenmerkt door factievormingen, afscheuringen en sterke ideologische *tendances* binnen de partijen. De sterke personaliseringstendens speelt hier ongetwijfeld een grote rol in. Wellicht in geen enkel andere Westerse staat wordt de personalisering in elke partij zo ten top gedreven als in Frankrijk. Politieke partijen verworden zo tot kiesverenigingen van persoonlijke facties. Daardoor boeten ze heel wat in aan potentieel tegengewicht tegen de sterke positie van de president.

Hoofdstuk 5

STELSELS VAN EVENREDIGE VERTEGENWOORDIGING EN CONSENSUSDEMOCRATIEËN

I. Inleiding

Naast de meerderheidsstelsels is er een tweede grote categorie van kiesstelsels: de proportionele stelsels. Op wereldvlak gezien is deze verzameling van kiesstelsels zelfs de dominante: meer dan een derde van de landen gebruikt een proportioneel stelsel. Het wordt gekenmerkt door de poging om zo nauwgezet mogelijk het aantal stemmen dat elke partij behaalde bij de verkiezingen om te zetten in het aantal zetels in het parlement. Per definitie kan dat enkel wanneer er meerdere zetels te verdelen zijn per kieskring. In vergelijking met het Britse *First Past The Post*-systeem zal de aanduiding van de gekozen mandatarissen dus sowieso een heel stuk ingewikkelder verlopen. Bovendien is er in elk proportioneel stelsel hoe dan ook een zekere mate van vertekening tussen de stemuitslag en de zeteluitslag. Hoe vertaal je anders een score van 32,4 % van de stemmen in een aantal zetels?

II. Determinanten van proportionaliteit

De mate van proportionaliteit van een kiesstelsel kan worden bepaald aan de hand van drie elementen: de electorale formule, de grootte van de kieskring en het al dan niet in voege zijn van een formele kiesdrempel.

1. De electorale formule

Om op basis van een stemuitslag over te gaan tot een zetelverdeling, wordt een serie complexe rekenregels gebruikt. De ene berekenwijze maakt gebruik van zogenaamde *kiesdelertechnieken*. De tweede werkt met zogenaamde *delerreeksen*.

a) Kiesdelertechnieken

Bij kiesdelertechnieken wordt het aantal geldige stemmen dat op een partij werd uitgebracht, gedeeld door een vast bepaalde *kiesdeler*, om het aantal zetels waarop een partij recht heeft, te bepalen.[52] Er zijn verschillende soorten kiesdelers mogelijk, die – afhankelijk van de precieze uitslag – soms een klein verschil kunnen geven bij de toekenning van het aantal zetels. Voor de verschillende effecten van deze kiesdelers verwijzen wij naar meer gespecialiseerde handboeken (Colomer, 2004; Farrell, 2011).

De meestgebruikte kiesdelers zijn de kiesdelers Hare en Droop (beide uit te spreken op zijn Engels). Bij Hare wordt het totale aantal geldige stemmen gedeeld door het totale aantal te verdelen zetels. In een land met zes miljoen kiezers en 150 te verdelen zetels, zal de kiesdeler dus 40 000 bedragen. Droop is een variant op Hare, telt één eenheid bij in de noemer (in ons voorbeeld dus 151) en telt bij het verkregen quotiënt dan nog eens één op.[53] In ons voorbeeld komt Droop dus op een kiesdeler van 39 736,1. Elke schijf van 40 000 of 39 736,1 stemmen die een partij bij de verkiezingen behaald heeft, geeft recht op een bijkomende zetel. Uiteraard zal een exacte verdeling, waarbij elke partij een veelvoud van 40 000 of 39 736,1 stemmen behaalt waardoor alle zetels meteen toegekend zijn, slechts uiterst zelden perfect uitkomen. Meestal blijven er na een dergelijke verdeling nog een aantal zetels over; dit zijn de zogenaamde restzetels. Die restzetels kunnen op twee manieren worden verdeeld.

Ofwel houdt men rekening met het grootste overschot per partij, na de vorige deling. Met andere woorden: stel dat er drie partijen zijn, waarvan het quotiënt Qa voor partij A = 15,67 was, Qb = 6,54 en Qc = 3,68. Dan krijgt partij A in de eerste deling meteen vijftien zetels toebedeeld, partij B zes zetels en partij C drie zetels. Stel dat er dan nog één zetel overblijft, dan zal het partij C zijn die de laatst overgebleven zetel verwerft, op basis van het feit dat het getal na de komma groter is dan het restquotiënt van partij A en dat van partij B.

Een alternatief dat onder meer gebruikt wordt bij de Nederlandse verkiezingen, houdt geen rekening met de grootte van het quotiënt na de komma maar met het grootste gemiddelde per te verwerven zetel. Het is de toepassing van de delerreeks D'Hondt op het aantal stemmen per partij, waarbij de noemer gelijk is aan het aantal reeds verworven zetels in de eerste deling, plus één, plus twee, plus drie enzovoort. In het Nederlandse voorbeeld (tabel 15) worden er 144 zetels rechtstreeks toegekend bij de eerste deling

---

52. In formulevorm uitgedrukt: $Q = \dfrac{\text{het totale aantal geldige stemmen}}{\text{kiesdeler}}$

53. In formulevorm: $1 + \dfrac{\text{totaal aantal geldige stemmen}}{\text{totaal aantal te verdelen zetels} + 1}$

van de stemmenaantallen per partij door de kiesdeler. Er blijven nog zes zetels te verdelen om een voltallige Tweede Kamer te kunnen installeren. Om te bepalen welke partijen over deze zetels kunnen beschikken, wordt het aantal stemmen uit de tweede kolom gedeeld door het aantal reeds verworven zetels plus één, plus twee, plus drie etc. De zes resterende zetels worden dan aan de hoogst overblijvende quotiënten toebedeeld (onderstreept in de tabel) totdat alle zetels verdeeld zijn. In ons voorbeeld krijgt de VVD de eerste van deze zes restzetels omdat haar overblijvende quotiënt (62 623,700) groter is dan dat van de lijstencombinatie PvdA/SP/Groen-Links (61 973,196) en dat van het CDA (61 663,077). De andere zetels gaan in volgorde naar de CU-SGP (61 420,750), de VVD (61 096,293) en de lijstencombinatie PvdA/SP/GroenLinks (60 885,947).

Tabel 15: **De werking van de kiesdeler met het grootste gemiddelde, bij de Nederlandse verkiezingen van 2012**

Partij/Lijstencombinatie	Aantal stemmen	Stemmen/ kiesdeler	Directe zetels	Directe zetels + 1	Directe zetels + 2	Directe zetels + 3	Totaal zetels
PvdA-SP-GL	3 470 499	55,2378893	55	61 973,196	60 885,947	59 836,190	57
CU-SGP	491 366	7,82078333	7	61 420,750	54 596,222	49 136,600	8
VVD	2 504 948	39,8697825	39	62 623,700	61 096,293	59 641,619	41
PVV	950 263	15,1247767	15	59 391,438	55 897,824	52 792,389	15
CDA	801 620	12,7589136	12	61 663,077	57 258,571	53 441,333	13
D66	757 091	12,0501717	12	58 237,769	54 077,929	50 472,733	12
Pvd Dieren	182 162	2,89936531	2	60 720,667	45 540,500	36 432,400	2
50PLUS	177 631	2,82724805	2	59 210,333	44 407,750	35 526,200	2
Andere lijsten	88 655	-	-	-	-	-	-
Totaal	9 424 235		144				150
Kiesdeler	62 828,2333	opkomstpercentage	74,57 %				

Tabel 15 toont de complexiteit van het stelsel – men heeft namelijk twee stappen nodig alvorens men weet hoeveel zetels elke partij zal krijgen – en bevestigt dat dit stelsel de grootste partijen bevoordeelt, aangezien de quotiënten van de kleine partijen heel wat lager uitvallen. Om hier een antwoord op te bieden, beslisten in 2012 een aantal partijen om een lijstencombinatie te vormen. Tabel 16 maakt duidelijk dat lijstencombinaties de verdeling van de Tweede Kamerzetels nog complexer maakt.

Tabel 16: Zetelverdeling bij lijstencombinaties (verkiezingen van 2012)

Lijstencombinatie	Aantal stemmen	Aantal zetels lijstencombinatie	Kiesdeler lijstencombinatie	Quotiënt	Overschot	Toegewezen restzetels
PvdA-SP-GL	3 470 499	57	60 885,947			
PvdA	2 340 750			38	27 084,00	
SP	909 853			14	57 449,74	1
GroenLinks	219 896			3	37 238,16	1
Totaal				55		2
CU-SGP	491 366	8	61 420,75			
CU	294 586			4	48 903,00	1
SGP	196 780			3	12 517,75	
Totaal				7		1

De zetelverdeling bij de lijstencombinaties komt op een andere wijze tot stand dan de zetelverdeling bij de niet-verbonden lijsten/partijen. Eerst wordt de combinatiekiesdeler vastgesteld door het aantal stemmen van de lijstencombinatie te delen door het aantal aan de lijstencombinatie toegewezen zetels. Voor de PvdA/SP/GroenLinks-lijstencombinatie is dit het getal 60 885,947. Vervolgens wordt het aantal stemmen per partij binnen de lijstencombinatie gedeeld door de kiesdeler die voor de lijstencombinatie berekend werd. Het quotiënt hiervan bepaalt het aantal directe zetels (38 voor de PvdA). Daarna worden de restzetels toegewezen binnen de lijstencombinaties. Dit wordt gedaan door het product van het aantal directe zetels en de kiesdeler voor de lijstencombinatie af te trekken van het totale aantal stemmen voor de partij binnen de lijstencombinatie. Voor de PvdA wordt deze bewerking: 2 340 750 - (38 * 60 885,947) is 27 084. Wat nu wordt verkregen, is het overschot van stemmen dat nog niet in zetels is omgezet. De restzetels worden toegewezen aan de partijen die de grootste overschotten hebben. Aangezien de PvdA het kleinste overschot heeft in haar lijstencombinatie, wordt geen enkele van de twee restzetels aan de partij toebedeeld.[54]

Het Centraal stembureau (17 september 2012) heeft ook berekend hoe de zetelverdeling zou zijn geweest mochten er geen lijstencombinaties zijn geweest. In dat geval zouden GroenLinks en de CU elk een zetel minder

---

54. Bron: Centraal stembureau voor de verkiezing van de leden van de Tweede Kamer der Staten-Generaal (17 september 2012) *Proces-verbaal van de zitting van het centraal stembureau tot het vaststellen van de uitslag van de verkiezing van de leden van de Tweede Kamer* (Model P 22-1). Raadpleegbaar op: https://www.kiesraad.nl/sites/default/files/Proces-verbaal – Centraal stembureau – vaststelling uitslag TK2012.pdf]

hebben gehad en zouden de PvdA en de PvdD elk een zetel extra hebben gewonnen.[55]

b) Delerreeksen

Om het euvel van de kiesdelerreeksen te voorkomen, doet men steeds vaker een beroep op een systeem dat de zetels meteen in één ronde verdeelt. Dit is het systeem op basis van een delerreeks. Het totale aantal stemmen van een partij wordt daarbij gedeeld door een op voorhand vastgelegde reeks getallen. De zetels worden dan in volgorde toegekend op basis van het hoogst overblijvende quotiënt, tot het totale aantal te verdelen zetels is opgebruikt. De partij met het hoogste quotiënt krijgt zetel 1, de partij met het tweede hoogste quotiënt zetel 2 enzovoort.

Tabel 17:   Soorten delerreeksen

	Delen door
D'Hondt	1 – 2 – 3 – 4 – 5 – 6 – 7 – 8 – 9
Imperiali	1 – 1,5 – 2 – 2,5 – 3 – 3,5 – 4 – 4,5
of	2 – 3 – 4 – 5 – 6 – 7 – 8 – 9 – ...
St Lague	1 – 3 – 5 – 7 – 9 – 11 – 13 – 15
Deense	1 – 4 – 7 – 10 – 13 – 16 ...

Er werden door de jaren heen verschillende delerreeksen opgesteld. Ze zijn evenwel niet altijd neutraal ten aanzien van de beoogde uitkomst. Sommige delerreeksen bevoordelen grote politieke partijen en andere zorgen dan weer voor extreem proportionele resultaten. De mate van bevoordeling of benadeling is afhankelijk van twee factoren: de hoogte van de eerste deler en de afstand tussen de delers. Wat de hoogte van de eerste deler betreft, geldt dat hoe hoger die eerste deler is, hoe groter het voordeel is voor de grote partij. In het meest extreme geval kan men – door een zeer grote eerste deler te nemen – alle zetels in de schoot van één partij leggen. Met andere woorden: hoe groter de eerste deler, hoe disproportioneler de verdeling.

Ten tweede is er de afstand tussen de delers. Hier speelt het omgekeerde effect: hoe groter de afstand tussen de delers, hoe beter voor kleinere partijen. Het relatieve voordeel dat grote partijen hebben, wordt dan immers afgevlakt. Ook wat deze afstand betreft, is er dus een mogelijkheid tot disproportionering.

---

55. www.rijksoverheid.nl (17 september 2012). Bijlage persbericht 17 september 2012. *Uitslag Tweede Kamerverkiezing 12 september 2012.*

Tabel 18: De delerreeks D'Hondt (veertien zetels te verdelen)

	Partij A		Partij B		Partij C		Partij D		Partij E	
Aantal stemmen	26 000		35 000		16 000		9000		14 000	
Delen door										
1	26 000	2de zetel	35 000	1ste zetel	16 000	4de zetel	9000	8ste zetel	14 000	5de zetel
2	13 000	6de zetel	17 500	3de zetel	8000	11de zetel	4500		7000	13de zetel
3	8666,67	10de zetel	11 666,67	7de zetel	5333,33		3000		4666,67	
4	6500	14de zetel	8750	9de zetel	4000		2250		3500	
5	5200		7000	12de zetel	3200		1800		2800	
6	4333,33		5833,33		2666,67		1500		2333,33	
7	3714,28		5000		2285,71		1285,71		2000	
8	3250		4375		2000		1125		1750	

Het is niet onbelangrijk om erop te wijzen dat delerreeksen tot een politiek instrument kunnen verworden. Zo gebruikt men bij de Belgische parlementsverkiezingen de delerreeks D'Hondt en bij de gemeenteraadsverkiezingen de delerreeks Imperiali, terwijl deze laatste nadelig is voor kleine politieke partijen. Het bewijs wordt geleverd in de tabellen 18 en 19, waarin bij een identieke verkiezingsuitslag partij B in het ene voorbeeld vijf van de in totaal veertien zetels verwerft en in het andere zes (tabel 19). Bij de delerreeks Imperiali, die zoals gezegd bij de Belgische gemeenteraadsverkiezingen gehanteerd wordt, blijft de kleine partij D met lege handen achter.

Tabel 19: Delerreeks Imperiali (veertien zetels te verdelen)

	Partij A		Partij B		Partij C		Partij D		Partij E	
Aantal stemmen	26 000		35 000		16 000		9000		14 000	
Delen door										
2	13 000	2de zetel	17 500	1ste zetel	8000	6de zetel	4500		7000	8ste zetel
3	8666,67	5de zetel	11 666,67	3de zetel	5333,33	11de zetel	3000		4666,67	14de zetel
4	6500	9de zetel	8750	4de zetel	4000		2250		3500	
5	5200	12de zetel	7000	7de zetel	3200		1800		2800	
6	4333,33		5833,33	10de zetel	2666,67		1500		2333,33	
7	3714,29		5000	13de zetel	2285,71		1285,71		2000	
8	3250		4375		2000		1125		1750	

2. De grootte van de kieskringen

Naast de electorale formule is de proportionaliteit van de zetelverdeling ook afhankelijk van het aantal zetels dat er per kieskring te verdelen is. De tabellen 18 en 19 zouden exact hetzelfde resultaat hebben gegeven indien er vijftien zetels in plaats van veertien te verdelen waren geweest. Algemeen geldt de regel: *hoe groter de kieskring, hoe proportioneler de zetelverdeling kan verlopen.* In het tweede hoofdstuk hebben we al het bewijs van het tegendeel gegeven: bij een heel kleine kieskring (met slechts één zetel) is de uitkomst erg disproportioneel. De graad van proportionaliteit heeft te maken met het aantal zetels waarover men beschikt om de mate van verdeeldheid in de samenleving ook in het parlement te laten weerklinken. Wanneer men maar over een drie- of viertal zetels beschikt, dan zijn er weinig mogelijkheden om ook de kleinere partijen de kans te geven om een vertegenwoordiger naar het parlement te sturen. Wanneer men over een twintigtal zetels beschikt, is die kans al veel groter.

Twee landen met een zeer proportioneel stelsel zijn Israël en Nederland, waar de 120 leden van de *Knesset*, respectievelijk de 150 leden van de Tweede Kamer in één grote kieskring worden verkozen.[56] Daardoor vindt men zowel in het Nederlandse als het Israëlische parlement veel kleine partijen vertegenwoordigd, die soms grote invloed kunnen uitoefenen op de regeringsformatie (Rahat & Hazan, 2005; Andeweg, 2005). Na de verkiezingen van 21 januari 2013 telt het Israëlische parlement twaalf verschillende partijen, waarvan de helft met minder dan zeven parlementsleden. De Nederlandse Tweede Kamer wordt na de verkiezingen van 2012 gevormd door elf fracties, waarvan drie fracties met minder dan zes parlementsleden.

Het aantal zetels per kieskring bepaalt in feite de hoogte van de *effectieve kiesdrempel* (soms wordt deze ook de *natuurlijke kiesdrempel* genoemd). Daarbij moet men het onderscheid maken tussen een *bovendrempel* en een *onderdrempel*. De bovendrempel is het percentage dat onder de meest ongunstige omstandigheden nog onvoldoende is om een zetel te halen. In een *First Past The Post*-systeem is de maximale bovendrempel gemakkelijk te bepalen. De meest extreme bovendrempel is namelijk 49,99 %. Het is immers niet uitgesloten dat je nog niet genoeg hebt aan die score om de zetel binnen te rijven, met name als er slechts twee kandidaten zijn en de andere kandidaat 50,01 % van de stemmen behaalt. De onderdrempel is het minimumpercentage om een zetel te halen. Wie minder scoort dan die drempel, geraakt sowieso niet in het parlement. De onderdrempel (Dmin) in een *First Past The Post*-systeem = 100 / ki + 1 (met ki = het aantal kandidaten). Als er bijvoorbeeld drie kandidaten zijn, dan ligt de onderdrempel op 33,3 %. Dat

---

56. In tegenstelling tot het Nederlandse kiesstelsel hanteert het Israëlische een kiesdrempel van 2 %.

betekent dat elke kandidaat die 33,3 % van de uitgebrachte stemmen behaalt, effectief in aanmerking komt om de zetel binnen te rijven.

In proportionele stelsels zijn de onder- en bovendrempel veel moeilijker in een sluitende regel vast te leggen, tenzij er een formele kiesdrempel is vastgelegd. In België bijvoorbeeld moet een partij minimaal 5 % van de stemmen in een provincie behaald hebben, alvorens die partij tot de zetelverdeling wordt toegelaten. Indien er geen formele kiesdrempel is bepaald, dan ligt de *natuurlijke onderdrempel* ongeveer op Dmin = 100 / (M + 1) (met M = aantal te verdelen zetels in de kieskring).

Zo ligt de onderdrempel in de provincie Antwerpen, met 24 zetels bij de federale kamerverkiezingen, bij 4 %: Dmin = 100 / (24 + 1) = 4 %. Dit betekent dus dat elke partij die minstens 4 % van de stemmen behaald heeft, in aanmerking komt om een van de 24 te verdelen zetels in de wacht te slepen. Het betekent meteen ook dat in de provincie Antwerpen de officiële kiesdrempel (die 5 % bedraagt) effectief partijen kan verhinderen om in het parlement te zetelen. In de provincie West-Vlaanderen, waar er slechts zestien zetels verdeeld worden, is dat niet het geval. Twee voorbeelden kunnen dit illustreren. Bij de verkiezingen van 18 mei 2003 behaalde Agalev in de provincie Antwerpen 4,5 % van de stemmen. Ondanks het bereiken van de natuurlijke onderdrempel kwam de partij niet in aanmerking voor de zetelverdeling, aangezien ze de officiële kiesdrempel van 5 % niet overschreden had. De invoering van de officiële kiesdrempel in 2003 heeft sindsdien echter geen invloed gehad op de verdeling van de zetels in West-Vlaanderen, aangezien de natuurlijke onderdrempel Dmin = 100 / (16 + 1) = 5,88 en dus 0,88 % hoger ligt dan 5 %. Partijen moeten in West-Vlaanderen met andere woorden steeds meer dan 5,88 % van de stemmen behalen om in aanmerking te komen voor een zetel.

Meteen wordt ook duidelijk waarom het in Nederland zo gemakkelijk is om een zetel te behalen. De onderdrempel ligt er namelijk erg laag: Dmin = 100 / (150 + 1) = 0,662. Dat maakt het Nederlandse kiesstelsel met zijn nationale kieskring tot één van de meest proportionele ter wereld. Als je de oefening doet voor kleinere kiesdistricten, merk je meteen dat je veel meer stemmen moet behalen om in aanmerking te komen om de zetel binnen te rijven omdat de natuurlijke onderdrempel zo hoog ligt.

In proportionele stelsels is het veel moeilijker om de *natuurlijke bovendrempel* volgens een vaste regel te bepalen. De Nederlands-Amerikaanse politicoloog Arend Lijphart heeft die proberen vast te leggen via de formule Dmax = 100 / (2M + 1), met M = het aantal zetels dat in een kieskring te verdelen is. Maar als we deze regel toepassen op de provincie Antwerpen, dan zou die bovendrempel bij 2,04 liggen: Dmax = 100 / (2 * 24 + 1) = 2,04. Met andere woorden: in het meest ongunstige geval zal zelfs een partij die 2,04 % van de stemmen behaalt, geen zetel verwerven. Dit lijkt een zeer onwaarschijnlijke score, vandaar dat het hier volstaat om te vermelden dat er nog geen exacte bepaling van de bovengrens in proportionele systemen is vastgelegd.

3. De formele kiesdrempel

Sommige landen stellen formele kiesdrempels in om te vermijden dat de versnippering van het partijlandschap zich ook doorzet in het parlement. De hoogte van de kiesdrempel varieert nogal sterk. In Israël heerst een 2 %-kiesdrempel, om te vermijden dat het open Israëlische kiesstelsel de deur openzet voor uiterst kleine partijtjes. Doorgaans bedraagt een kiesdrempel 5 of 4 %. Voorbeelden bij uitstek vormen Duitsland, Nieuw-Zeeland, België en Rusland (telkens 5 %). Zelfs een relatief lage drempel van 5 % heeft soms verstrekkende gevolgen: in 2003 behaalde de Belgische partij Agalev in geen enkele provincie de 5 %-kiesdrempel, waardoor ze uit de Kamer verdween. Ook de N-VA viel terug op één zetel, omdat ze enkel in West-Vlaanderen de 5 %-drempel overschreed. In Rusland zorgde de kiesdrempel er in 1995 voor dat bijna de helft van de uitgebrachte stemmen (op heel kleine partijtjes) niet vertegenwoordigd werd in het parlement. Er namen 43 partijen deel aan het proportionele deel van de verkiezingen voor de *Doema* en slechts vier partijen behaalden de 5 %-kiesdrempel (White, 2005, p. 316).

Polen heeft een gemengd systeem: er geldt een kiesdrempel van 5 % voor een individuele partij en 8 % voor partijen die in kartelvorm deelnemen aan de verkiezingen. Door deze hoge kiesdrempel ging bij de verkiezingen van 1993 ongeveer 34 % van de stemmen verloren, aangezien die naar partijen en coalities gingen die niet over die grens geraakten. De kans dat dit laatste gebeurt, is uiteraard groter naarmate de formele kiesdrempel hoger ligt. Zoals in Turkije, bijvoorbeeld, waar hij 10 % bedraagt en waar bij de parlementsverkiezingen van 2002 liefst 46 % van de stemmen verloren ging (Reynolds, Reilly et al., 2005, p. 83).

III. Voordelen en nadelen van lijstproportionele systemen

Het grootste voordeel van een proportioneel systeem is uiteraard de nauwkeurige vertaling van stemmenwinst in zetelwinst. Het is een zeer fair systeem, waarbij het parlement een zeer representatieve samenstelling kent: de (zetel)bonussen voor de grote partijen blijven binnen de perken. En ook kleine partijen geraken in het parlement; zie het Nederlandse en het Israëlische voorbeeld.

Daardoor spoort dit systeem gelijkgezinden aan om met één gezamenlijke lijst aan de verkiezingen deel te nemen. Het loont, in tegenstelling tot bijvoorbeeld het *First Past The Post*-systeem, de moeite om deel te nemen aan de verkiezingen en zijn eigen kans te wagen.

Ten derde faciliteert het de aanwezigheid van minderheden in het parlement. Dat is in de westerse wereld een belangrijk democratisch element – denk maar aan de vertegenwoordiging van de Duitstalige gemeenschap in België – en dat is het des te meer in sterk verdeelde samenlevingen. Door voor deze minderheden een plaats in het parlement te reserveren, slaagt men er vaak in om de spanningen tussen bevolkingsgroepen binnen de perken te houden. Om het effect daarvan goed in te schatten, volstaat het om de redenering om te draaien: wie kan zich een Belgische staat voorstellen gebaseerd op een meerderheidsstelsel?

Ten vierde genereren proportionele systemen veel vaker een aanzienlijke vrouwelijke vertegenwoordiging in het parlement. Voor partijen is het vaak eenvoudiger om vrouwen op de tweede of derde plaats van een lijst te zetten, waardoor ze in het parlement geraken. Vooral in 'gesloten lijstsystemen', waar de partij op voorhand de volgorde van de te verkiezen kandidaten bepaalt, is het eenvoudig om een hand te hebben in het aantal vrouwelijke parlementsleden dat uiteindelijk verkozen wordt.

Ten vijfde wordt het aantal verloren stemmen beperkt, omdat elke politieke stroming die een zekere aanhang geniet in de maatschappij vertegenwoordigd zal zijn in het parlement, tenzij er een hoge formele of natuurlijke kiesdrempel is opgelegd.

Partijen worden in een proportioneel stelsel ook aangespoord om campagne te voeren buiten de *safe* districten. Met andere woorden: elke stem telt. Dus gaan partijen ook stemmen ronselen in regio's waar ze niet de eerste partij zijn, terwijl dat in een meerderheidsstelsel vaak geen enkele zin heeft.

Doordat de partijen verplicht worden om de macht te delen, geeft het systeem tot slot doorgaans aanleiding tot een grotere continuïteit en stabiliteit van de regering. De versnippering in het parlement leidt immers noodzakelijkerwijs tot de vorming van coalitieregeringen, waarin minstens één en vaak meerdere partners van de aftredende coalitie opnieuw deel zullen uitmaken van de regering. Op die manier wordt vermeden dat het politieke beleid van de ene op de andere dag 180 graden omgegooid wordt, zoals in het Verenigd Koninkrijk het geval is wanneer *Labour* het haalt op de *Conservatives* of omgekeerd. In België bijvoorbeeld maakt de *Parti Socialiste* (PS) sinds 1987 onafgebroken deel uit van de federale regering en de regeringen van het Waalse en het Brusselse Hoofdstedelijke Gewest. In Luxemburg is de christendemocratische partij van premier Jean-Claude Juncker zelfs al sinds 1979 onafgebroken aan de macht.

Proportionele kiesstelsels hebben evenwel ook onmiskenbare *nadelen*. Zo leiden proportionele systemen bijna altijd tot coalitieregeringen, waardoor het beleid rust op compromissen en de kiezers achteraf maar een verwaterde versie krijgen van de beloftes die de partijen tijdens de campagne hebben gemaakt. Die inherente coalitievorming wordt verklaard door de fragmentatie van het partijsysteem, het tweede grote euvel van proportionele systemen. Dat tast de slagkracht van het parlement tegenover de regering sterk aan. Bovendien krijgen kleine partijen – het derde euvel – vaak disproportioneel veel macht omdat ze noodzakelijk zijn voor de vorming van een bepaalde coalitie. Een typevoorbeeld zijn de kleine religieus-orthodoxe partijen in Israël, die op de wip zitten om de Arbeiderspartij, de *Kadima*partij of de *Likud*partij aan de macht te helpen. Menige Israëlische regering is door een dergelijke partij ten val gebracht. Een voorbeeld uit de Belgische context is de Volksunie, die in de periode 1988-1991 de rooms-rode coalitie aan een tweederdemeerderheid hielp, die nodig was om de grondwet te hervormen. In Nederland vormde de partij D66 in de periode 1994-2002 de schakel tussen de linkse PvdA en de rechts-liberale VVD.

Ten vierde kunnen proportionele systemen niet verhinderen dat extremistische partijen in het parlement geraken. Een mooi voorbeeld daarvan vinden we in Frankrijk. In 1986 werden de verkiezingen er eenmalig via een proportioneel stelsel gehouden, en het *Front National* (FN) van Jean-Marie Le Pen behaalde er op slag 35 zetels. Bij de daaropvolgende verkiezingen in 1988, die opnieuw volgens het gebruikelijke tweerondensysteem werden gehouden, hield het FN er geen enkele zetel van over, ondanks een evenaring van hun stemmenpercentage uit 1986 (9,7 %).

Ten vijfde verdoezelt de 'gegarandeerde' verwerving van een aantal parlementszetels per maatschappelijke grondstroom dat er vaak geen band is tussen de verkiezingsuitslag en regeringsdeelname. Winst of verlies bij de verkiezingen vertaalt zich niet altijd in winst of verlies bij de regeringsformatie. De kiezer is in feite onmachtig om partijen naar huis te sturen. Hij kan wel de kaarten schudden, maar het zijn de politieke partijen die met de kaarten spelen (Dewachter, 2001).

Evenzo is er vaak maar een flauwe band tussen de verkozene en zijn eigen kiesdistrict. Het feit dat men op een lange namenlijst staat, tussen vele andere kandidaten, schaadt de zichtbaarheid van de kandidaten. Per definitie is dat het geval in de nationale kiesdistricten, zoals in Israël en Nederland. Er is namelijk geen vereiste dat de partijen kandidaten uit alle regio's op hun lijsten zetten. Dat geeft aanleiding tot sterke vertekeningen in het voordeel van de regio rond de hoofdstad. In Nederland, bijvoorbeeld, kwam in de legislatuur 2003-2006 ongeveer 60 % van de Tweede Kamerleden uit de Randstad (dat is de streek tussen Rotterdam, Den Haag en Amsterdam), 19 % uit het zuiden (Zeeland en Limburg), 12 % uit het oosten en slechts 9 % uit het noorden (Van den Bergh, 2007, p. 159). Bovendien merken we in álle proportionele stelsels een toename van aandacht voor een kleine schare aan partijleiders, ten koste van de profilering van de plaatselijke kandidaten.

We kunnen alvast besluiten dat er een grote macht ligt in de handen van de partijhoofdkwartieren die de lijsten samenstellen. Proportionele kiesstelsels leiden bijgevolg tot sterke partijstructuren, die vaak de idee van een volwaardige parlementaire vertegenwoordiging doorkruisen. Van de parlementaire democratie blijft volgens de politicoloog Wilfried Dewachter (2001) niet veel meer over dan een 'mythe'.

IV. Het consensusmodel

Het proportionele kiesstelsel ligt aan de basis van een tweede soort politieke systemen, dat naast het Westminstermodel geplaatst kan worden. Het gaat om de zogenaamde *consensusdemocratieën*. De democratie verloopt er volgens heel andere spelregels dan in de meerderheidssystemen. Dit zogenaamde Westminstermodel is namelijk enkel toepasbaar op partijsystemen die een snelle alternatie van regering naar oppositie toelaten. Het kan bovendien enkel toegepast worden in homogene samenlevingen die niet verdeeld zijn tussen etnische groeperingen. In dergelijke sterk verdeelde samenlevingen, denk aan België, zou het Westminstermodel de conflicten tussen de bevolkingsgroepen enkel maar verder aanscherpen.

Vandaar dat sterk verdeelde samenlevingen meestal geëvolueerd zijn tot consensusdemocratieën, waarin overleg centraal staat. De funderingen van deze systemen werden gelegd in het begin van de 20ste eeuw, net na de Eerste Wereldoorlog, ook al gaan de wortels terug tot het midden van de 19de eeuw – denk maar aan de tijd van het unionisme in België (tot ongeveer 1870). Schoolvoorbeelden van consensusdemocratieën zijn Nederland, Oostenrijk, Zwitserland en – jawel – België (Luther & Deschouwer, 1999). Ze worden gekenmerkt door de volgende criteria (Lijphart, 1999).

Gedeelde macht in brede coalities – In een consensusdemocratie probeert men voor elke beleidsbeslissing een zo breed mogelijke coalitie van partijen tot stand te brengen. Elke partij krijgt zo bijvoorbeeld een billijke verdeling van posities in het maatschappelijke leven. Dat is uiteraard het geval bij de vorming van de regering, waarbij elke partij ongeveer een proportioneel aantal ministers en staatssecretarissen krijgt op basis van haar electorale sterkte. Maar deze regels zijn ook van toepassing bij de aanstelling van topambtenaren in het overheidsapparaat. Het meest extreme voorbeeld van dergelijke gedeelde machtsuitoefening is te vinden in Zwitserland, waar de samenstelling van de executieve (de regering) al jaren geregeld wordt volgens een vaste verdeelsleutel. De regering bestaat uit zeven leden, van wie de drie grote partijen er elk twee mogen leveren en de extreem-rechtse partij

SVP één – ondanks het feit dat deze partij bij de meest recente verkiezingen bijna net zo groot geworden is als de drie traditionele politieke partijen. Het voorzitterschap van de regering (het premierschap dus) roteert elk jaar onder de zeven leden. Ook in België zijn er vele voorbeelden te vinden van regeringsvormingen die op brede coalities steunen. Vaak worden er meer partijen in de regering opgenomen dan strikt noodzakelijk is om aan een eenvoudige meerderheid van zetels in de Kamer van Volksvertegenwoordigers te komen.[57]

(Relatief) evenwicht tussen de wetgevende en de uitvoerende macht – Ten tweede worden consensusdemocratieën gekenmerkt door een (relatief) evenwicht tussen de uitvoerende en de wetgevende macht. Dit betekent dat de ene macht de andere de laan uit kan sturen. Zo gebeurt het in consensusdemocratieën frequent dat de regering het parlement naar huis stuurt en nieuwe verkiezingen uitschrijft. De onstabiele 'lange' jaren zeventig in zowel Nederland als België zijn hiervan schoolvoorbeelden. In België is het sinds de grondwetswijziging van 1993 moeilijker geworden voor één partij om op eigen houtje de regering te doen vallen, omdat er meteen een alternatieve meerderheid en een alternatieve eerste minister moeten worden voorgesteld. Dit is de zogenaamde constructieve motie van wantrouwen. Op dit punt vormt Zwitserland een uitzondering. De uitvoerende en de wetgevende macht staan er immers volledig los van elkaar. De uitslag van de parlementsverkiezingen heeft er geen enkele invloed op de samenstelling van de regering.

Meerpartijensysteem – Alle consensusdemocratieën worden niet alleen gekenmerkt door een groot aantal partijen in het parlement, maar ook door een groot aantal partijen in de regering. Na de verkiezingen van 2010 zijn in het halfrond van de Belgische Kamer van Volksvertegenwoordigers liefst twaalf partijen vertegenwoordigd, in Nederland zijn het er sinds de verkiezingen van 2012 elf. Het hoge aantal partijen is een rechtstreeks gevolg van de wil om alle grondstromen in de maatschappij vertegenwoordigd te hebben in het parlement. De oorsprong van die grondstromen gaat terug tot de grote maatschappelijke breuklijnen, die in het midden van de 19de eeuw de basis legden voor het huidige partijenlandschap. In België gaat het om de religieuze breuklijn tussen katholieken en vrijzinnigen, de sociaaleconomische breuklijn tussen arbeid en kapitaal en de linguïstische (of etnische) breuklijn tussen Vlamingen en Franstaligen. Op basis van deze breuklijnen en een bepaalde ideologische visie op de wijze waarop de samenleving geor-

---

57. Het meest recente voorbeeld is de regering-Di Rupo (6 december 2011-...) die uit zes partijen bestaat (93 op 150 zetels) terwijl vijf partijen voldoende zijn voor een gewone meerderheid (76 op 150 zetels). Alleen zonder de PS kan de regering geen meerderheid halen in de Kamer. Evenmin heeft de regering een tweederdemeerderheid.

ganiseerd moet worden, werden nadien verschillende 'minisamenlevingen' geconstrueerd: de zogenaamde zuilen. De (traditionele) politieke partijen kunnen beschouwd worden als een van de belangrijkste vertegenwoordigers van deze zuilen.

Evenredige vertegenwoordiging – Het systeem van evenredige vertegenwoordiging, dat we in de voorgaande alinea's uit de doeken hebben gedaan, is inherent verbonden aan de consensusdemocratie. Het verklaart ook het grote aantal partijen in het parlement.

Corporatisme van belangengroepen – Heel sterk verbonden met de idee dat alle maatschappelijke stromingen moeten worden vertegenwoordigd in het politieke debat, heerst ook de idee dat belangengroeperingen veel inspraak moeten hebben in het nemen van de eigenlijke beslissingen. In tegenstelling tot het Westminstermodel – waar men een pluralistische houding aanneemt en alle belangengroeperingen met alle politieke partijen praten – gebeurt dit in een consensusdemocratie op basis van bevoorrechte relaties. Er heerst een corporatistisch denken. Elke partij heeft zowat zijn eigen belangengroeperingen, veelal bevriende organisaties uit dezelfde ideologische zuil.

Dit criterium in het consensusmodel heeft de jongste jaren wel wat aan kracht ingeboet. De macht van de vakbonden, waar Arend Lijphart nogal lyrisch over schrijft, is niet in elke consensusdemocratie even groot. In Nederland zijn de katholieke en socialistische vakbond daarenboven sinds 1982 verenigd in een overkoepelende organisatie, de Federatie Nederlandse Vakbeweging (FNV). Men merkt bij diverse concrete dossiers dat er tegenwoordig minder sprake is van een bevoorrechte band tussen de vakbewegingen en de partijen dan voorheen het geval was. In de Belgische context kunnen we verwijzen naar de gespannen verhoudingen tussen de socialistische vakbond en de socialistische partij, naar aanleiding van het zogenaamde Generatiepact uit de herfst van 2005, en de herhaalde boodschap van het ACV dat ze niet voor eeuwig aan CD&V vastgeklonken is. Ook het akkoord over de gelijkschakeling van het arbeiders- en het bediendenstatuut dat midden 2013 werd bereikt, komt grotendeels op het conto van de regering en kwam eerder ondanks dan dankzij de sociale partners tot stand.

Federale of gedecentraliseerde beleidsstructuur – Als gevolg van de breuklijnen in de maatschappij moeten er ook bijzondere en precaire evenwichten geëerbiedigd worden tussen de bevolkingsgroepen. Heel wat staten hebben hieraan gevolg gegeven door een of andere vorm van federalisering toe te passen. Het ging dan vaak om een soort 'subsidiariteitsprincipe *avant la lettre*': wat op het lagere niveau gedaan kan worden, laat je beter aan dat lagere niveau over. Het veruiterlijkt zich in relatief sterke politieke structuren op het subnationale niveau. In Zwitserland heb je de 26 kantons (twintig hele en zes halve). In België is de federalisering opgebouwd langs zowel gewesten als gemeenschappen, terwijl Oostenrijk ingedeeld is in negen *Länder*.

Nederland, met een minder sterk uitgebouwd subnationaal niveau, is eerder de uitzondering die de regel bevestigt. Er zijn enerzijds wel sterk uitgebouwde lokale besturen, maar het provinciale niveau heeft, op uitzondering van de samenstelling van de Eerste Kamer, minder invloed in Den Haag.

Sterk bicameraal systeem – De meeste consensusdemocratieën hanteren een tweekamerstelsel, waarbij de basisidee is dat de Eerste Kamer zorgt voor een gewone vertegenwoordiging van de hele bevolking, terwijl de Tweede Kamer samengesteld is uit de verschillende bevolkingsgroepen. Het zijn de ontmoetingsplaatsen van de meerderheid en de minderheden, en vaak worden de minderheidsgroepen daarbij oververtegenwoordigd. Meestal zijn deze Hogerhuizen op een andere manier samengesteld dan het Lagerhuis. In België hebben we bijvoorbeeld gemeenschapssenatoren die de brug moeten maken tussen de activiteiten in de regionale parlementen en de initiatieven die op federaal vlak worden genomen. In tegenstelling tot de Tweede Kamers in een Westminstermodel hebben deze in een consensusdemocratie vaak ook een reële politieke macht. In Nederland, bijvoorbeeld, wordt de samenstelling van de Eerste Kamer, dit is de Nederlandse Senaat, door de provincieraadsverkiezingen bepaald. Ook de samenstelling van de Amerikaanse Senaat is bijzonder: er zijn twee senatoren per staat, onafhankelijk van de grootte van de staten. De staat Californië heeft met 37,3 miljoen inwoners dus evenveel stemmen als de staat Alaska, met een populatie van ongeveer 710 000 personen.[58]

Constitutionele rigiditeit – Naast een strakke aflijning van de grondrechten zijn die ook constitutioneel verankerd. Daardoor gelden er strenge regels alvorens deze gewijzigd kunnen worden. Er moet in België bijvoorbeeld een tweederdemeerderheid gehaald worden om de grondwet te kunnen wijzigen. Voor Bijzondere wetten geldt daarenboven een dubbele meerderheidsvereiste: twee derde van alle uitgebrachte stemmen, maar tevens minstens de helft van de verkozenen in elke taalgroep van de Nederlandstalige en Franstalige parlementsleden.

Grondwettelijk toezicht en een onafhankelijke centrale bank – Dit zijn wellicht de twee minst overtuigende kenmerken van Lijpharts definitie van de consensusdemocratieën. Hoewel er in de meeste van deze staten inderdaad een geschreven grondwet bestaat, is er niet overal een sluitend grondwettelijk toezicht voorzien. In ons land, bijvoorbeeld, is het grondwettelijk toezicht beperkt tot een aantal artikelen waarover het Grondwettelijk Hof waakt. In de Verenigde Staten, de Duitse Bondsrepubliek en Frankrijk, daarentegen, is het grondwettelijk toezicht veel strikter gedefinieerd. Ook bij de onafhankelijkheid van de centrale bank die Lijphart vooropstelt, kan men zich vragen stellen. De gouverneur van de Nationale Bank mag in ons land dan

---

58. Het bevolkingsaantal van Alaska bedraagt slechts 1,9 % van dat van Californië. Cijfers van de volkstelling van 2010: http://www.census.gov/2010.

inderdaad niet dezelfde persoon zijn als de minister van Financiën, toch kan men bezwaarlijk van een onafhankelijke positie spreken. De gouverneur van de Belgische Nationale Bank wordt immers door de regering aangesteld en het is een publiek geheim dat dit een politieke benoeming is. Zo was één van de vorige gouverneurs, Alfons Verplaetse (1989-1999), een vooraanstaand christendemocraat en vroeger kabinetschef van eerste minister Wilfried Martens. Zijn opvolger, Guy Quaden (1999-2011), was van PS-strekking, en de huidige gouverneur, Luc Coene (2011- ...), heeft een uitgesproken Open Vld-etiket. Bovendien wordt tegenwoordig veel van het financiële en monetaire beleid op Europees vlak beslist door de Europese Centrale Bank, waardoor men grote vragen kan stellen bij de autonomie van die gouverneur van de Nationale Bank.

Als typevoorbeeld van een consensusdemocratie bespreken we in het volgende hoofdstuk de wijze waarop in Nederland en in België het politieke beleid wordt bepaald.

Hoofdstuk 6

DEMOCRATIE IN DE LAGE LANDEN

I.   Inleiding

Het Nederlandse en het Belgische politieke bestel vertonen heel wat gelijkenissen. Beide stelsels zijn sinds het begin van de 20ste eeuw gebouwd op een proportioneel systeem, om de brede waaier aan ideologische gezindten in de maatschappij te vertegenwoordigen. Op basis van de maatschappelijke breuklijnen van het midden van de 19de eeuw hebben zich in beide landen een aantal 'ministaten' (van katholieken, protestanten, socialisten en liberalen) ontwikkeld: de zogenaamde verzuiling. Omdat binnen deze 'ministaten' iedereen doorgaans voor de respectievelijke politieke familie stemde, zorgde deze verzuiling tot het einde van de jaren zestig voor een betrekkelijke rust en stabiliteit in de partijpolitieke verhoudingen.

De secularisering van de maatschappij en de dominantie van de audiovisuele massamedia voor wie het beeld en de *oneliner* vaak primeren op de boodschap, kondigden evenwel de komst van de vlottende kiezer aan. Politieke partijen moesten op zoek naar een nieuwe legitimering van hun eigen bestaansreden, en van de democratische spelregels in het algemeen. In Nederland stelt men zich die vragen veel frequenter dan in België, waar de federalisering gedeeltelijk een antwoord bood op de vraag naar een moderne en aangepaste democratie. In elk geval heeft die federalisering, en de invulling van de constitutieve autonomie waardoor het Vlaamse Gewest, het Waalse Gewest en het Brusselse Hoofdstedelijke Gewest – zij het deze laatste in mindere mate dan de twee eerstgenoemde deelstaten – autonoom de werking van hun instellingen hebben bepaald, een structureel verschillende wijze van denken tussen het Noorden en het Zuiden van het land blootgelegd.

II.   Het Nederlandse politieke stelsel

1.   Inleiding

Het Nederlandse kiessysteem wordt in de handboeken over kiesstelsels als het typevoorbeeld van een zeer proportioneel politiek systeem opgevoerd. Dat komt in de eerste plaats door de lage *natuurlijke kiesdrempel* om een zetel te verwerven in de Nederlandse Tweede Kamer. Doordat er slechts één kieskring is waarin de 150 zetels worden verdeeld, is het voor partijen relatief eenvoudig om een zetel binnen te halen. Het systeem werkt evenwel veel complexer dan het op het eerste gezicht lijkt.

De politieke en electorale ontwikkelingen die zich in Nederland hebben voorgedaan, vertonen grote gelijkenissen met de ontwikkelingen in ons land. Zo werd het proportionele kiesstelsel in 1917 ingevoerd – in België was dat al in 1900 gebeurd. Daarvoor had Nederland – net zoals België – een absolutemeerderheidssysteem, waarbij het land ingedeeld werd in vijftig districten die elk twee vertegenwoordigers naar het Binnenhof (= het Nederlandse parlement) konden afvaardigen. Op die manier vertegenwoordigde elk parlementslid ongeveer 45 000 inwoners (Andeweg, 2005, p. 492).

Het akkoord over de invoering van het kiesstelsel kaderde in een groot akkoord dat de Nederlandse politieke partijen sloten in 1917. In dit zogenaamde Grote Pacificatieverdrag kwam men naast een akkoord over de hervorming van het kiesstelsel ook tot een akkoord over de staatsfinanciering van religieuze scholen (een eis van de christelijke partijen) en de invoering van het algemeen stemrecht (een socialistische verzuchting). De invoering van het proportionele stelsel was een liberale eis, omdat die partij vreesde helemaal onder de voet gelopen te worden door de socialistische partij, indien het algemeen stemrecht zou worden ingevoerd en de kieswetgeving volgens meerderheidsprincipes zou blijven bestaan.

De invoering van het algemeen stemrecht ging overigens, net zoals in België in 1893, gepaard met de invoering van de stemplicht. Ook hier was de redenering dezelfde: de conservatieven (christelijke partijen en liberalen) vreesden dat alleen de radicalen (socialisten) van dat verruimde stemrecht zouden gebruikmaken, terwijl de radicalen vreesden dat niet alle arbeiders uit zichzelf van hun nieuwe recht zouden gebruikmaken. Dus was het beter dat ze daartoe verplicht werden.

De stemplicht werd in Nederland veel vaker gecontesteerd dan in België. Er werden in de loop van de 20ste eeuw verscheidene pogingen ondernomen om de verplichting af te schaffen. Het was uiteindelijk in 1970, bij de achtste poging en onder invloed van de pas gestarte ontzuiling – waarbij de bevolking het juk van de gevestigde partijen afgooide – dat er ook een parlementaire meerderheid voor gevonden werd (Andeweg, 2005, p. 493).

2. Stemverrichtingen

Het Nederlandse kiesstelsel vertoont een aantal eigenaardigheden. Zo stond er vooreerst tot 1956 geen enkele partijnaam vermeld op het eigenlijke kiesbiljet. Er stond enkel een nummer boven elke namenlijst, geen partijnaam of partijafkorting. De gevolgen daarvan bleven lang doorwerken. Tot het midden van de jaren negentig voerden de Nederlandse politieke partijen bijgevolg campagne op basis van hun lijstnummer. Bij de verkiezingen van 9 juni 2010 kwamen er zelfs nog twee lijsten op zonder officiële naam omdat de partijnamen niet tijdig geregistreerd waren bij de Kiesraad. Er was bijgevolg enkel een verwijzing naar lijstnummer '17' voor de partij LEF (die 7456 stemmen behaalde), terwijl ook de Evangelische Partij Nederland zich tevreden moest stellen met een vermelding als blanco lijst op het stemformulier onder het lijstnummer '19' (924 stemmen). Ook in België krijgen partijen die in alle kieskringen opkomen (in Vlaanderen/Brussel of Wallonië/Brussel) een 'nationaal' lijstnummer toegewezen. Desondanks is het nog weinig gebruikelijk om campagne te voeren op basis van het lijstnummer. In België is het meer folklore geworden en wordt er alleen nog veel aandacht aan besteed door partijen die denken dat er nog (veel) ongeïnformeerde kiezers zijn, die enkel bolletjes rood kleuren op de eerste lijst die ze op het kiesbiljet tegenkomen (cf. het *donkey vote*-systeem dat we bij de *Alternative Vote* zijn tegengekomen).

In Nederland wordt de volgorde van de lijsten bepaald door het aantal zetels dat de partijen hebben in de aftredende Tweede Kamer. Op basis van de verkiezingsuitslag van 2010 betekende dit dat bij de verkiezingen van september 2012 de Volkspartij voor Vrijheid en Democratie (VVD) dus als eerste partij stond, waarna de Partij van de Arbeid (PvdA) volgde, voor de Partij voor de Vrijheid (PVV), het Christen-Democratisch Appel (CDA), de Socialistische Partij (SP), Democraten 66 (D66), GroenLinks, de ChristenUnie, de Staatkundig Gereformeerde Partij (SGP), en tenslotte de Partij voor de Dieren (PvdD). Voor partijen die geen zetels in de Tweede Kamer hebben, telt het aantal districten waarin men opkomt om de verdere volgorde van de lijsten te bepalen. Hoe groter het aantal districten waarin men opkomt, hoe sneller men aan de beurt komt op het kiesbiljet. Wanneer twee partijen zonder zetels in de aftredende Tweede Kamer in een gelijk aantal districten opkomen, dan wordt de volgorde bepaald via loting. In 2012 kregen 11 partijen op die manier deze volgorde: Piratenpartij, Partij voor Mensen Spirit (MenS), Nederland Lokaal, Libertarische Partij, Demokratisch Politiek Keerpunt, 50PLUS enz.

Ten tweede beschikken de Nederlandse kiezers maar over één enkele stem. Zij kunnen dus niet, zoals in België, meerdere voorkeurstemmen uitbrengen. Bovendien worden de kiezers er gedwongen om een stem uit te brengen voor een kandidaat; ze kunnen niet voor een partij als dusdanig stemmen. De voorkeurstem wordt dus als een partijstem gezien. Er is immers geen hoofdvakstem boven aan de lijst voorzien. Nederlanders die enkel voor een partij en niet voor een persoon willen stemmen, kunnen hun (voorkeur)stem aan de lijsttrekker geven. Dat gebeurt ook in overwegende mate.

In Nederland staat bijgevolg de hele campagne in het teken van de lijsttrekker. Dit heeft aanleiding gegeven tot een verregaande presidentialisering van de Nederlandse politiek (Fiers & Krouwel, 2005). Deze focus op het lijsttrekkerschap heeft ook verregaande gevolgen voor het campagnevoeren van de andere kandidaten. Enerzijds zijn er relatief gesproken niet veel andere kandidaten. In 2012 namen in totaal 972 personen deel aan de verkiezingen voor de Tweede Kamer, verdeeld over 21 lijsten.[59] Ter vergelijking: in België namen in 2010 liefst 2801 kandidaten deel aan de verkiezingen voor de Kamer van Volksvertegenwoordigers, en 620 kandidaten aan de verkiezingen voor de Senaat. Anderzijds bestaat er in Nederland geen traditie dat individuele kandidaten persoonlijk campagne voeren. De verhouding tussen het stemmenaantal van de lijsttrekker en dat van de andere kandidaten is bijgevolg bijzonder groot. Doorgaans verwerft de lijsttrekker meer dan 80 % van alle voorkeurstemmen die op een partij worden uitgebracht. Alleen wanneer het leiderschap van de partij gecontesteerd wordt, ligt deze ratio veel lager. Dat was in 2006 bijvoorbeeld het geval bij de VVD en D66. Bij de VVD behaalde lijsttrekker Rutte zelfs minder voorkeurstemmen dan de tweede op de lijst, Rita Verdonk (tabel 20). Enkele maanden voordien hadden zij beiden nog een felle strijd geleverd voor het lijsttrekkerschap. Rutte had het toen nipt gehaald, met minder dan één procentpunt voorsprong op Verdonk.

Tabel 20: Verdeling voorkeurstemmen Nederland (22 november 2006)

Partij	Absoluut aantal stemmen	Aantal zetels	Lijsttrekker		Tweede op de lijst		Verkozene met de minste voorkeurstemmen	
			Stemmen	Lijst %	Stemmen	Lijst %	Stemmen	Lijst %
CDA	2 608 573	41	2 198 114	84,3	79 981	3,1	566	0,02
PvdA	2 085 077	33	1 727 313	82,8	122 779	5,9	608	0,03
SP	1 630 803	25	1 344 190	82,4	169 664	10,4	667	0,04
VVD	1 443 312	22	553 200	38,3	620 555	43,0	591	0,04
Groep Wilders/ PVV	579 490	9	566 197	97,7	5910	1,0	114	0,02
Groen-Links	453 054	7	390 662	86,2	5680	1,3	2161	0,5
Christen-Unie	390 969	6	342 205	87,5	26 258	6,7	631	0,2
D66	193 232	3	95 937	49,6	34 564	17,9	27 860	14,4
SGP	153 266	2	141 636	92,4	5878	3,8	5878	3,8
PvdD	179 988	2	150 307	83,5	4370	2,4	4370	2,4

---

59. In 2006 en in 2010 waren dat er respectievelijk 683 en 676, wat betekent dat er in 2012 een aanzienlijke stijging was van het aantal kandidaten, ondanks een kleiner aantal lijsten dat werd ingediend.

In 2010 was de situatie genormaliseerd. Rita Verdonk was intussen uit de VVD gezet, en leverde een achterhoedegevecht met haar eigen partij TROTS OP NEDERLAND LIJST RITA VERDONK (52 937 stemmen). Partijleider Rutte werd niet langer in zijn eigen partij gecontesteerd, en was als oppositieleider de onbetwiste VVD-kandidaat voor het premierschap. Rutte kreeg een 'normale' score van bijna 84 % van alle door VVD-kiezers uitgebrachte voorkeurstemmen. Evenwel zakte de score van CDA-lijsttrekker Jan Peter Balkenende met meer dan tien procentpunten tot een povere 74 %.

Tabel 21:   Verdeling voorkeurstemmen Nederland (9 juni 2010)

Partij	Absoluut aantal stemmen	Aantal zetels	Lijsttrekker		Tweede op de lijst		Verkozene met de minste voorkeur- stemmen	
			Stemmen	Lijst %	Stemmen	Lijst %	Stemmen	Lijst %
CDA	1 281 886	21	944 785	73.9	49 036	3.8	850	0.07
PvdA	1 848 805	30	1 510 203	81.7	129 005	7.0	222	0.01
SP	924 696	15	794 570	85.9	15 956	1.7	966	0.10
VVD	1 929 575	31	1 617 636	83.8	77 084	4.0	1079	0.06
PVV	1 454 493	24	1 376 938	94.7	31 486	2.2	148	0.01
Groen-Links	628 096	10	577 126	91.9	8451	1.3	879	0.14
Christen-Unie	305 094	5	254 524	83.4	10 532	3.5	2983	0.98
D66	654 167	10	507 187	77.5	42 296	6.5	953	0.15
PvdD	122 317	2	98 591	80.6	12 713	10.4	12 713	10.39
SGP	163 581	2	152 493	93.2	2134	1.3	2134	1.39

Bij de verkiezingen van 2012 zette uittredend premier Rutte een nog sterker resultaat weer (zie tabel 22). Zijn absolute aantal voorkeurstemmen steeg met meer dan 500 000 terwijl zijn relatieve score ongeveer gelijk bleef. Merk op dat Geert Wilders (PVV) zijn relatieve score nog weet te versterken, maar dat zijn absolute aantal voorkeurstemmen fel is gedaald. De lijsttrekker van het CDA, Sybrand van Haersma Buma, scoort van alle lijsttrekkers het zwakst (64,54 %), terwijl bij de tweede plaatsen het CDA met kandidate Mona Keijzer de beste relatieve (15,2 %) en de op één na beste absolute score haalt.[60]

---

60.   Niet alleen was Buma een neofiet; Keijzer was ook als tweede uit de bus gekomen bij de interne verkiezing onder de CDA-leden voor het lijsttrekkerschap.

Tabel 22:   Verdeling voorkeurstemmen Nederland (12 september 2012)

Partij	Absoluut aantal stemmen	Aantal zetels	Lijsttrekker		Tweede op de lijst		Verkozene met de minste voorkeurstemmen	
			Stemmen	Lijst %	Stemmen	Lijst %	Stemmen	Lijst %
VVD	2 504 948	41	2 129 000	84,99	123 889	4,95	556	0,02
PvdA	2 340 750	38	1 809 856	77,32	192 190	8,21	508	0,02
PVV	950 263	15	886 314	93,27	34 943	3,68	347	0,04
SP	909 853	15	755 765	83,06	69 146	7,60	343	0,04
CDA	801 620	13	517 397	64,54	127 446	15,90	702	0,09
D66	757 091	12	586 454	77,46	71 170	9,40	989	0,13
CU	294 586	5	229 664	77,96	13 877	4,71	2604	0,88
Groen-Links	219 896	4	171 971	78,21	4639	2,11	3351	1,52
SGP	196 780	3	182 189	92,59	5436	2,76	2234	1,14
PvdD	182 162	2	154 155	84,63	11 573	6,35	11 573	6,35
50PLUS	177 631	2	148 273	83,47	3511	1,98	3511	1,98

Zoals reeds eerder aangegeven, wordt het hele Nederlandse grondgebied als één kieskring beschouwd. Voor de stemopname zelf wordt het land evenwel in negentien districten opgedeeld. In elk district is er de mogelijkheid om een lichtgewijzigde lijst in te dienen. De topplaatsen op de lijsten zijn steeds dezelfde voor het hele land, waaronder deze van de lijsttrekker. Verderop in de lijst kunnen plaatselijke kandidaten dan prominenter in beeld gebracht worden. Op die manier heeft men bovendien verhinderd dat de Nederlandse kiezer te kampen krijgt met een schier onoverzichtelijk stembiljet, met tachtig namen voor elk van de partijen die aan de verkiezingen deelnemen.[61]

Er gelden bovendien zeer specifieke regels wat het aantal kandidaten betreft. In tegenstelling tot België – waar partijen een volledige lijst indienen als ze evenveel kandidaten presenteren als er zetels te verdelen zijn in de kieskring – geldt er in Nederland een maximum van dertig kandidaten per lijst. Daar is één grote uitzondering op: partijen die reeds vertegenwoordigd zijn in de Tweede Kamer mogen het dubbele aantal kandidaten voordragen dan het aantal zetels dat ze in bezit hebben, met een maximum van 80. Heel concreet betekent het dat de VVD in 2012 geen 30 en ook geen 80, maar 'slechts' 75 kandidaten heeft voorgedragen, op basis van het verkiezingsresultaat van 9 juni 2010 toen de partij 31 zetels behaalde.

---

61. Dat de stemopneming in elk van de negentien districten gebeurt, heeft ook gevolgen voor de zetelverdeling. Het is immers per district dat de optelling van het partijtotaal wordt gemaakt. Door dit *poolen* van de negentien resultaten worden de grote partijen in feite bevoordeeld. Wie meer technische details over dit 'poolen' wenst, verwijzen we naar de gespecialiseerde literatuur (onder andere Andeweg, 2005).

3.   Zeteltoewijzing

Hoewel Nederland vaak foutief gerangschikt wordt onder de 'open systemen' omdat de kiezers verplicht worden om een voorkeurstem uit te brengen, maakt het kiessysteem eigenlijk gebruik van gesloten lijsten. De voorkeurstemmen hebben inderdaad maar weinig invloed op de concrete toewijzing van zetels. Deze worden binnen een lijst verdeeld volgens de volgorde waarin de kandidaten gerangschikt staan. Bij een partij die twintig zetels verwerft, zijn het dus in de regel de eerste twintig gerangschikten op de lijst die gaan zetelen. Het gevolg is een heel flauwe band tussen de kiezer en zijn parlementslid. Niet verwonderlijk, als blijkt dat ruim 60 % van de Nederlandse kandidaat-parlementsleden uit de Randstad afkomstig is (van den Bergh, 2007, p. 159). Dit gebrek aan contact tussen de gekozene en zijn achterban is meteen ook één van de grootste euvels waaraan dit Nederlandse kiessysteem lijdt (Timmermans & Andeweg, 2003, p. 503). Tweede Kamerleden – 'opgesloten' in de zogenaamde Haagse kaasstolp (zoals het parlementsgebouw spottend wordt genoemd) – worden immers verweten weinig of geen voeling te hebben met de rest van Nederland. Dit vaste patroon waarop de zetels in Nederland worden toebedeeld, staat in contrast met het Belgische systeem, waar voorkeurstemmen sinds de halvering van de invloed van de lijststem steeds meer bepalend zijn geworden voor de toebedeling van de zetels aan individuele kandidaten.

De Nederlandse kieswetgeving voorziet evenwel één uitzondering, waardoor populaire kandidaten toch op eigen houtje (dus op basis van hun voorkeurstem) verkozen kunnen worden. Om rechtstreeks verkozen te worden, moet een kandidaat 25 % van de kiesdeler achter zich gekregen hebben. Bij de meest recente verkiezingen van september 2012 werd de kiesdeler bepaald op 62 828,23.[62] Wie 25 % van deze kiesdeler (dat is 15 707,01 stemmen) aan voorkeurstemmen heeft behaald, wordt rechtstreeks verkozen. In 2012 hebben 28 personen meer dan 15 707,01 voorkeurstemmen gekregen. Dirk Poot van de Piratenpartij was één van hen (23 581 stemmen), maar omdat zijn partij geen zetel in de wacht sleepte, werd hij niet verkozen. Van de 27 overige kandidaten die de voorkeurdrempel overschreden en verkozen werden, was er in 2012 slechts één die 'buiten de nuttige volgorde' verkozen werd. Pieter Omtzigt van het CDA stond pas 39ste op de lijst en wist toch 36 750 stemmen te verzamelen, waardoor hij zelfs 3de werd in de rangschikking van CDA-kandidaten. Toch moeten slecht gerangschikte kandidaten niet te veel hopen om op die manier alsnog in het parlement te geraken. In 1998 waren er zo twee personen die verkozen geraakten

---

62.   Er werden 9 424 235 geldige stemmen uitgebracht (opkomst: 74,6 %), gedeeld door 150 te verdelen zetels.

'buiten de nuttige volgorde', in 2002 was het er één, in 2003 waren het er twee, in 2006 was het er opnieuw één en in 2010 waren het twee personen.

Ten slotte moet men ook vermelden dat partijen aan lijstenverbinding kunnen doen in de districten op het moment dat de zetels verdeeld worden. Traditioneel doen enerzijds de linkse partijen en anderzijds de protestantse partijen ChristenUnie en de Staatkundig Gereformeerde Partij (SGP) aan lijstenverbinding. Dit noemt men *apparentement* of *lijstencombinaties*. Ze hopen op die manier een betere kans te maken bij de verdeling van de restzetels. Maar noch in 2002, noch in 2003, noch in 2006 hebben de lijstencombinaties daar enig voordeel uit gehaald. De zetelverdeling zou precies dezelfde zijn geweest zonder het combineren van lijsten. In 2010 daarentegen leverde de lijstenverbinding tussen ChristenUnie en SGP één zetel winst op voor dit tijdelijke verkiezingskartel. Dat was evenwel niet het geval voor de lijstencombinatie van GroenLinks en PvdA. In 2012 daarentegen had het aangaan van een lijstenverbinding wel een positief effect voor enkele betrokken partijen. GroenLinks, SP en ChristenUnie haalden elk één restzetel binnen.[63]

4. Nederlandse instituties

Nederland is wellicht een van de meest tot de verbeelding sprekende voorbeelden van een consensusdemocratie. Het land is na het Grote Pacificatieakkoord van 1917 volledig opgebouwd volgens het principe van *politics of accomodation* (de verzuiling). Dat houdt in dat de drie grote grondstromen in de maatschappij (het rooms-katholicisme, het protestantisme en de sociaaldemocratie, met daarnaast het kleinere liberalisme) elk hun eigen 'ministaat' hebben uitgebouwd, waarin ze de eigen achterban van de wieg tot het graf in eigen verenigingen begeleiden. Dat gaat erg ver: van eigen kinderdagverblijven tot eigen scholen, eigen jeugdverenigingen, eigen turn- of zwemclubs, eigen ziekenfondsen, eigen vakbonden, eigen toneelverenigingen en eigen verenigingen van gepensioneerden. Wie tot de achterban behoorde, werd niet geacht om bij een andere dan de eigen verenigingen aan te sluiten, op straffe van een 'veroordeling' van hoogverraad. Dat de strijd aangewakkerd wordt voor de gewone stervelingen, betekent echter niet dat de elite elkaar niet kan luchten. Integendeel, een dergelijk systeem kan enkel blijven bestaan wanneer de leiders van die concurrerende zuilen elkaar kennen, met elkaar overleg plegen en elkaar respecteren.

De politieke vertaling van die verzuiling resulteerde lange tijd in een slechts marginale verschuiving van zetels bij parlementsverkiezingen. Elke grondstroom had immers een 'vast kiezerspubliek'. Maar sinds het einde van de

---

63. Ook de VVD en het CDA die geen lijstverbinding waren aangegaan, haalden restzetels binnen, respectievelijk twee en één.

jaren zestig is, samen met de secularisering, de ontzuiling opgetreden en zijn de partijen veel minder zeker van hun stuk. De 'zwevende kiezer' werd geboren. Ook in de Nederlandse politiek heeft deze zwevende kiezer zijn intrede gedaan aan het einde van de jaren zestig. Tekenend in dit verband was het samensmelten van drie confessionele partijen (één katholieke en twee protestantse) tot één christendemocratische partij, het CDA. Terwijl ze tot midden jaren zestig samen een absolute meerderheid hadden in de Tweede Kamer, trachtten ze via deze voor velen 'tegennatuurlijke' fusie het tij te keren en een nieuwe 'appel' aan de Nederlandse kiezer te doen.

Tabel 23: Evoluties in het Nederlandse partijenlandschap (in %)

	1986	1989	1994	1998	2002	2003	2006	2010	2012
CDA	34,6	35,3	22,2	18,4	27,9	28,6	26,5	13,6	8,5
PvdA	33,3	31,9	24	29	15,1	27,3	21,2	19,6	24,8
VVD	17,4	14,6	20	24,7	15,4	17,9	14,7	20,5	26,6
SP	0,4	0,4	1,3	3,5	5,9	6,3	16,6	9,8	9,7
GroenLinks	3,3	4,1	3,5	7,3	7	5,1	4,6	6,7	2,3
D66	6,1	7,9	15,5	9	5,1	4,1	2	6,9	8
ChristenUnie	1,9	2,2	3,1	3,3	2,5	2,1	4	3,2	3,1
SGP	1,7	1,9	1,7	1,8	1,7	1,6	1,6	1,7	2,1
LN					1,6	0,5			
CP/CD	0,4	0,9	2,5	0,6					
AOV/Unie 55+			4,5	0,5					
LPF					17	5,7	0,2		
PVV/Groep Wilders							5,9	15,4	10,1
PvdD							1,8	1,3	1,9
Trots op Nederland								0,6	
50PLUS									1,9

In tabel 23 komen een aantal trends naar voren die we ook in België terug zullen vinden, zij het dat de Nederlanders telkens vier à vijf jaar voorop waren. Zo is er de klap die het christendemocratische CDA te verwerken krijgt in 1994. De partij verloor liefst een derde van haar kiezers. Door een voordien onmogelijk geachte paarse coalitie van socialisten, rechts-liberalen en links-liberalen (D66) als bindmiddel, werd het land voor het eerst sinds 1917 bestuurd door een coalitie zonder deelname van een confessionele partij. Het verlies van de christendemocraten was de bevestiging van een algemeen maatschappelijke trend van secularisering, die zich al sinds het einde van de jaren zestig manifesteerde. Alleen werd ze in 1994 verscherpt doordat de aftredende minister-president Ruud Lubbers de actieve politiek verliet, en openlijk grote vragen had gesteld bij de leiderschapscapaciteiten van zijn opvolger Elco Brinkman als partijleider. In België wachtte de christendemocraten vijf jaar later eenzelfde catharsis, met het verlies van een vijfde van hun kiezers, en de verbanning naar de oppositiebanken na 41 onafgebroken jaren van regeringsdeelname.

Verder springen de verkiezingen van 15 mei 2002, ontwricht door de brutale moord op partijleider Pim Fortuyn negen dagen eerder, er heel sterk uit. Paars was moegeregeerd en verloor de helft van zijn kiezers, terwijl het CDA met Jan Peter Balkenende na acht jaar crisis om het leiderschap een nieuwe kandidaat-eerste minister had gevonden. Lijst Pim Fortuyn (LPF) haalde uit het niets een monsterscore van 26 zetels in de Tweede Kamer, en werd in het kabinet-Balkenende I opgenomen. Al gauw bleek de partij, van haar natuurlijke leider beroofd, een ongeleid projectiel, en de regering-Balkenende I kwam al binnen het half jaar ten val. De verkiezingen van januari 2003 luidden het herstel van de Nederlandse politiek in, in 2006 enkel nog opgeschrikt door een dramatische score van een liberale partij die verdeeld naar de kiezer was getrokken, en de opvallende score van de linkse Socialistische Partij (SP) van Jan Marijnissen, die het vuur aan de schenen legde van de gematigde sociaaldemocraten van de PvdA. De verkiezingen van 2010 betekenden de grote doorbraak van de Partij voor de Vrijheid (PVV) van Geert Wilders, waardoor een traditionele coalitieformule niet mogelijk bleek. Na moeizame coalitiebesprekingen, werd een minderheidsregering-Rutte (VVD)-Verhagen (CDA) op de been gebracht, die kon rekenen op gedoogsteun van de oppositiepartij van Geert Wilders.

In 2012 werd minister-president Rutte door de Nederlandse kiezer beloond maar werd tegelijk regeringspartij CDA afgestraft. Ook de PVV verloor een groot deel van haar aanhang. Na een naar Nederlandse normen uiterst korte formatieperiode kwam een coalitie tot stand tussen de twee grote partijen, VVD en PvdA, onder leiding van Rutte. Het was van 1989 geleden dat er nog een kabinet aantrad dat een meerderheid had op basis van twee partijen.[64]

De verzuiling die in de voorafgaande decennia de politiek beheerste, leidde lange tijd tot een min of meer vaste verdeling van het Nederlandse partijlandschap. Sinds het Groot Akkoord van 1917 zijn alle regeringen in Nederland coalitieregeringen geweest van minstens twee politieke partijen. Omdat het vaak moeilijk is om tot een werkbaar compromis voor de regering te komen, nemen de partijen doorgaans voldoende tijd om tot een akkoord te komen. De koningin speelde hier ook een voorname rol in, omdat ze heel wat consultaties deed voor ze een informateur, en dan later een formateur, aanstelde.[65] Niet onlogisch, dus, dat de Nederlanders in de periode 1970-1985 van alle West-Europese landen de kroon spanden inzake de duurtijd van de regeringsonderhandeling. Gemiddeld duurde het 78 dagen vooraleer een regering op de been was gebracht (De Winter et al., 1996). Die coalitiebesprekingen mondden vroeger overigens steevast uit in

---

64. In de Eerste Kamer telt het kabinet-Rutte II slechts 30 van de 75 zetels, waardoor de regering afhankelijk is van steun van oppositiepartijen zoals CDA (11 zetels), D66+CU+SGP (samen 8 zetels), D66 én GroenLinks (samen 10 zetels), PVV (10 zetels) of SP (8 zetels).

65. In 2012 werd aan deze traditie een einde gesteld. Voortaan leidt de voorzitter van de Tweede Kamer de kabinetsformatie.

een rigide regeerakkoord dat alle hete hangijzers voor de komende beleidsperiode regelde. En soms nam het erg veel tijd in beslag vooraleer daarover een consensus bereikt kon worden. In de jaren zeventig duurde het ooit tot 208 dagen na de verkiezingen alvorens er een regering op de been was gebracht.[66] Aan het begin van de 21ste eeuw is de traditie van lange regeerakkoorden evenwel in onbruik geraakt. Het regeerakkoord van de regering-Balkenende I (2002-2003) telde 32 pagina's, dat van Balkenende II (2003-2006) nauwelijks veertien (Bootsma & van der Heiden, 2007, p. 34).

Uiteraard betekent een rigide regeerakkoord dat er minder speelruimte is voor de eerste minister – of in het geëigende Nederlandse jargon 'ministerpresident' genoemd. Hij wordt gegijzeld door het feit dat hij in een coalitieregering zit en door het feit dat het regeerakkoord zo omstandig is uitgeschreven. De Nederlandse minister-president is daardoor vaak niet veel meer dan een *primus inter pares* (de eerste onder gelijken). In een Europese vergelijkende studie naar de positionele invloed van de eerste ministers, rangschikte Anthony King (1994) de Nederlandse minister-president in de categorie van de minst invloedrijke. Al moet erbij gezegd worden dat de positie van de eerste minister gevoelig aan invloed heeft gewonnen tijdens het eersteministerschap van Wim Kok (PvdA) (1994-2002). Zijn opvolger, Jan Peter Balkenende (CDA) (2002-2010) daarentegen, kon zich opnieuw veel minder laten gelden als minister-president.

Tabel 24:   Overzicht van de Nederlandse minister-presidenten (1982–...)

minister-president	aantreden	coalitie
Lubbers I	04.11.1982	CDA-VVD
Lubbers II	14.07.1986	CDA-VVD
Lubbers III	07.11.1989	PvdA-CDA
Kok I	22.08.1994	PvdA-VVD-D66
Kok II	03.08.1998	PvdA-VVD-D66
Balkenende I	22.07.2002	CDA-VVD-LPF
Balkenende II	27.05.2003	CDA-VVD-D66
Balkenende III	07.07.2006	CDA-VVD (*)
Balkenende IV	22.02.2007	CDA-PvdA-CU
Rutte I	14.10.2010	VVD-CDA (**)
Rutte II	05.11.2012	VVD-PvdA

(*) minderheidsregering, gedoogd door de fracties van LPF, D66, CHU en SGP
(**) minderheidsregering, gedoogd door de fractie van PVV

Bronnen: Timmermans & Andeweg (2003); Pilet (2008).

---

66.   Ook België kende eind jaren 70-begin jaren 80 een periode van politieke instabiliteit (het zogenaamde *'malgoverno'*) als gevolg van kortstondige regeringen en moeizame regeringsonderhandelingen (Heylen & Van Hecke, 2008).

Wat het parlement betreft, moet er in de eerste plaats op gewezen worden dat de parlementsleden echte partijvertegenwoordigers zijn en geen, in tegenstelling tot hun Britse collega's, vertegenwoordigers van hun regio. Dat heeft uiteraard te maken met het feit dat ze op één nationale lijst worden verkozen en dat ze zich bijgevolg weinig of niet inlaten met de regionale of plaatselijke besognes van hun achterban. Overigens valt het op dat de Nederlandse politiek in hoge mate gedeëmotionaliseerd is. De debatten verlopen vaak steriel en zelfs een beetje saai, omdat ze te zeer zijn afgestemd op de regels van 'goed en zorgvuldig bestuur'. Hiermee is meteen ook gewezen op het feit dat het voor individuele parlementsleden *not done* is om tegen de partijlijn in te gaan. Er heerst een sterke fractiediscipline.

Wat het partijenstelsel betreft, heerst er een heel open systeem om een nieuwe partij op te richten. Dit verklaart het snelle succes van de Lijst Pim Fortuyn (in 2002) en van de PVV van Geert Wilders (in 2006, nog veel uitgesprokener in 2010). Maar er heersen wel strenge voorwaarden alvorens een partij tot het parlement kan toetreden. Tot de subtiele en minder subtiele elementen horen onder andere (Andeweg, 2005, p. 499) volgende regels:

- Partijlabels van nieuwe partijen mogen niet te dicht in de buurt komen van partijlabels van bestaande partijen. (Een dergelijke regel is trouwens ook in België van kracht.)
- Als een nieuwe partij in een district wil opkomen bij de verkiezingen, kan dat enkel op voordracht van dertig personen, die zich in persoon moeten aanmelden op het stadhuis om de kandidatuur te ondersteunen.
- Nieuwe partijen moeten een waarborg betalen van 11 250 euro wanneer ze hun lijsten over de diverse districten hebben gecombineerd. Als dat laatste niet het geval is, dan is die som vereist in élk district waarin ze opkomen. Die waarborg wordt enkel teruggegeven indien de partijlijst 75 % van de kiesdeler haalt. In 2003 verloren liefst negen partijen hun waarborg. In 2006 behaalden twaalf partijen minder dan 75 % van de kiesdeler van 65 591 stemmen (c.q. 49 194 stemmen). In 2010 waren het er zeven die hun waarborg verloren. In 2012 niet minder dan tien. *Incumbent* partijen (dat zijn partijen die reeds in het parlement zetelen) worden van deze waarborgverplichting ontheven.
- Nieuwe partijen mogen maximaal vijftig kandidaten op de lijsten presenteren. Dit aantal geldt ook voor partijen die maximaal vijftien zetels hebben in de Tweede Kamer. Partijen die al zestien zetels of meer hebben in de Tweede Kamer, kunnen 80 kandidaten opnemen.
- Nieuwe partijen krijgen geen staatssubsidies om hun campagnes te bekostigen. Enkel als ze in alle negentien districten opkomen, krijgen ze dezelfde toegang tot de openbare omroep als de zetelende partijen, met name zes blokken van drie minuten op televisie en 22 minuten op de radio.

Ondanks deze strenge bepalingen ten aanzien van nieuwe partijen loont het toch de moeite om een deelname aan de verkiezingen te overwegen: van de zeventien verkiezingen tussen 1948 en 2003 waren er elf waarbij een nieuwe partij in het Nederlandse parlement verkozen geraakte (Andeweg, 2005). De verkiezingen van 2010 vormen hierop een uitzondering; er was geen enkele nieuwe partij die haar opwachting maakte in de Tweede Kamer. In 2012 was er één nieuwe partij, de ouderenpartij 50PLUS.

5.   Het parlementaire stelsel

Daarmee zijn we reeds helemaal in het hart van het parlementaire stelsel gekomen. Zoals intussen al aangegeven, bestaat het Nederlandse parlement uit twee kamers. De naamgeving is evenwel anders dan we gewend zijn in (alle) andere landen. Het politieke hart van de Nederlandse samenleving klopt immers in de Tweede Kamer, niet in de Eerste Kamer.

In de Tweede Kamer zetelen 150 personen; allen worden ze rechtstreeks verkozen, zoals in de vorige alinea's omstandig uit de doeken werd gedaan. De regeringsmeerderheid steunt er steeds op een coalitie van meerdere partijen, en op een precair zeteloverschot. In theorie zou dit dus een voordelige situatie moeten opleveren voor de Tweede Kamer in haar strijd om zeggingsschap over het regeerbeleid. Er zijn zowel elementen van *ex-ante*controle als van *ex-post*controle in het Nederlandse parlementaire stelsel ingebouwd. Parlementsleden kunnen voor de eigenlijke start van de regering zowel proberen invloed uit te oefenen op de totstandkoming van het regeerakkoord, als bij de stemming van de investituur in het parlement eens de nieuwe coalitie gevormd is. De parlementsfractie kan ook proberen te wegen op de screening en selectie van kandiaat-ministers. Aan de *ex-post*zijde beschikken de Nederlandse Tweede Kamerleden over de traditionele instrumenten als het stellen van mondelinge en schriftelijke vragen, het interpelleren van ministers, of het oprichten van parlementaire onderzoekscommissies. Als ultieme wapen is het theoretisch mogelijk dat het parlement de regering ten val brengt.

De werkelijkheid met betrekking tot de parlementaire controle op de regering leest echter anders. Tweede Kamerleden zijn in grote mate overgeleverd aan de partij, en de partijleider in het bijzonder, om een gunstige plaats op de kiezerslijsten te verwerven. Zoals Hillebrands onderzoek aan het begin van de jaren negentig duidelijk maakte, hebben gewone partijleden weinig tot geen directe invloed op de lijstvorming (Hillebrand, 1992). Parlementsleden houden dus willens nillens beter rekening met de wensen van de partijleiding indien ze bij de eerstvolgende verkiezingen op een herkiesbare plaats op de kieslijst willen staan. Vandaar dat er sterke fractiediscipline heerst. Slechts uiterst zelden wordt een wetsontwerp van de regering niet aangenomen, zij het vaak in geamendeerde vorm (Pilet, 2008). Parlementsleden uit de meerderheidspartijen die omwille van hun afwijkende stemgedrag persoonlijk willen bijdragen aan de val van de regering zijn in Nederland erg dun bezaaid.

Terwijl de leden van de Tweede Kamer rechtstreeks verkozen worden door de bevolking, verloopt de verkiezing van de leden van de Eerste Kamer, een instelling vergelijkbaar met de Belgische Senaat, via een getrapt systeem. Zij worden immers indirect verkozen door de leden van de twaalf provinciale staten. Leden van de Eerste Kamer zijn bovendien *halftime* politici (geen *fulltimers*). Hun slagkracht is ook redelijk beperkt, al is ze niet onbestaande. Tijdens de eerste twee kabinetten-Balkenende (2002-2006) dienden de Eerste Kamerleden slechts vier wetsvoorstellen in (van der Kolk et al., 2007, p. 55). Het hoeft dan ook niet te verwonderen dat reeds meermaals voorgesteld werd om de Eerste Kamer af te schaffen. Vooral in PvdA-kringen zijn daar nogal wat voorstanders van te vinden. Toch is de kans gering dat de Eerste Kamer de eerstvolgende jaren zal afgeschaft worden. Dat vereist immers een tweederdemeerderheid in diezelfde Eerste Kamer. Trouwens, ook onder Tweede Kamerleden is er nog een solide meerderheid voorstander van het behoud van de Eerste Kamer (Andeweg & Thomassen, 2007).

De geringe invloed van de Eerste Kamerleden op het wetgevende werk vloeit voort uit het feit dat ze wel een vetorecht hebben ten overstaan van wetgevende initiatieven uit de Tweede Kamer, maar geen amenderingsrecht. Hen wordt dus gevraagd om de wetgeving die overgekomen is uit de Tweede Kamer ofwel integraal goed te keuren ofwel integraal af te wijzen. Het lidmaatschap van de Eerste Kamer wordt beschouwd als een 'uitbolbaan' voor personen die vroeger een toonaangevende rol hebben gespeeld op het vlak van de Nederlandse politiek en ofwel niet meer verkozen zijn geraakt in de Tweede Kamer ofwel bewust een stap achteruit hebben gezet.

III. Het Belgische kiesstelsel

1. Inleiding

Evenals Nederland hanteert België een proportioneel kiesstelsel om zijn parlementsleden aan te duiden. België doet dit al sinds 1900, Nederland pas sinds 1917. De concrete wijze waarop de zetels toebedeeld werden, werd in de loop der jaren een aantal keer aangepast, onder meer aan de groei van de bevolking. In dit hoofdstuk starten we daarom met een overzicht van de belangrijkste evoluties en ontwikkelingen van de Belgische kieswetgeving. We doen dit aan de hand van vijf fasen en twee thema's die deze evoluties kenmerkten. Het zijn enerzijds de geleidelijke toename van het kiezerskorps en anderzijds de effecten van de invoering in het jaar 1900 van het proportionele kiesstelsel op het partijpolitieke leven. Verder komen de verschillen aan bod tussen de verkiezingen voor het federale parlement, voor de regionale parlementen en voor de gemeente- en provincieraden. Ten slotte staan we stil bij de plaats van het parlement in de Belgische besluitvorming en de wijzigingen in de samenstelling van onze volksvertegenwoordigers zelf.

2. Evolutie van het Belgische kiesstelsel[67]

a. Het eerste kiesstelsel in 1831

Laten we beginnen bij de start, bij de eerste algemene verkiezingen voor de Kamer van Volksvertegenwoordigers en de Belgische Senaat op 29 augustus 1831. Die verkiezingen waren uiteraard verre van 'algemeen'. Enkel wie minstens 25 jaar oud was, een man was en het jaar voordien belastingen had betaald, voldeed aan de voorwaarden om zijn stem uit te brengen. Die belasting bedroeg, afhankelijk van de gemeente waarin men woonde, tussen de twintig en de tachtig gulden. Dit stelsel, waarbij het stemrecht gekoppeld is aan het betalen van belastingen, wordt *cijnskiesrecht* genoemd. Doordat de voorwaarden zo scherp bepaald waren, konden er amper 46 099 mannen deelnemen aan de verkiezingen, waarvan slechts twee derde effectief kwam opdagen (Van Eennoo, 2003, p. 50).

Zij verkozen een parlement dat uit twee kamers bestond. De Kamer van Volksvertegenwoordigers bestond uit 102 leden, die voor vier jaar zetelden, terwijl er ook 51 senatoren verkozen werden, die voor acht jaar zetelden. Door het verlies van een gedeelte van het Belgische grondgebied in 1839, werden deze aantallen teruggeschroefd tot 95 Kamerleden en 47 senatoren. Om in de Senaat verkozen te worden, moest men minstens veertig jaar oud zijn. Om een mandaat in de Kamer op te nemen, volstond de leeftijd van 25 jaar. Dat was bedoeld om het eerbiedwaardige karakter van de Senaat te onderstrepen. Het Nationaal Congres dat de spelregels voor de Belgische democratie vastlegde, bepaalde verder dat een Kamerlid niet meer dan 40 000 inwoners mocht vertegenwoordigen. Het aantal senatoren werd vastgelegd op de helft van het aantal Kamerleden (Van Eenoo, 2003, p. 53). Dit is een verhouding die tot aan de grote grondwetswijziging van 1993 strikt in ere werd gehouden, en sindsdien nog steeds min of meer opgaat.

Om te kunnen zetelen als senator moest men 1000 florijnen, of 2116 frank belastingen betaald hebben. Bij gebrek aan statistische gegevens had men het aantal verkiesbare personen slecht ingeschat. Tussen 1840 en 1870

---

67. Voor dit overzicht baseerden we ons in sterke mate op het corresponderende hoofdstuk van Maddens (2006), p. 60 e.v.

waren er aldus in de hele provincie Luik amper 30 tot 35 personen die aan die voorwaarden voldeden. Hier en daar, zoals in de provincie Luxemburg waar geen enkele persoon voldeed aan de belastingsvereiste, haalde men truukjes uit om toch een aantal verkiesbaren te kunnen presenteren. Van de 668 verkiesbaren die het land in 1840 telde, betaalden er slechts 403 de volle cijns van 1000 florijnen (Stengers, 1999, pp. 36-37). Kandidaat-volksvertegenwoordigers hoefden niet aan een cijnsvereiste te voldoen.

De 102 Kamerleden en 51 senatoren werden verkozen in 44 kieskringen, op basis van de bestuurlijke arrondissementen waarin het land was opgedeeld en waarin telkens één of meerdere zetels te verdelen waren. Ondanks die territoriale indeling geschiedden de verkiezingen niet in de eigen gemeenten of in een buurgemeente maar wel in de provinciehoofdplaats. Sommige kiezers moesten dus een (relatief) verre verplaatsing maken om van hun stemrecht gebruik te maken. Het aantal zetels dat in elke kieskring verdeeld moest worden, volgde de evolutie van de migratiestromen van de bevolking. Die evolutie werd gemeten aan de hand van volkstellingen die op regelmatige tijdstippen werden gehouden. Zo beschikte in 1848 de kieskring Brussel over negen vertegenwoordigers, Gent over zeven en Antwerpen en Luik elk over vijf Kamerleden. In 1894 was Brussel exponentieel gegroeid, wat de stad achttien vertegenwoordigers opleverde, terwijl Gent lichtjes steeg (van zeven naar negen) en Antwerpen en Luik zich fors ontwikkelden als industriesteden (elk elf zetels).

De zetels werden toegewezen via een *meerderheidsstelsel*. Er waren geen lijsten per partij zoals we die nu kennen. Het was de periode van het unionisme (het verbond tussen katholieken en liberalen/vrijzinnigen) en partijen bestonden toen nog niet. Aparte partijlijsten werden pas in 1877 ingevoerd. De kiezers brachten tot 1877 hun stem uit door de naam van de kandidaten van hun voorkeur op een formulier te schrijven. Van een echt geheim van de stemming was dus geen sprake. Een kiezer kon zoveel namen op het biljet schrijven als er zetels te verdelen waren in de kieskring. Om verkozen te worden had een kandidaat de absolute meerderheid van de uitgebrachte stemmen nodig. Indien dat niet het geval was, werd een tweede ronde georganiseerd onder de best gerangschikte kandidaten. Het aantal deelnemers aan deze tweede ronde werd bepaald door twee keer het aantal zetels te nemen dat nog verdeeld moest worden. Er werden in dit stelsel geen opvolgers verkozen. Wanneer een parlementslid in functie stierf of ontslag nam (wat vrij zelden gebeurde), werden tussentijdse verkiezingen georganiseerd in de desbetreffende kieskring.

Met de invoering van partijlijsten in 1877 werd ook de lijststem ingevoerd. Dat was handig voor kiezers die geen keuze konden of wilden maken tussen de kandidaten die door de partij werden voorgesteld. De lijststem – die overigens veel succes kende omdat het de verkiezingen voor de burgers sterk vereenvoudigde – werd verdeeld over alle kandidaten: elke kandidaat kreeg zo één 'voorkeurstem' extra.[68]

Dit systeem heeft lange tijd standgehouden (met name tot 1893), ondanks de stijgende druk om het aan te passen aan de maatschappelijke veranderingen en het open te stellen voor andere politieke partijen (met name de socialisten). De liberale en katholieke partijen (die intussen gevormd waren) hadden immers veel schroom om de grondwet aan te passen.

Sindsdien hebben er zich twee belangrijke evoluties voorgedaan. Het aantal kiezers is stelselmatig vergroot en het meerderheidsstelsel werd vervangen door het stelsel van evenredige vertegenwoordiging.

b. Uitbreiding van het kiesrecht

Die uitbreiding verliep parallel aan evoluties in de ons omringende landen. Er zijn met name wat Nederland betreft heel wat gelijkenissen vast te stellen. Na een eerder kleine aanpassing van de cijns in 1848 (die teruggebracht werd tot twintig gulden, zodat het kiezerskorps aangroeide tot 79 000 kiezers) vond de eerste diepgaande wijziging aan het kiesstelsel plaats bij de grondwetswijziging in 1893. Het ging om een compromis dat onder druk van de liberale partij, de Belgische Werkliedenpartij en de christendemocratische partij van de Aalsterse priester Adolf Daens tot stand kwam.

Vooreerst werd het *algemeen meervoudig stemrecht* ingevoerd. Voortaan mochten alle mannelijke Belgen die ouder waren dan vijfentwintig (dertig jaar voor de Senaat) stemmen bij de parlementsverkiezingen. Zij beschikten over één, twee of drie stemmen, naargelang hun 'capaciteit': 35-jarige gezinshoofden die belastingen betaalden, grootgrondbezitters, universitair afgestudeerden en de clerus kregen extra stemmen. Het gevolg van deze maatregel was een explosie van het aantal stemgerechtigden. Van 136 755 kiezers in 1892 werden het er 1,370 miljoen bij de eerstvolgende verkiezingen in 1894. Daarvan hadden er 293 678 een tweede stem en 223 381 een derde stem (Van Eenoo, 2003, p. 59).

Samen met de invoering van het meervoudig stemrecht werd ook de *opkomstplicht* ingevoerd. Zowel de progressieven als de conservatieven waren daar voorstander van. De progressieven (socialisten en liberalen) vreesden dat de arbeiders uit onwetendheid geen gebruik zouden maken van dat recht, terwijl de conservatieven (katholieken) vreesden dat alleen de meest extreme aanhangers zouden gaan stemmen indien het enkel bij een stemrecht zou blijven, waardoor het partijenlandschap dreigde te polariseren.

---

68. Doordat de lijststem zo frequent gebruikt werd en het bontstemmen ook binnen de perken bleef, opereerde dit systeem quasi als een *Party Bloc Vote*-systeem.

De tweede grote wijziging wat het kiezersaantal betreft, vond in 1919 plaats. Toen werd, in het zog van de revolutionaire wind die door Europa trok, een pact gesloten door de politieke partijen en de koning op het kasteel van Loppem. Bij deze zogenaamde coup van Loppem, die de start betekende van de particratie in België (Dewachter & De Winter, 1981), werd beslist om de socialistische eis om elke man slechts één stem te geven, in te willigen. Het *algemeen enkelvoudig stemrecht* werd in 1919 ingevoerd, zonder dat het meteen in de grondwet werd ingeschreven. Het zetelende parlement had tijdens de voorgaande zitting geen lijst met voor herziening vatbaar verklaarde artikels ontvangen, dus was het niet bij machte om de grondwet te veranderen. Dat gebeurde pas in 1921, toen ook het stelsel van evenredige vertegenwoordiging grondwettelijk verankerd werd. Toch verliepen de verkiezingen van 1919 reeds volgens het nieuwe stelsel.

Tegelijk met de invoering van het algemeen enkelvoudig stemrecht werd de leeftijdsgrens verlaagd van 25 naar 21 jaar. Het *vrouwenstemrecht*, een vraag van de katholieke zijde, raakte er evenwel niet door omdat de socialistische en liberale partijen vreesden dat vrouwen sterk onder druk zouden komen te staan van de katholieke geestelijken en dus massaal op de katholieke partij zouden stemmen. Het duurde nog tot 1948 vooraleer hierover een akkoord gevonden kon worden. Meteen verdubbelde het aantal stemgerechtigden bij de eerstvolgende verkiezingen in 1949 van 2,5 miljoen naar 5 miljoen.

Later volgden nog kleinere wijzigingen. Bijvoorbeeld in 1981, toen de leeftijdsgrens (samen met de grens van de meerderjarigheid) teruggebracht werd tot achttien jaar. In 1999 werd ook het stemrecht voor Belgen in het buitenland ingevoerd. Dat was niet bepaald een groot succes. Door de loodzware procedure die gevolgd moest worden (waarbij onder andere geboorteaktes moesten worden opgevraagd) waren er slechts 118 Belgen in het buitenland die aan die verkiezingen deelnamen. Bij de eerstvolgende federale parlementsverkiezingen van 2003 werd de procedure sterk vereenvoudigd, waardoor er 114 677 kiezers die in het buitenland woonden, aan de verkiezingen deelnamen. In 2007 waren het er 122 150. Het onverwachte karakter van de verkiezingen in 2010 zorgde voor een vrije val, met slechts 42 089 in het buitenland gevestigde Belgen die aan de verkiezingen deelnamen.

Pro memorie vermelden we hier nog even het stemrecht voor niet-EU-burgers die reeds meer dan vijf jaar in ons land verblijven. Dat stemrecht geldt enkel voor de gemeenteraadsverkiezingen. Burgers met de nationaliteit van een van de lidstaten van de Europese Unie hadden – ten gevolge van het Europese Verdrag van Maastricht van 1991 – reeds sinds 1994 de mogelijkheid om deel te nemen aan de Europese verkiezingen en aan de gemeenteraadsverkiezingen. Dit stemrecht (feitelijk een kiesplicht nadat men zich heeft geregistreerd) is zowel actief als passief, wat betekent dat ze niet alleen kunnen stemmen maar dus ook kandidaat kunnen zijn op een lijst.

c. Invoering evenredige vertegenwoordiging

Naast de verruiming van het kiezerskorps betekende de invoering van het stelsel van *evenredige vertegenwoordiging* in mei 1900 een tweede belangrijke wijziging aan het kiesstelsel. Het opende de deur voor nieuwe politieke partijen en zorgde voor de overleving van onder meer de liberale partij. Immers, zoals intussen wel bekend, leiden meerderheidsstelsels in principe steeds naar een politiek systeem met slechts twee, hooguit drie dominante politieke partijen. Ook in België in de 19de eeuw was dat het geval. Na het einde van het unionisme (rond 1857) maakten de liberale en katholieke partijen om de beurt deel uit van de regering. De liberalen regeerden van 1857 tot 1870, de katholieken van 1870 tot 1878 en de liberalen opnieuw van 1878 tot 1884, waarna de katholieke partij de alleenheerschappij verwierf tot aan het uitbreken van de Eerste Wereldoorlog.

Maar onder aanvoering van een steeds sterker wordende socialistische partij, die een verbond had gesloten met de liberalen (en zo de katholieke partij bedreigde met de vorming van een electoraal kartel), en ook onder druk van de christendemocraten (Daens) steeg de druk op de katholieke partij om de verkiezingen voortaan volgens een proportioneel stelsel te laten verlopen.

Als een soort tussenfase op weg naar het algemeen enkelvoudig stemrecht, stemde de katholieke partij in met de invoering van de evenredige vertegenwoordiging. Dat gebeurde op basis van een systeem dat de Gentse professor Victor D'Hondt in 1885 had ontwikkeld. De kleinere arrondissementen werden samengevoegd, tot dertig arrondissementen voor de Kamerverkiezingen en 21 voor de Senaatsverkiezingen. Deze arrondissementele indeling zou bijna honderd jaar standhouden. Pas in 1993 werd ze aangepast.[69]

Omdat de arrondissementen werden vergroot en er dus per kieskring gemiddeld meer zetels te verdelen waren, moest ook een procedure voorzien worden voor de opvolging. Het verdwijnen van een parlementslid mocht immers niet tot gevolg hebben dat de hele provincie opnieuw naar de stembus moest. Daarom werd bij de lijst van de effectieve kandidaten ook een lijst met opvolgers ingevoerd. Bovendien werd de overdracht van de hoofdvakstem ingevoerd, waardoor de politieke partijen een grotere invloed konden uitoefenen op wie er in het parlement ging zetelen. Ten slotte werd ook de mogelijkheid tot *panacheren* of 'bontstemmen' (dat is het stemmen op kandidaten van verschillende partijen) afgeschaft.[70]

---

69. Bij de verkiezingen van 1995 en 1999 werden voor de Kamer de 21 oude arrondissementen van de Senaat gebruikt.
70. Dit bleef wel tot 1976 behouden voor de gemeenteraadsverkiezingen.

De invoering van de evenredige vertegenwoordiging ging niet onopgemerkt voorbij. De liberale partij won een groot aantal zetels bij, grotendeels ten koste van de socialistische partij, die onder impuls van het algemeen stemrecht in 1893 in opmars was in het oude meerderheidsstelsel. Op termijn zou de socialistische partij echter aan belang winnen.

Aan het nieuwe stelsel werden in 1919 nog wat aanpassingen uitgevoerd. Zo werd onder meer de provinciale 'apparentering' (lijstensamenvoeging) ingevoerd, waardoor de stemoverschotten op provinciaal niveau werden verzameld ter verdeling van de allerlaatste zetels die nog niet toegewezen waren. De gevolgen van de invoering van zowel het algemeen enkelvoudig stemrecht als de invoering van de provinciale apparentering waren onder meer een meer billijke, proportionele verdeling tussen stemmen en zetels, een forse winst voor de socialistische partij (van veertig naar zeventig zetels in 1919) en het verlies van de absolute meerderheid voor de katholieke partij. Sindsdien heeft geen enkele partij nog de absolute meerderheid gehaald en kende België alleen nog coalitieregeringen, op twee uitzonderingen na.[71] De CVP behaalde in 1950, in de nasleep van de koningskwestie, zowel in de Kamer (108 op 212 zetels) als in de Senaat (90 op 175 zetels) de absolute meerderheid, waardoor ze vier jaar alleen kon regeren. In 1958, ten tijde van de Schoolstrijd, behaalde ze wel een meerderheid in de Senaat, maar niet in de Kamer, waar ze twee zetels tekortkwam. Het was enkel dankzij de steun van twee liberale Kamerleden die vanuit de oppositie de meerderheid steunden, dat de CVP/PSC in 1958 gedurende enkele maanden een homogene CVP/PSC regering in stand kon houden. Na vijf maanden werd de regering verruimd met de liberalen.

d. De bokkensprongen van de provinciale apparentering

Tot en met de verkiezingen van 1914 paste men de eenvoudige delerreeks D'Hondt toe om in elk kiesarrondissement de zetels te verdelen. Maar om de aanzienlijke stemoverschotten die zo telkens ontstonden en de uitslag vertekenden, beter te benutten, werkte men in 1919 een ingewikkeld systeem uit. Dit staat bekend onder de naam *provinciale apparentering* (Dewachter, 2003). Het was inderdaad zo dat er erg kleine kieskringen waren, die fungeerden als verkapte meerderheidsstelsels (de grootste partij of partijen verdeelden het beperkte aantal te verdelen zetels onder elkaar). Dat was vooral het geval in West-Vlaanderen, waar er tot 1995 niet minder dan vijf kieskringen waren en er soms (zoals in het arrondissement Ieper) maar drie zetels per kieskring te verdelen waren.

---

71. Enkele onstabiele pogingen van de socialistische partij om na de Tweede Wereldoorlog regeringen met enkel socialistische ministers op te zetten niet te na gesproken. Sommige van deze regeringen zongen het minder dan een week uit, zoals de regering-Paul Henri Spaak (13 maart tot 20 maart 1946).

Tabel 25: Evolutie van het aantal zetels per kieskring (1894-2003)

jaartal	1894	1900	1949	1995	2003
(aantal arrondissementen)	(41)	(30)	(30)	(20)	(11)
aantal zetels	152	152	212	150	150
provincie Antwerpen					
Antwerpen	11	11	20	14	24
Mechelen	4	4	6	10	
Turnhout	3	3	6		
provincie Brabant					
Brussel (Halle-Vilvoorde)	18	18	32	22	22
Leuven	6	6	7	7	7
Nijvel	4	4	5	5	5
provincie Henegouwen					
Doornik	4	6	6	4	19
Aat	2				
Charleroi	8	8	11	9	
Thuin	3	3	4		
Bergen	6	6	7	6	
Zinnik	3	3	4		
provincie Limburg					
Hasselt	3	3	5	11	12
Tongeren	2	3	6		
Maaseik	1				
provincie Luik					
Hoei	2	4	4	2	15
Borgworm	2				
Luik	11	11	14	9	
Verviers	4	4	6	4	
provincie Luxemburg					
Aarlen	1	3	3	3	4
Marche	1				
Bastenaken	1				
Neufchâteau	1	2	3		
Virton	1				
provincie Namen					
Namen	4	4	5	6	6
Dinant	2	4	4		
Philippeville	2				

provincie Oost-Vlaanderen					
Aalst	4	4	6	6	
Oudenaarde	3	3	3		
Gent	9	10	13	9	20
Eeklo	1				
Sint-Niklaas	4	4	4	6	
Dendermonde	3	3	4		
provincie West-Vlaanderen					
Brugge	3	3	5	4	
Roeselare	2	4	5	8	
Tielt	2				
Kortrijk	4	4	6		16
Ieper	3	3	3		
Veurne	1			5	
Diskmuide	1	4	5		
Oostende	2				

Het nieuwe stelsel van apparentering voorzag dat partijen die in meerdere kieskringen binnen eenzelfde provincie opkwamen, hun stemoverschotten konden samenbrengen op het provinciale niveau. Zo hoopte men de restzetels op een 'eerlijkere' manier te kunnen verdelen.[72] De delerreeks D'Hondt werd in dit stelsel met andere woorden niet langer dertig keer (per kiesarrondissement) toegepast maar slechts negen keer (op het provinciale niveau).

Het gaf evenwel aanleiding tot een uiterst complex kiesstelsel dat in verschillende stappen verliep en weinig transparant was. Frequent schoven helemaal op het einde van het proces nog zetels door van een kieskring waar een partij veel zetels behaalde, naar een kieskring waar ze veel slechter had gescoord en waar ze op basis van normale proportionele regels geen 'recht' op een zetel zou hebben gehad. Zo berekende Wilfried Dewachter dat er tussen 1919 en 1987 zeker 41 'onrechtmatige' zetels toegewezen werden op basis van de zogenaamde bokkensprongen van de provinciale apparentering. Een gekend voorbeeld is dat van de kleine kieskring Oudenaarde in 1987, waarin twee zetels te verdelen vielen. De zetels gingen naar de PVV en Agalev, omdat toen Agalev in de provincie Oost-Vlaanderen aan de beurt was om haar zetel 'geplaatst te krijgen', er enkel nog een zetel vacant was in de kieskring Oudenaarde. Daardoor veroverde Agalev een van de twee

---

72. De gevolgen zijn niet min: berekeningen voor de periode 1919-1954 leren dat CVP-PSC dankzij de provinciale apparentering bij elke verkiezing gemiddeld zes zetels zouden verliezen en de BSP-PSB 3,66. De liberalen zouden daarentegen 4,83 zetels winnen.

zetels, ondanks het feit ze maar een zevende van het stemmenaantal van de CVP behaalde en een vijfde van dat van de SP. Beide partijen bleven in die kieskring met lege handen achter.

Tabel 26:   Het resultaat van de provinciale apparentering in Oudenaarde (1987)

CVP	23 875 stemmen – 0 zetels
PVV	25 385 stemmen – 1 zetel
SP	18 039 stemmen – 0 zetels
Agalev	3623 stemmen – 1 zetel

Een ander spraakmakend voorbeeld is de verkiezing van de Volksuniekandidaat Toon Van Overstraeten, die in 1985 dankzij de apparentering verkozen werd voor de Kamer in het kiesarrondissement Nijvel. Maar door het *dubbelmandaat* had hij ook zitting in de Waalse Raad (de voorloper van het Waals Parlement) in het kiesarrondissement Nijvel, ook al had de VU slechts een 700-tal stemmen behaald in die kieskring. Opnieuw lag eenzelfde bokkensprong aan de basis van deze vreemde uitslag. Toen het de beurt was aan de Volksunie om haar zetel (die ze grotendeels in Leuven behaald had) te alloceren, waren alle zetels in de kieskring Leuven al toegewezen, waardoor er enkel nog een zetel vrij was in het andere kiesarrondissement van de tweetalige provincie Brabant, met name Nijvel. De Franstaligen weigerden Van Overstraeten toe te laten tot hun *assemblée* en hij werd *manu militari* uit de zittingszaal verwijderd. Sinds dit incident is geen lijstenverbinding meer mogelijk tussen de Vlaamse kieskring Leuven en de Franstalige kieskring Nijvel, maar enkel nog tussen Leuven en Brussel-Halle-Vilvoorde voor de Nederlandstalige partijen enerzijds en tussen Nijvel en Brussel-Halle-Vilvoorde voor de Franstalige partijen anderzijds.

3.   De verschillende kiesstelsels in België

a. *De verkiezing van de federale Kamer van Volksvertegenwoordigers*

Nadat bij de grondwetswijziging van 1993 het kiesstelsel voor de Senaat reeds drastisch werd vereenvoudigd en het aantal kiesarrondissementen voor de Kamerverkiezingen werd gereduceerd, voerde de paars-groene regering-Verhofstadt I in de lente van 2002 een belangrijke vereenvoudiging door van het Belgische kiesstelsel.[73] De kiesarrondissementen werden

---

73. Tussen 1993 en 2002 golden de vroegere 21 kiesarrondissementen die bij de Senaatsverkiezingen werden gebruikt, als kieskringen voor de Kamer van Volksvertegenwoordigers. In de provincie West-Vlaanderen gebeurden wel wat aanpassingen.

afgeschaft en er kwamen elf nieuwe kieskringen overeenkomstig de provincies. Omwille van de communautaire gevoeligheden werden de provincies Vlaams- en Waals-Brabant gesplitst in drie afzonderlijke kieskringen: Leuven, Nijvel en Brussel-Halle-Vilvoorde. Vooral de regeling voor die laatste kieskring bezorgde de regering-Verhofstadt, en alle regeringen nadien, veel kopzorgen. De Franstalige politieke partijen behielden uiteindelijk het recht om ook op het Vlaamse grondgebied rond de tweetalige hoofdstad Brussel met hun Brusselse kopmannen (en -vrouwen) campagne te voeren, ondanks het feit dat de taalwetten van 1963 bepalen dat alle bestuursdaden op dat Vlaamse territorium in het Nederlands moeten plaatsvinden.

De kwestie Brussel-Halle-Vilvoorde (BHV) lag mee aan de basis van de op één na langste regeringsvorming die België ooit gekend heeft. Na de verkiezingen van 10 juni 2007 poogden de twee Vlaamse politieke partijen Open Vld en CD&V, dat een kartel gevormd had met de Vlaams-nationalistische N-VA, en de twee Franstalige politieke partijen MR en cdH maandenlang een regering op de been te brengen. Uiteindelijk legde op 21 december 2007 een interimregering onder leiding van aftredend premier Guy Verhofstadt de eed af, liefst 194 dagen na de verkiezingen. De communautaire twisten zouden nog doorheen de hele legislatuur 2007-2010 de Wetstraat in hun greep houden. De 'definitieve' regering-Leterme I startte op 20 maart 2008, 284 dagen na de verkiezingen van juni 2007 (Brinckman et al., 2008). Na de regering-Van Rompuy (30 december 2008-25 november 2009) viel de regering-Leterme II over het BHV-vraagstuk. De vervroegde verkiezingen van 13 juni 2010 leidden dan wel tot een duidelijk keuze aan beide zijden van de taalgrens, met de N-VA als winnaar in het Noorden en de PS als onbetwiste marktleider in het Zuiden, het leidde evenwel niet tot gemakkelijke coalitiebesprekingen. Pas na 541 dagen – een absoluut record – trad een nieuwe federale regering aan met Elio Di Rupo als de eerste Franstalige socialist die premier werd sinds 1973. Belangrijker was dat de regeringspartijen aangevuld met de groenen een akkoord hadden gevonden om het kiesarrondissement BHV te splitsen.[74]

De splitsing houdt in dat er vanaf nu twee aparte kieskringen bestaan: een kieskring Brussel-Hoofdstad en een kieskring Vlaams-Brabant, die Halle-Vilvoorde en de oude arrondissementele kieskring Leuven omvat. Deze splitsing heeft verstrekkende gevolgen voor de Europese en de Kamerverkiezingen. In Halle-Vilvoorde kan men niet meer stemmen op Brusselse kieslijsten. Hierdoor kunnen Vlamingen in Halle-Vilvoorde niet meer verkozen worden in Brussel dankzij stemmen uit Halle-Vilvoorde. De kans dat Vlamingen/Nederlandstaligen nog rechtstreeks in Brussel verkozen zullen

---

74. Op 12 augustus 2012 verscheen in het Belgisch Staatsblad de wet die in de splitsing voorziet.

raken, is daarmee uiterst klein geworden.[75] Anderzijds kan men in Brussel ook niet meer stemmen op lijsten uit Halle-Vilvoorde (nu dus kieskring Vlaams-Brabant). Dit betekent dat Franstaligen in Halle-Vilvoorde niet meer verkozen kunnen worden dankzij stemmen uit Brussel.[76] Dit was voor de Vlamingen een duidelijk signaal dat Halle-Vilvoorde tot Vlaanderen behoort en niet tot Brussel. Voor de Senaat moest er geen nieuwe regeling uitgewerkt worden, aangezien het Vlinderakkoord in de afschaffing van de rechtstreekse verkiezingen voorziet.

Bij de vereenvoudiging die de eerste regering-Verhofstadt doorvoerde, werd het ingewikkelde stelsel van de provinciale apparentering afgeschaft behalve in BHV, Leuven en Nijvel. De zetelverdeling gebeurt sindsdien door een eenvoudige toepassing van de delerreeks D'Hondt op het provinciale niveau. Zo werden de 24 zetels in de provincie Antwerpen op 13 juni 2010 in de volgende orde verdeeld over de politieke partijen (tabel 27). De eerste zetel ging naar de N-VA, de tweede naar het Vlaams Belang, de derde naar CD&V enz. Lijst Dedecker, de grootste van de partijen die geen zetel verwierven, kwam niet voor een zetel in aanmerking, omdat het totale aantal stemmen (25 081) ver verwijderd was van het laatste quotiënt (40 311,67) dat diende om de 24ste en laatste zetel toe te wijzen. Deze kwam toe aan Open Vld.

Tabel 27: Verdeling van de zetels in de kieskring Antwerpen (Kamer, 2010)

	N-VA		Vlaams Belang		CD&V		sp.a		Open Vld		GROEN!	
# stemmen	336 631		177 012		170 260		156 976		120 935		84 314	
Deler												
1	336 631	1	177 012	2	170 260	3	156 976	5	120 935	6	84 314	10
2	168 315,50	4	88 506,00	8	85 130,00	9	78 488,00	12	60 467,50	14	42 157,00	22
3	112 210,33	7	59 004,00	15	56 753,33	16	52 325,33	18	40 311,67	24	28 104,67	
4	84 157,75	11	44 253,00	20	42 565,00	21	39 244,00		30 233,75		21 078,50	
5	67 326,20	13	35 402,40		34 052,00		31 395,20		24 187,00		16 862,80	
6	56 105,17	17	29 502,00		28 376,67		26 162,67		20 155,83		14 052,33	
7	48 090,14	19	25 287,43		24 322,86		22 425,14		17 276,43		12 044,86	
8	42 078,88	23	22 126,50		21 282,50		19 622,00		15 116,88		10 539,25	
9	37 403,44		19 668,00		18 917,78		17 441,78		13 437,22		9368,22	
10	33 663,10		17 701,20		17 026,00		15 697,60		12 093,50		8431,40	

75. In de faciliteitengemeenten Wemmel, Kraainem, Wezembeek-Oppem, Drogenbos, Linkebeek en Sint-Genesius-Rode kunnen inwoners kiezen voor een kiesbrief uit de kieskring Vlaams-Brabant of voor een kiesbrief uit de kieskring Brussel-Hoofdstad. Dit geldt zowel voor de Kamer als voor de Europese verkiezingen.
76. Het staat de Franstalige partijen vrij om eigen lijsten met eigen kandidaten in Vlaams-Brabant voor te dragen.

De verdeling van de zetels over de lijsten vertelt echter nog niets over de toewijzing van de zetels aan de kandidaten die op de lijst staan. Voor de eerste vergroting van de kieskringen bij de institutionele hervormingen die de grondwetswijziging van 1993 met zich meebracht, was het voor een individuele kandidaat bijzonder moeilijk om de zogenaamde *nuttige volgorde* te doorbeken. Wie niet bovenaan de lijst stond, had theoretisch nog wel een kans om op basis van zijn aantal voorkeurstemmen verkozen te worden, maar gezien de overdracht van de hoofdvakstemmen in volgorde verliep, maakten enkel de eerste kandidaten, die bovenaan de lijst stonden, effectief kans om verkozen te worden.[77] Tussen 1919 en 1995 slaagden slechts dertig Kamerleden erin om op basis van hun eigen voorkeurstemmenaantal de nuttige volgorde te doorbreken, op een totaal van 4719 toegekende mandaten (Dewachter, 1988; Fiers, 2001). Dewachter berekende verder dat zonder overdracht van de lijststem er op een totaal van 2968 mandaten liefst 379 andere personen in de Kamer gezeteld zouden hebben in de periode 1919-1987. Dit is gemiddeld 12,8 % (Dewachter, 2003, p. 75). Doordat de vergroting van de kieskringen in 1995 gepaard ging met een opstoot in het voorkeurstemgedrag van de kiezers, was het sindsdien al wel een heel stuk eenvoudiger geworden om de nuttige volgorde te doorbreken. Toch bleef de overdracht van de hoofdvakstemmen voornamelijk in liberale kringen voor heel wat beroering zorgen. Het werd als een 'ondemocratische' regel ervaren, omdat 'de burger' door die regel minder inspraak had op de uiteindelijke samenstelling van het parlement, dan wanneer er enkel rekening gehouden zou worden met het aantal voorkeurstemmen.

Uiteindelijk kwam bij het akkoord over de kieswethervorming in 2002 een compromis uit de bus, waarbij de hoofdvakstem niet werd afgeschaft, maar voortaan slechts voor de helft meer zou worden overgedragen aan de kandidaten, in volgorde van hun plaats op de kieslijst, en in zoverre ze er nood aan hadden om het verkiesbaarheidscijfer te behalen. Uit tabel 28 valt duidelijk af te lezen hoe de overdracht van de hoofdvakstem alsnog meespeelt in de volgorde waarop de zetels toegewezen worden aan de kandidaten binnen één partij, in casu de N-VA-lijst in de provincie Antwerpen bij de verkiezingen voor de Kamer van Volksvertegenwoordigers in 2010.

---

77. De hoofdvakstem is het bolletje bovenaan de lijst. Door dit bolletje te kleuren, verklaart de kiezer zich in principe akkoord met de volgorde van de kandidaten en de opvolgers, zoals ze door de partij werd opgemaakt.

Tabel 28:   Toewijzing van de zetels aan de lijst N-VA in de kieskring Antwerpen (Kamer, 2010)

Plaats op de lijst	Kandidaat	Voorkeur-stemmen	Extra stemmen uit de 'pot'	Verkiesbaar-heidscijfers	Overschot stemmen in de 'pot'	Rang-orde van verkie-zing
		kandidaat-effectieven				
1	JAMBON Jan	61 100	0	61 100	105 106	1
2	DE WIT Sophie	26 918	10 486	37 404	94 620	2
3	VAN NOPPEN Flor	21 635	15 769	37 404	78 851	3
4	DEMIR Zuhal	10 248	27 156	37 404	51 695	4
5	VAN MOER Reinilde	8956	28 448	37 404	23 247	5
6	VAN ESBROECK Jan	6527	23 247	29 774	0	6
7	BELLENS Rita	8648	0	8648	0	
8	DE RIDDER Minneke	9404	0	9404	0	8
9	VAN DE VOORDE Dirk	5447	0	5447	0	
10	BROECKX Erik	5310	0	5310	0	
11	VAN DER VLOET Tine	7741	0	7741	0	
12	FREDERICKX Patricia	6497	0	6497	0	
13	PEETERS Bruno	6890	0	6890	0	
14	ANTONIO Geert	4677	0	4677	0	
15	GEETS Frank	3794	0	3794	0	
16	CHOUKRI Sadia	5631	0	5631	0	
17	GULDENTOPS Annelies	6837	0	6837	0	
18	VAN LAER Geert	4166	0	4166	0	
19	ANTHONIS Willy	4025	0	4025	0	
20	WEETS Lisette	5032	0	5032	0	
21	VANGHEEL Jan	3908	0	3908	0	
22	COTTENIE Christel	5120	0	5120	0	
23	CELIS Vera	6542	0	6542	0	
24	VAN DIJCK Kris	15 607	0	15 607	0	7
		kandidaat-opvolgers				
1	WOLLANTS Bert	6163	31 241	37 404	126 735	1
2	BAETEN Els	5458	31 946	37 404	94 789	2
3	ENTBROUXK Fred	2756	34 648	37 404	60 141	3
4	BENNENBROEK-SLEGERS Joziena	3103	34 301	37 404	25 840	4
5	CASIER Ken	2698	25 840	28 538	0	5
6	SMANS Marc	2814	0	2814	0	12
7	PEETERS Bruno	2995	0	2995	0	11
8	VERSTREKEN Liesbeth	4305	0	4305	0	7
9	ERA Erica	3270	0	3270	0	9
10	VAN HAUTEGHEM Marleen	3256	0	3256	0	10
11	DAEMS Alfons	2424	0	2424	0	13
12	TOEN Kathelijne	3815	0	3815	0	8
13	HENDRICKX Marc	5062	0	5062	0	6

Halve pot hoofdvakstemmen voor de titularissen: 105 106

Halve pot hoofdvakstemmen voor de opvolgers: 157 976

Nadat de toepassing van de delerreeks D'Hondt op het verkiezingsresultaat van de partijen bepaald heeft dat de N-VA-lijst recht heeft op acht zetels van de 24 te verdelen zetels, wordt het zogenaamde cijfer van verkiesbaarheid vastgelegd. Dit is het quotiënt van de deling van het totale aantal stemmen dat de N-VA-lijst behaald heeft in de kieskring Antwerpen, gedeeld door het aantal zetels dat ze toegewezen kreeg plus 1. De deling van de 336 631 stemmen gedeeld door 8+1 zetels, levert een verkiesbaarheidscijfer op van 37 404.

Alle kandidaten die op eigen kracht meer dan 37 404 voorkeurstemmen hebben behaald, worden in dalende volgorde naar aantal voorkeurstemmen meteen verkozen en kunnen dus beslag leggen op een zetel. In het voorbeeld uit tabel 28 is dat het geval voor Jan Jambon die als lijsttrekker rechtstreeks en op eigen kracht voorkozen is. Jambon heeft met zijn 61 100 voorkeurstemmen geen bijkomende overdracht van stemmen uit de 'pot' aan hoofdvakstemmen nodig gehad om het cijfer van verkiesbaarheid te bereiken. De eerstvolgende zetel wordt toegekend aan de tweede op de lijst, Sophie De Wit. Bovenop haar 26 918 voorkeurstemmen heeft ze nog 10 486 stemmen nodig uit de 'pot' van hoofdvakstemmen, om aan het verkiesbaarheidscijfer te geraken.

Het proces waarbij de voorkeurstemmen van de kandidaten worden aangevuld met extra stemmen uit de 'pot' tot het verkiesbaarheidscijfer bereikt is, wordt herhaald voor elke kandidaat op de lijst (na de kandidaat op de eerste plaats is de kandidaat op de tweede plaats aan de beurt, dan de derde, enz.) tot de gehalveerde pot van lijststemmen uitgeput is. Concreet voor tabel 28 betekent dit dat de zesde kandidaat op de lijst, zijnde Jan Van Esbroeck, het laatste deel van de 'pot' van hoofdvakstemmen op zich neemt. Pas vanaf dan werd het in 2010 voor de kandidaten op de Antwerpse N-VA-lijst mogelijk om enkel en alleen op basis van voorkeurstemmen, dus 'buiten de nuttige volgorde', verkozen te worden. Uit tabel 28 blijkt dat de zevende N-VA-zetel toekwam aan lijstduwer Kris Van Dijck en de achtste aan Minneke De Ridder (achtste op de lijst), die louter op basis van haar voorkeurstemmen de zevende op de lijst, Rita Bellens, wist voorbij te steken.

Wat de opvolgers betreft, is de pot vaak heel snel uitgeput, omdat het aantal voorkeurstemmen dat op opvolgers wordt uitgebracht aanzienlijk lager ligt dan het aantal voorkeurstemmen op kandidaat-titularissen. Daardoor hebben vaak zowel de eerste als de tweede opvolger veel stemmen uit de pot nodig om het verkiesbaarheidscijfer te halen, en blijft er weinig over voor de overige kandidaten. Toch worden álle opvolgers gerangschikt – in volgorde van hun voorkeurstemmenaantal – om te vermijden dat er onduidelijkheid zou zijn over de volgorde waarin de opvolgers in aanmerking komen om een vacante plaats in het parlementaire halfrond in te vullen.

De vergroting van de kieskringen bij de kieshervorming van 2002 verdubbelde meteen ook het gemiddelde aantal zetels per kieskring. Bijgevolg steeg de *district magnitude* DM van 7,1 tot 13,6. Om te vermijden dat het parlement verder zou fractionaliseren, ging de invoering van de provinciale kieskringen gepaard met de invoering van een 5 %-*kiesdrempel*. Om tot de provinciale verdeling van de zetels toegelaten te worden, moet een partij dus over 5 % van de stemmen beschikken. Wie daar niet aan voldoet, kan in die provincie geen zetel verwerven.[78]

Een laatste belangrijke wijziging aan de kieswetgeving uit 2002 betreft de invoering van een *pariteitsregel* wat het aantal mannelijke en vrouwelijke kandidaten betreft. De wetten van 17 augustus 2002 voorzien inderdaad dat het verschil tussen het aantal mannelijke en het aantal vrouwelijke kandidaten nooit groter mag zijn dan één. Doordat sinds 2002 ook bepaald is dat minstens één van de drie bovenste plaatsen op de lijst door een vrouw moet worden ingenomen, is het aantal vrouwelijke parlementsleden gevoelig gestegen. De effecten hiervan op de verkiezingen en op de samenstelling van de parlementaire raden behandelen we in hoofdstuk 9.

b. De getrapte verkiezing van de Senaat

Voor de Senaat veranderde er in 2002 ten opzichte van de grondige hervorming van de instelling in 1993 niets. Er werden slechts 40 van de in totaal 71 zetels in de Senaat rechtstreeks verkozen: 25 zetels werden bestemd voor vertegenwoordigers van de Nederlandstalige bevolking in Vlaanderen en het tweetalige gebied van het Brusselse Hoofdstedelijke Gewest en 15 zetels voor een Franstalig kiescollege dat op het Waalse grondgebied en het tweetalige grondgebied van het Brusselse Hoofdstedelijke Gewest woont. Daarbij gelden beide colleges als één kieskring.

De zetels werden bijgevolg toegekend door een eenvoudige toepassing van de delerreeks D'Hondt. Het resultaat van elke partij werd dus gedeeld door 1, 2, 3, 4 etc. Zo werden de eerste 25 zetels verdeeld (zie de aanduiding DIR1 tot DIR25 in tabel 29). Direct volgend op de verdeling van de 25 respectievelijk 15 rechtstreeks verkozen zetels, werden ook 20 van de 21 zetels van gemeenschapssenator en de tien zetels van gecoöpteerd senator verdeeld. Dat gebeurde op basis van dezelfde delerreeks D'Hondt, die reeds de rechtstreeks verkozen mandaten over de partijen verdeelde. Voor de Vlaamse politieke partijen kwam het erop neer dat de 26ste te verdelen zetel de eerste zetel van gemeenschapssenator was (GEM1 tot GEM10) en de 36ste te verdelen zetel de eerste van zes zetels van gecoöpteerd senator (COOP1 tot COOP6) (tabel 29). De gemeenschapssenator van de Duitstalige gemeenschap wordt met eenparigheid van stemmen verkozen door en uit de Duitstalige gemeenschapsraad (Maddens, 2006).

---

78. In de (gesplitste) kieskringen Brussel-Hoofdstad en Vlaams-Brabant geldt eveneens de 5 %-kiesdrempel.

Tabel 29:   De verdeling van de Senaatszetels in 2010 (Nederlands kiescollege)

	N-VA		CD&V		sp.a		Open Vld		Vlaams Belang		GROEN!	
1	1 268 780	DIR 1	646 375	DIR 2	613 079	DIR 4	533 124	DIR 5	491 547	DIR 6	251 546	DIR 13
2	634 390,0	DIR 3	323 187,5	DIR 8	306 539,5	DIR 10	266 562,0	DIR 11	245 773,5	DIR 14	125 773,0	GEM 3
3	422 926,7	DIR 7	215 458,3	DIR 15	204 359,7	DIR 17	177 708,0	DIR 19	163 849,0	DIR 20	83 848,7	
4	317 195,0	DIR 9	161 593,8	DIR 21	153 269,8	DIR 23	133 281,0	DIR 25	122 886,8	GEM 4	62 886,5	
5	253 756,0	DIR 12	129 275,0	GEM 1	122 615,8	GEM 5	106 624,8	GEM 8	98 309,4	COOP 1	50 309,2	
6	211 463,3	DIR 16	107 729,2	GEM 7	102 179,8	GEM 10	88 854,0	COOP 5	81 924,5		41 924,3	
7	181 254,3	DIR 18	92 339,3	COOP 3	87 582,7	COOP 6	76 160,6		70 221,0		35 935,1	
8	158 597,5	DIR 22	80 796,9		76 634,9		66 640,5		61 443,4		31 443,3	
9	140 975,6	DIR 24	71 819,4		68 119,9		59 236,0		54 616,3		27 949,6	
10	126 878,0	GEM 2	64 637,5		61 307,9		53 312,4		49 154,7		25 154,6	
11	115 343,6	GEM 6	58 761,4		55 734,5		48 465,8		44 686,1		22 867,8	
12	105 731,7	GEM 9	53 864,6		51 089,9		44 427,0		40 962,3		20 962,2	
13	97 598,5	COOP 2	49 721,2		47 159,9		41 009,5		37 811,3		19 349,7	
14	90 627,1	COOP 4	46 169,6		43 791,4		38 080,3		35 110,5		17 967,6	
15	84 585,3		43 091,7		40 871,9		35 541,6		32 769,8		16 769,7	

Het Vlinderakkoord dat bereikt werd op 11 oktober 2011 door de zes partijen van de regering-Di Rupo en de groenen voorziet in de afschaffing van zowel de senatoren van rechtswege als de rechtstreeks verkozen senatoren. Dit laatste betekent dus dat er geen verkiezingen voor de Senaat meer zullen plaatsvinden. Om dit op te vangen zal het aantal vertegenwoordigers uit de deelstatelijke parlementen verhoogd worden van 21 naar 50. Hiervan zullen er 29 aangeduid worden door het Vlaams Parlement, 10 door het parlement van de Franse Gemeenschap, 8 door het Waals Gewestparlement, 2 door de Franstalige groep in het parlement van het Brusselse Hoofdstedelijke Gewest en 1 door het parlement van de Duitstalige Gemeenschap. De 10 gecoöpteerde senatoren zullen wel behouden blijven, wat betekent dat de Senaat in totaal nog 60 leden zal tellen.[79]

c. De verkiezing van de deelstaatparlementen

De verkiezing van de deelstaatparlementen gebeurt niet op eenzelfde manier als de verkiezing van het federale parlement. Sinds de grondwetswijziging van 2001 zijn de deelstaten immers zelf bevoegd voor hun eigen bestuurlijke organisatie. De Vlaamse regering maakte daarvan gebruik om in aanloop naar de eerste autonome verkiezingen voor het Vlaams Parlement in 2004 het kiesstelsel te aligneren met dat van de federale verkiezingen. Zo werden bijvoorbeeld de provinciale kieskringen overgenomen. Doordat er 124 zetels te verdelen zijn in vijf provincies en de kieskring Brussel-Halle-Vilvoorde, ligt de DM een stuk hoger dan voor de federale verkiezingen, met name op 20,6.

---

79. Dit luik van de zesde staatshervorming zou al in 2014 worden toegepast maar was op het moment van de publicatie nog niet gestemd.

Tabel 30:   Evolutie van de kieskringen voor de verkiezing van het Vlaams en het Waals Parlement (1995-2009)

Vlaams Parlement	1995	2004
aantal zetels	124	124
provincie Antwerpen		33
Antwerpen	19	
Mechelen	14	
Turnhout		
provincie Vlaams-Brabant		20
Halle-Vilvoorde	11	
Leuven	9	
provincie Limburg		16
Hasselt	15	
Tongeren		
Maaseik		
provincie Oost-Vlaanderen		27
Aalst	8	
Oudenaarde		
Gent	12	
Eeklo		
Sint-Niklaas	8	
Dendermonde		
provincie West-Vlaanderen		22
Brugge	5	
Roeselare	10	
Tielt		
Kortrijk		
Ieper	7	
Veurne		
Diskmuide		
Oostende		
Brussel		
Brussel	6	6

Waals Parlement	1995	2004
aantal zetels	75	75
provincie Henegouwen		
Doornik	7	7
Aat		
Charleroi	10	9
Thuin	3	3
Bergen	6	6
Zinnik	4	4
provincie Luik		
Hoei	4	4
Borgworm		
Luik	14	13
Verviers	6	6
provincie Luxemburg		
Aarlen	3	3
Marche		
Bastenaken		
Neufchâteau	2	2
Virton		
provincie Namen		
Namen	6	6
Dinant	3	4
Philippeville		
provincie Waals-Brabant		
Nijvel	7	8

De Waalse gewestraad, daarentegen, besliste om voor zijn verkiezing terug te keren naar de oude kieskringen van vóór de hervorming van 2002. De 75 leden van het parlement worden gekozen in 13 kieskringen, wat een lage DM van 5,76 oplevert. De kieskring met het grootste aantal zetels is de kieskring van het stedelijke gebied Luik (13 zetels), terwijl er in Neufchateau-Virton slechts twee zetels te verdelen zijn.[80]

De verdeling van de zetels gebeurt hier wél nog op basis van de provinciale apparentering, met een toepassing van de 5 %-kiesdrempel zowel op het niveau van de kieskring als op het niveau van de provincie. Partijen die geen vijf procent van de stemmen halen, worden uitgesloten van de verdeling van de zetels op het niveau van de kieskring en evenzo op het niveau van de provinciale clustering van de resultaten, ter verdeling van de restzetels. In de praktijk betekent de 5 %-kiesdrempel enkel een hindernis in de provincies Henegouwen (waar 29 zetels te verdelen zijn) en Luik (23 zetels) (Maddens, 2006). In kieskringen waar slechts een handvol zetels te verdelen is, speelt de 5 %-kiesdrempel hoegenaamd geen rol omdat de natuurlijke kiesdrempel om een van die zetels te bemachtigen een heel stuk hoger ligt.

Het parlement van het Brusselse Hoofdstedelijke Gewest bestaat uit 89 leden, waarvan op voorhand bepaald is dat er 72 Franstalige leden en 17 Nederlandstalige leden zijn. De opneming van de stemming gebeurt in één kieskring, maar de leden van beide taalgroepen worden verkozen op afzonderlijke lijsten. De kiesdrempel wordt toegepast per kiescollege. Om de kans te verkleinen dat het Vlaams Belang de meerderheid in het Nederlandse kiescollege zou behalen, werd aan de andere partijen de kans geboden om hun lijsten met elkaar te verbinden vóór de zetels verdeeld worden. Die zetelverdeling gebeurt in elk kiescollege afzonderlijk, op basis van de delerreeks D'Hondt. Merk op dat het kiesstelsel voor het Franse kiescollege sterke gelijkenissen vertoont met de zeer open systemen van Nederland en Israël. Inderdaad, in feite gaat het om een verkiezing in één grote kieskring die het hele grondgebied beslaat. Ook voor het Nederlandse college is dit uiteraard het geval, maar door het kleinere aantal zetels dat er te verdelen is, is het effect minder sterk.

Het parlement van de Duitstalige gemeenschap ten slotte was het allereerste deelstaatparlement dat rechtstreeks verkozen werd. Dat gebeurde in oktober 1986 (Vanlangenakker, 2008). Het telt 25 leden, die worden verkozen in één kieskring. Tussen de partijen die meer stemmen haalden dan de formele kiesdrempel van 5 % worden de zetels verdeeld via het systeem D'Hondt. Het parlement van de Duitstalige gemeenschap wordt gekenmerkt door een opmerkelijke stabiliteit. Het christendemocratische CSP is afgetekend de grootste partij en behaalde sinds 1986 steeds tussen de zeven en de tien zetels, terwijl de liberale PFF er tussen de vier en de zes haalde, en de socialistische SP drie tot vijf. Met de jaren blijft de aanhang van het nationalistische PJU-PDB (sinds 2008 ProDG) relatief stabiel, net zoals de groe-

---

80. Op basis van de bevolkingscijfers van 2012 wordt de zetelverdeling aangepast (en in 2014 toegepast): Bergen verliest één zetel en Namen wint één zetel. Alle andere cijfers blijven gelijk.

nen, terwijl de partij Vivant een opmerkelijk resultaat neerzet: sinds 2004 is ze met twee zetels goed vertegenwoordigd in het parlement van de Duitstalige gemeenschap (Vanlangenakker, 2008).

d. De verkiezing van de gemeente- en provincieraden

Sinds de onafhankelijkheid van België worden er elke zes jaar op het lokale niveau vertegenwoordigers gekozen. Sinds 1 januari 2002 zijn de gewesten bevoegd voor de organisatie van de verkiezingen van de gemeenteraden (589, waarvan 308 in het Vlaamse Gewest), de provincieraden (10, waarvan vijf in het Vlaamse Gewest) en de (Antwerpse) districtsraden (9). In 2005 was het Vlaamse Gewest klaar om de oude federale wetgeving gedeeltelijk te vervangen door eigen wetgeving. Zo kwam er onder meer een Gemeente-decreet dat werd bekrachtigd op 15 juli 2005 en een Provinciedecreet dat werd bekrachtigd op 9 december 2005.[81] Deze nieuwe regelgeving werd voor het eerst toegepast bij de lokale verkiezingen van 2006.

Het Gemeentedecreet regelt onder meer de grootte van de gemeenteraden en van de colleges van burgemeester en schepenen. De Vlaamse regering stelt uiterlijk op 1 juni van het verkiezingsjaar het aantal te verkiezen raads-leden vast op basis van de officiële bevolkingsgetallen. Gemeenten met min-der dan 1000 inwoners moeten het stellen met 7 leden, terwijl de grootste gemeenten – die met 300 000 inwoners of meer – een gemeenteraad kunnen samenstellen bestaande uit 55 leden (zie tabel 31). Het college van burge-meester en schepenen bestaat uit de burgemeester, de voorzitter van de raad voor maatschappelijk welzijn, en uit een aantal schepenen. Gemeenten met minder dan 1000 inwoners kunnen maximaal twee schepenen aanstellen; gemeenten met meer dan 200 000 inwoners kunnen maximaal 10 schepe-nen aanstellen. De gemeenteraadsleden verkiezen tijdens de eerste vergade-ring van de nieuwe gemeenteraad de OCMW-raadsleden, die op hun beurt de voorzitter van het OCMW aanstellen. Sinds 2013 maakt die voorzitter automatisch ('van rechtswege') deel uit van het college van burgemeesters en schepenen.

---

81. Deze twee decreten werden aangevuld en aangepast door het Lokaal en Provinciaal Kiesdecreet van 8 juli 2011.

Tabel 31:   Verkiezingen gemeenteraad Antwerpen (2012)

Lijst	Stemmen	%	Zetels	%	D'Hondt	Verschil
N-VA	102 795	37,73	23	41,82	22	-1
sp.a-CD&V Stadslijst	77 867	28,58	17	30,91	16	-1
Vlaams Belang	27 824	10,21	5	9,09	6	+1
PVDA+	21 720	7,97	4	7,27	4	0
Groen	21 658	7,95	4	7,27	4	0
Open Vld	15 098	5,54	2	3,64	3	+1
ROOD!	2756	1,01	0	0,00	0	0
Piratenpartij	1457	0,53	0	0,00	0	0
HART	467	0,17	0	0,00	0	0
Mathieu&Guillaume	458	0,17	0	0,00	0	0
Vrij Vlug Vooruit	335	0,12	0	0,00	0	0
Totaal	272 435	100	55	100	55	0

Voor de gemeenteraadsverkiezingen bestaat er geen wettelijke kiesdrempel. Niettemin, wat de zetelverdeling betreft, wordt de delerreeks Imperiali gebruikt. Dat zorgt voor een hogere natuurlijke kiesdrempel dan de delerreeks D'Hondt en bevoordeligt de grote partijen (zie tabel 31). Voor de berekening van het aantal zetels per partij en de toewijzing van de verkozenen binnen elke partij wordt hetzelfde mechanisme gebruikt als bij de Kamerverkiezingen en de verkiezingen voor het Vlaams Parlement. Het enige belangrijke verschil is dat er geen opvolgers zijn en dat de 'pot' met het aantal lijststemmen gedeeld wordt door drie (i.p.v. door twee). Dit betekent dat de voorkeurstemmen, die bij de lokale verkiezingen sowieso talrijker zijn, zwaarder doorwegen en het dus niet ongebruikelijk is dat kandidaten 'buiten de nuttige volgorde' worden verkozen. Ter vervanging van de afzonderlijke opvolgerslijst worden ook alle niet-verkozen kandidaten gerangordend. Diegene met het meeste aantal stemmen wordt de eerste opvolger, diegene met het tweede meeste aantal stemmen wordt tweede opvolger enz.

Ook in Wallonië worden de zetels verdeeld aan de hand van de delerreeks Imperiali. Bovendien wordt sinds 2006 de burgemeester in Wallonië zo goed als rechtstreeks verkozen. De verkozene met de meeste voorkeurstemmen op de lijst met de meeste stemmen binnen de achteraf gevormde meerderheidscoalitie krijgt automatisch de burgemeesterssjerp toebedeeld. Indien een kandidaat die op een van de drie eerste plaatsen op de lijst stond, de sjerp weigert, kan hij achteraf geen deel meer uitmaken van het college van burgemeester en schepenen. Voor kandidaten die niet op de eerste drie plaatsen staan, geldt een dergelijke sanctie niet.

Artikel 41 van de Grondwet bepaalt dat in gemeenten met meer dan 100 000 inwoners op initiatief van de gemeenteraad districten ('binnengemeentelijke territoriale organen') in het leven kunnen worden geroepen. Tot nog toe is Antwerpen de enige Belgische gemeente die van deze bepaling gebruikt heeft gemaakt. Momenteel wordt het Antwerpse grondgebied onderverdeeld in negen districten, waarbij het district Antwerpen het grootste aantal inwoners telt (193 844) en het district Berendrecht-Zandvliet-Lillo het kleinste aantal inwoners telt (9872).[82] Het Gemeentedecreet voorziet dat elk van de negen districten wordt bestuurd door een districtsraad, een districtscollege (met districtsschepenen) en een districtsvoorzitter. De grootte van de districtsraad bedraagt twee derde van die van een gemeenteraad met hetzelfde inwonersaantal als het district. Dit betekent dat een gemeente met 193 844 inwoners een gemeenteraad met 49 leden mag samenstellen, terwijl dit voor het district Antwerpen een districtsraad wordt met 33 leden (het decimale cijfer wordt naar boven afgerond) (zie tabel 32). De verkiezingen voor de districtsraden vinden op hetzelfde moment plaats als de gemeenteraads- en de provincieraadsverkiezingen. Net als voor de gemeenteraadsverkiezingen bestaat er geen wettelijke kiesdrempel voor de districtsverkiezingen. De zetelverdeling wordt echter – in tegenstelling tot bij de gemeenteraadsverkiezingen – berekend via de delerreeks D'Hondt.

Tabel 32:   **Zetelverdeling verkiezingen district Antwerpen (2012)**

Lijst	Stemmen	%	Zetels	%
sp.a-CD&V	25 970	29,60	10	30,30
N-VA	22 779	25,96	9	27,27
Groen	12 750	14,53	5	15,15
Open Vld	10 063	11,47	3	9,09
Vlaams Belang	8232	9,38	3	9,09
PVDA+	7938	9,05	3	9,09
Totaal	87 732	100	33	100

De provincieraadsverkiezingen geschieden per district (zie figuur 14). Elk district bevat een of meer kieskantons. De kiesdistricten werden zo getekend dat er per kieskring minstens zes provincieraadsleden verkozen zouden worden. In tegenstelling tot bij de gemeenteraads- en districtsraadsverkiezingen mogen niet-Belgen niet stemmen.

---

82.   Bevolkingscijfers op 1 januari 2013.

Figuur 14:   Indeling van Vlaanderen in gemeenten, provincies en kiesdistricten voor de provincieraadsverkiezingen (2012)

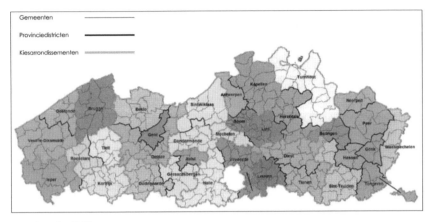

Bron: Craeghs, 2011.

Het Kiesdecreet van 2011 verminderde het aantal te verkiezen provincieraadsleden tot 63 (in plaats van 72) in provincies met minder dan 1 000 000 inwoners (Limburg) en tot 72 (in plaats van 84) voor de provincies met meer dan 1 000 000 inwoners (de overige vier provincies). Het Kiesdecreet bepaalde eveneens dat – als tegengewicht voor de uitbreiding van de kiesdistricten – een provinciale kiesdrempel zou worden vastgelegd op 5 procent van het totale aantal geldig uitgebrachte stemmen. Die zetelverdeling gebeurt net als bij de verkiezingen voor de Antwerpse districtsraden via het systeem D'Hondt. Voor de provincieraadsverkiezingen bestaat er nog steeds een systeem van apparentering/lijstenverbinding (over de provinciedistricten heen binnen één kiesarrondissement). Hoeveel kiesarrondissementen elke provincie omvat, verschilt van provincie tot provincie. De provincie West-Vlaanderen omvat, vier provinciale kiesarrondissementen, terwijl de provincie Limburg slechts één kiesarrondissement omvat. Het systeem van apparentering, dat ervoor zorgt dat niet alle zetels op het niveau van de provinciedistricten verdeeld worden, maar ook enkele op het niveau van het kiesarrondissement, maakt de verdeling van de zetels over de partijen in de provinciedistricten een ingewikkelde opdracht.

Tabel 33:   Verkiezing provinciedistrict Leuven (2012)

Lijst	Stemmen	%	Zetels	%
N-VA	30 634	25,88	3	23,08
CD&V	20 516	17,33	2	15,38
sp.a	19 704	16,64	2	15,38
Groen	19 674	16,62	2	15,38
Open Vld	15 195	12,84	3	23,08
Vlaams Belang	5654	4,78	1	7,69
PVDA+	2610	2,20	0	0
UF	2319	1,96	0	0
Piratenpartij	1279	1,08	0	0
BELG-UNIE	617	0,52	0	0
VCD	176	0,15	0	0
Totaal	118 378	100	13	100

Naast de gemeenteraden, de provincieraden en de districtsraden worden in de zes faciliteitengemeenten in de rand rond Brussel (Drogenbos, Kraainem, Linkebeek, Sint-Genesius-Rode, Wemmel, Wezembeek-Oppem) en de gemeente Voeren het vast bureau (en de OCMW-raad) en de schepenen (en de gemeenteraad) rechtstreeks verkozen. Er is dus één verkiezing voor de OCMW-raad en het vast bureau (één stembiljet) en één verkiezing voor de gemeenteraad en de schepenen (één stembiljet). De schepenen (en het vast bureau) worden niet door de gemeenteraad (respectievelijk: OCMW-raad) verkozen zoals in de rest van Vlaanderen maar rechtstreeks op basis van de gemeenteraadsverkiezingen (respectievelijk: verkiezingen voor de OCMW-raad).

4.   Het kiesstelsel en de particratie in België

Nadat het meerderheidsstelsel dat gedurende de hele negentiende eeuw van kracht was de bipolarisatie van de politieke krachten in een katholiek en een liberaal blok in de hand werkte, werd het stelsel voluit tripartite na de invoering van de evenredige vertegenwoordiging in 1900 en de invoering van het algemeen enkelvoudig stemrecht in 1919. De opkomende socialistische partij verdrong de liberale partij als tweede belangrijkste partijpolitieke stroming. Toch was het wachten tot na de Tweede Wereldoorlog alvorens de socialistische partij ook daadwerkelijk als regeringswaardig werd aanvaard. De dominantie van deze drie ideologische stromingen blijkt duidelijk uit het feit dat ze tot de jaren zestig samen meer dan 90 % van de beschikbare zetels in de Kamer van Volksvertegenwoordigers bezetten (Magnette &

Pilet, 2008).[83] Vanaf de jaren zestig echter begon de positie van de drie zogenaamd 'traditionele' partijen te tanen. De sterke opkomst van de regionalistische partijen Volksunie, *Rassemblement Wallon* en het *Front Démocratique des Francophones* (FDF) in de jaren zeventig, de intrede van de groenen in de jaren tachtig, en de doorbraak van het Vlaams Blok en een aantal protestpartijtjes bij de verkiezingen van 24 november 1991 deden het zetelaandeel met een tiental procentpunten dalen. Klap op de vuurpijl waren de 'dioxine'-verkiezingen van 1999 toen de traditionele politieke partijen slechts zeventig procent van de zetels in de Kamer konden bemachtigen. In 2003 wisten de traditionele partijen zich weer te herstellen. In 2010 bereikten de drie grote stromingen echter een dieptepunt van 57,2 %, wat in grote mate te wijten was aan de prestatie van de N-VA, die eensklaps 17,4 % van de Belgische kiezers achter zich kreeg.

Intussen waren elk van deze 'traditionele' partijen onder druk van een nationalistische reflex, zowel in de publieke opinie als onder de politieke elite, opgesplitst in een Vlaamse en een Franstalige partij. De christendemocratische CVP/PSC splitste in 1968, de liberale PVV/PLP in 1971, en de socialistische partij BSP/PSB in 1978. Omdat de zetels in het Belgische kiesstelsel verdeeld worden op een nationale schaal, maar onder partijen die slechts in een gedeelte van het hele land opkomen, en het partijlandschap gekenmerkt wordt door een sterke fragmentatie, krijgen we een vreemde situatie waarin de grootste partij van het land minder dan twintig procent van de bevolking vertegenwoordigt (tabel 34).

---

83. Met uitzondering van de verkiezingen van 1936 en 1939, toen een sterke delegatie van respectievelijk rexisten en VNV'ers in de Kamer zetelde. Het gezamenlijke aandeel kamerzetels van christendemocraten, socialisten en liberalen zakte tot 77,6 % in 1936 en 84,1 % in 1939. Bij de eerste verkiezingen na de Tweede Wereldoorlog snoepten 23 communistische vertegenwoordigers en één UDB'er (Union Démocratique des Belges) 13,9 % van de zetels van de grote politieke partijen af.

Tabel 34:   Evolutie van de Belgische politieke partijen (Kamerverkiezin-
              gen, 1978-2010)

	1978	1981	1985	1987	1991	1995	1999	2003	2007	2010
christendemocraten	36.3	26.5	29.8	27.5	24.5	24,9	19.9	18.7	24.6	16.4
CVP/CD&V (*)	26.1	19.3	21.3	19.5	16.8	17.2	14.1	13.2	18.5	10.9
PSC/cdH	10.2	7.2	7.9	8	7.7	7.7	5.8	5.5	6.1	5.5
socialisten	25.4	25.1	28.3	30.5	25.5	24.4	19.7	27.9	21.2	22.9
(B)SP /SP.A (°)	12.4	12.4	14.5	14.9	12	12.5	9.6	14.9	10.3	9.2
PS(B)	13	12.7	13.8	15.6	13.5	11.9	10.1	13	10.9	13.7
liberalen	16.6	21.5	21	20.9	20.1	23.4	24.4	26.8	24.3	17.9
PVV/(Open) Vld	10.3	12.9	10.8	11.5	12	13.1	14.3	15.4	11.8	8.6
PRL/MR	5.2	8.6	10.2	9.4	8.1	10.3	10.1	11.4	12.5	9.3
groenen	0.8	4.8	6.2	7.1	10	8.4	14.3	5.6	9.1	9.2
Agalev/Groen!		2.3	3.7	4.5	4.9	4.4	7	2.5	4	4.4
Ecolo		2.5	2.5	2.6	5.1	4	7.3	3.1	5.1	4.8
Volksunie	7	9.8	7.9	8	5.9	4.7	5.5			
N-VA								3.1		17.4
FDF	4.3	2.5	1.2	1.2	1.5					
RW	2.9	1.7								
Vlaams Blok/Belang	1.4	1.1	1.4	1.9	6.6	7.8	9.9	11.6	12	7.8
FN					1.1	2.3	1.4	2	2	0.5
Parti populaire										1.3
LDD									4.0	2.3

Als gevolg van dit versnipperde partijlandschap, en de vereisten van een paritaire samenstelling tussen Franstalige en Nederlandstalige ministers in de regering, zijn er steeds minstens vier partijen nodig om een stabiele meerderheid in het parlement te creëren. In 1999-2003 waren er zelfs zes partijen nodig. In 2003-2007 en 2007-2008 verborgen de kartels die aan de coalities deelnamen (respectievelijk sp.a/spirit en VLD-Vivant in 2003 en CD&V/N-VA in 2007) dat er in feite meer dan vier (2003) en vijf (2007-2008) participeerden aan de regeringen (tabel 35). Na de verkiezingen van 2010 kwam een zespartijenregering tot stand.

Tabel 35:   Samenstelling van de Belgische federale regeringen (1981-2011)

Naam kabinet	Samenstelling	Startdatum	Einddatum	Duur (in jaren)	Aantal regeringsleden	Aantal ministers	Aantal staatssecr.
Martens V	CVP-PSC-PVV-PRL	17/12/1981	14/10/1985	3,827	25	15	10
Martens VI	CVP-PSC-PVV-PRL	28/11/1985	21/10/1987	1,896	28	15	13
Martens VII	CVP-PSC-PVV-PRL	21/10/1987	14/12/1987	0,148	32	19	13
Martens VIII	CVP-PSC-PS-SP-VU	9/05/1988	29/09/1991	3,392	32	17	15
Martens IX	CVP-PSC-PS-SP	29/09/1991	25/11/1991	0,156	25	17	8
Dehaene I	CVP-PSC-PS-SP	7/03/1992	21/05/1995	3,208	16	15	1
Dehaene II	CVP-PSC-PS-SP	23/06/1995	14/06/1999	3,978	17	15	2
Verhofstadt I	VLD-PRL-FDF-MCC-PS-SP-ECO-AGA	12/07/1999	5/05/2003	3,814	18	15	3
Verhofstadt II	VLD-MR-PS-sp.a-AGA	5/05/2003	12/07/2003	0,186	17	15	2
Verhofstadt III	VLD-MR-PS-sp.a	12/07/2003	21/12/2007	4,444	21	15	6
Verhofstadt IV	CD&V-Open Vld-MR-cdH-PS	21/12/2007	20/03/2008	0,244	14	14	0
Leterme I	CD&V-Open Vld-MR-cdH-PS	20/03/2008	30/12/2008	0,803	22	15	7
Van Rompuy	CD&V-Open Vld-MR-cdH-PS	30/12/2008	25/11/2009	0,904	22	15	7
Leterme II	CD&V-Open Vld-MR-cdH-PS	25/11/2009	5/12/2011	2,027	22	15	7
Di Rupo	CD&V-Open Vld-sp.a-MR-cdH-PS	5/12/2011	…		19	13	6

Bron: Fiers, Dumont & Dandoy, 2006, pp. 120-121 (geüpdatet).

Die versnippering van het partijlandschap leidt tot een verkrampte situatie met strikte regeerakkoorden die in detail regelen rond welke thema's de regering de komende vier jaar beleid mag voeren. Daardoor wordt niet alleen het parlement monddood gemaakt, het regeerakkoord ondergraaft ook voor een stuk de positie van de eerste minister, die er met handen en voeten aan gebonden is, en alleen kan beslissen over de timing waarop de verschillende dossiers ter bespreking op de regeringstafel komen (Dehaene, 2002).

Daarenboven zorgt de verregaande federalisering van het beleid ervoor dat politici die het regeerbeleid op het federale vlak maken of opvolgen, niet altijd meer op de hoogte zijn van wat er gaande is in het Vlaams, het Brussels of het Waals Parlement, en *vice versa*. Enkel de partijvoorzitters, die bij alle belangrijke beleidsbeslissingen geconsulteerd worden, kunnen het overzicht bewaren. Het versterkt eens te meer de positie van de partijvoorzitters, die intussen zo goed als allemaal rechtstreeks door de partijleden verkozen worden, ten aanzien van de andere leidende figuren in de politieke partijen.

Ten slotte zorgt een gebrek aan regelgeving ervoor dat partijkopstukken naar hartelust deelnemen aan alle mogelijke verkiezingen in de snelle opeenvolging van verkiezingen (2003, 2004, 2007, 2009, 2010 en 2014) die België sinds de autonome verkiezingen van de deelstaatparlementen kent. In 2003 konden grote stemmentrekkers zowel voor de Kamer als voor de Senaat kandidaat zijn, zonder dat de kiezer op voorhand wist in welke assemblee de man of vrouw van zijn voorkeur effectief zou gaan zetelen eens de verkiezingen achter de rug waren. In een arrest van 23 mei 2003 kwam het Grondwettelijk Hof tot het besluit dat dit geen faire praktijk was geweest. Helaas verscheen dat arrest vijf dagen ná de verkiezingen, en hebben de politieke partijen daar niet onmiddellijk lessen uit getrokken. Bij elke verkiezing wordt een pleiade aan bekende politici opgetrommeld om campagne te voeren en stemmen te ronselen, of ze nu van plan zijn om effectief in die assemblee te gaan zetelen of niet.

De zesde staatshervorming maakt vanaf de verkiezingen van 2014 komaf met de schijnkandidaten. Voortaan kunnen politici alleen kandidaat zijn op één lijst en moet men bij verkiezing ontslag nemen uit een vorig mandaat. Dit laatste remt het zogenaamde *level hopping* af (waarbij politici na elke verkiezing van niveau wisselen). Ook het feit dat de federale verkiezingen om de vijf jaar zullen worden georganiseerd (en samenvallen met de Europese en regionale) zal de verkiezingskalender danig doen afslanken.

5. Evolutie van het parlementarisme in België na de Tweede Wereldoorlog

In de afgelopen zestig jaar heeft het Belgische parlementaire regime een aantal belangrijke ontwikkelingen ondergaan. Sommige daarvan zijn vrij recent, met de grondwetswijziging van 1993 als belangrijk scharnierpunt. Andere ontwikkelingen tekenden zich evenwel al veel langer af. De constante in al deze evoluties was dat het parlement zijn plaats als politieke centrum heeft moeten afstaan ten koste van de regering. Die ontwikkelingen situeren zich zowel op het vlak van de samenstelling en de interne werking van de volksvertegenwoordiging(en) als op het vlak van de externe relaties met de andere actoren in het politieke besluitvormingsproces (Fiers, 2006). De evoluties op het interne vlak hebben in eerste instantie te maken met de veranderde samenstelling van Kamer en Senaat en met de gewijzigde regels in het huishoudelijke reglement van de kamers en in de onderlinge verhouding tussen Kamer en Senaat.

De grote ommekeer komt er in 1995 wanneer de eerste verkiezingen voor de autonome deelstaatparlementen worden gehouden en er ook een nieuwe taakverdeling tussen Kamer en Senaat wordt opgelegd. Vanaf dat moment wordt de Kamer van Volksvertegenwoordigers de dominante parlementaire assemblee. De deelstaatparlementen moeten immers een plaatsje zoeken in het kluwen van politieke besluitvorming en de Senaat verliest door de reductie van zijn aantal senatoren en door de beknotting van zijn wetgevende mogelijkheden heel wat van zijn prestige en aanzien.[84]

De evoluties in de betrekkingen met de externe actoren slaan op de onderlinge relaties tussen de diverse parlementen, op de relaties tussen die parlementen en hun regeringen, op de relaties met de politieke partijen en op de toenemende complexiteit van de regelgeving onder druk van de internationalisering. Beide evoluties, zowel die op het interne vlak als die op het externe vlak, hebben grote gevolgen voor de plaats van het parlement in de politieke besluitvormingsprocessen. De evolutie is bovendien niet origineel: in de meeste Europese staten stelt men vast dat het 'volkomen' (of perfecte) tweekamerstelsel achteruitgaat, en dat het 'beperkte' (of onvolledige) tweekamerstelsel overheerst (Witte, Gubin et al., 2003, p. 413).

---

84. De zesde staatshervorming gaat op dit elan verder door ook de bevoegdheden van de Senaat te kortwieken. Voor de meeste wetgeving wordt enkel de Kamer bevoegd. Wel zal de Senaat in zijn wetgevende rol op gelijke voet staan met de Kamer voor zo goed als alle institutionele regelgevingen waaronder grondwetsherzieningen en wijzigingen van bijzondere wetten.

a. Functies van het parlement

De centrale functies van het parlement blijven nochtans ongewijzigd. Het parlement heeft in de eerste plaats een *representatie*functie. Het vertegenwoordigt de hele bevolking (zo staat het ook in grondwetsartikel 32) en zorgt aldus voor de structurele verbinding tussen de overheid en de bevolking. Indien het parlement deze functie naar behoren wil vervullen, zal het ook moeten voorzien in een vertegenwoordiging van álle lagen en groeperingen in de bevolking. Centraal in dit debat staat de vraag of het parlement een doorslagje (microkosmos) van de maatschappij moet zijn en dus moet voldoen aan een *descriptieve* representatie, dan wel of het parlement op een andere en *substantiële* manier deze functie kan vervullen (en dus niet noodzakelijk een kopie van de samenstelling van de hele gemeenschap hoeft te zijn).

De tweede functie van het parlement is die van de *wetgeving*. De grondwet, gebaseerd op Montesquieus idee van de scheiding der machten, voorziet inderdaad dat de wetgevende functie een gedeelde verantwoordelijkheid is van de wetgevende en de uitvoerende macht. Het betekent evenwel niet dat het parlement het alleenrecht heeft om wetten te schrijven. Meestal ligt dat initiatief bij de regering en doet het parlement niet veel meer dan die wetsontwerpen goedkeuren.

De derde taak ligt in de *controle*functie van het parlement op de regering. Die controle kan via aparte instellingen gebeuren, zoals de controle die het Rekenhof – onder de voogdij van het parlement – uitoefent op de begroting en de rekeningen van de regering. Het Rekenhof is vooral bekend omdat het elk jaar een verslag opstelt met een kritische doorlichting van de overheidsuitgaven van het afgelopen jaar; dit is het zogenaamde Blunderboek. Maar uiteraard hebben de individuele parlementsleden het recht om vragen te stellen aan de ministers, om interpellaties in te dienen, of – als het vertrouwen danig geschaad is – een motie van wantrouwen in te dienen.[85] Op het collectieve niveau kan het parlement ook besluiten om een onderzoekscommissie (in foutief Nederlands ook soms een rogatoire commissie genoemd) op te richten. Die kan dan dezelfde daden stellen als een onderzoeksrechter (Nandrin, 2003).

---

85. In Nederland kan het parlement nog een tussenstap nemen door een motie van afkeuring uit te spreken. Daarin spreekt het parlement zich uit tegen het beleid van de regering of van een individuele minister, evenwel zonder dat dit leidt tot het formele ontslag van de betrokken minister(s). Het geldt wel als een morele berisping, en leidt bijgevolg tot een getaande positie van de betrokken minister(s). Zie bijvoorbeeld de aanvaring van minister van Vreemdelingenzaken Rita Verdonck (VVD) met het parlement (begin december 2006) over het verblijfsrecht van ex-asielzoekers.

Ten slotte is er de *deliberatieve* functie van het parlement. Het parlement treedt dan op als *locus* waar het debat over de maatschappelijke ordening gevoerd kan worden. In principe gaat er aan de goedkeuring van bepaalde wetgeving steeds een parlementair debat vooraf.

b. Functieverlies van het parlement

Door de jaren heen merken we evenwel dat het parlement veel van haar pluimen verloren heeft. Dat heeft te maken met zowel interne als externe ontwikkelingen (Fiers, 2006).

1) Interne ontwikkelingen

Op het interne vlak is er vooreerst de proliferatie aan mandaten, die het prestige van het parlementaire mandaat gedrukt heeft. In 1946 telde men op het bovenlokale niveau 369 mandaten: er waren 202 Kamerleden en 167 senatoren, die op voet van gelijkheid wetgevende initiatieven konden nemen.[86] In 2009 daarentegen is het aantal mandaten van parlementslid opgelopen tot 532, met een onderverdeling tussen Kamerleden, senatoren, leden van het deelstaatparlement en het Europees Parlement. Het spreekt voor zich dat deze verveelvoudiging van volksvertegenwoordigers het elitaire karakter van de functie en bijgevolg ook haar prestige gedrukt heeft.

De scheefgetrokken rekrutering

Dit wil evenwel niet zeggen dat het mandaat plots voor iedereen toegankelijk is. Want hoewel de toegang tot het mandaat nog steeds vrij open is, weerspiegelt de politieke elite steeds minder de verhoudingen in de maatschappij. In alle parlementen stellen we een forse toename vast van de hogeropgeleiden. Zo telt de Kamer van Volksvertegenwoordigers op 1 maart 2013 op een totaal van 150 leden liefst 139 leden met een diploma van hoger of universitair onderwijs, tegenover 35 % van de Vlaamse 25- tot 64-jarigen.[87] Slechts 11 Kamerleden hadden ten hoogste een diploma van secundair onderwijs behaald.[88] De vaststelling is niet nieuw – in 1964 bestond de Kamer ook al voor 56,8 % uit parlementsleden die hoger onderwijs hadden gevolgd (Debuyst, 1967) – maar de toename van universitairen en hogeropgeleiden is de jongste decennia sterk toegenomen.

---

86. Verdeeld over 101 rechtstreeks verkozen senatoren, 44 provinciale senatoren en 22 gecoöpteerde senatoren.
87. Bron: STEUNPUNT WERK EN SOCIALE ECONOMIE (2011), *De vruchten van het (hoger) onderwijs*. Arbeidsmarktflits 106 (dd. 21 september 2011).
88. Bron: parlementaire infosteekkaart nr. 10 (dd. 1 maart 2013), http://www.deKamer.be

Er is ook de beperking in de beroepscategorieën waaruit de vertegenwoordigers stammen. De partijen rekruteerden aan het begin van de 21ste eeuw in overwegende mate uit de categorieën van de intellectuele en vrije beroepen (27 %), onder de bedienden en personen uit het onderwijs (45 %). Arbeiders, landbouwers en ondernemers vinden we nauwelijks nog terug op de parlementaire banken, evenmin als gepensioneerden, werklozen of thuiswerkende vrouwen. Zelfs onder de kandidaten voor de parlementsverkiezingen zijn deze categorieën duidelijk ondervertegenwoordigd.[89]

Tabel 36:   De Kamerleden naar beroepscategorie

	1946	1965	1985	2003
Vrije beroepen, industriëlen en financiers	42,0	40,0	30,2	26,7
Docenten, ambtenaren, journalisten	11,9	11,3	21,2	21,0
Handelaars en landbouwers	7,6	8,4	2,8	6,0
Middenveldorganisaties	10,8	17,2	8,0	n.b.
Bedienden en onderwijzers	16,3	20,8	29,7	45,3
Arbeiders	7,6	1,5	0,9	0,0
Zonder werk/gepensioneerden	3,8	0,8	0,5	6,0

n.b.: niet bevraagd in 2003

Bron: Fiers (2006)

Verjonging en vervrouwelijking

Ten tweede is er de opmerkelijke tendens tot verjonging en vervrouwelijking van de parlementsleden. Met uitzondering van het Europese niveau doet er zich in alle parlementen een opmerkelijke daling voor van de gemiddelde leeftijd van de mandatarissen. Zo zijn de Kamerleden in de jaren vijftig gemiddeld steeds ouder dan vijftig. Bij de start van de legislatuur 2003-2007 is de gemiddelde leeftijd teruggevallen tot 46,3 jaar en is het aandeel van de minvijftigjarigen opgelopen tot 61 %. In 2007 zakt de leeftijd van de Vlaamse vertegenwoordigers in de Kamer verder tot 44,6 jaar. Vertegenwoordigers uit de oudere leeftijdscategorieën zijn er nog nauwelijks: de zestigplussers zijn nagenoeg volledig verdwenen: 8 % van de Kamerleden in 2003, ten opzichte van 19,9 % in 1946.

---

89. Hierbij verwijzen we naar de KANDI-studies die het Centrum voor Politicologie sinds 2003 voert naar de kandidaten voor elke parlements- en gemeenteraadsverkiezing. De rapporten kunnen geraadpleegd worden op http://www.politicologie.be

Tabel 37:   Gemiddelde leeftijd in de Kamer en procentuele spreiding over de leeftijdscategorieën

Jaar	Aantal Kamer- leden	Gemiddelde leeftijd	Aandeel < 30 jaar	Aandeel 30-39 jaar	Aandeel 40-49 jaar	Aandeel 50-59 jaar	Aandeel 60-69 jaar	Aandeel > 70 jaar	Totaal
1946	202	47,9	1,0	28,7	34,2	16,3	14,9	5,0	100,0
1965	212	50,0	0,0	15,1	35,4	33,0	14,6	1,9	100,0
1985	212	48,2	1,4	21,3	33,2	30,3	13,7	0,0	100,0
2003	150	46,3	5,3	18,0	42,7	26,0	8,0	0,0	100,0

Bron: Fiers (2006).

Overigens maakt men zich ook in Nederland zorgen over de (te) snelle rotatie van het politieke personeel. In haar rapport 'Vertrouwen en zelfvertrouwen' (Verbeet et al., 2009) formuleert de parlementaire commissie die zich boog over de parlementaire zelfreflectie het als volgt: 'De hoge omloopsnelheid en de kortere zittingsduur van Kamerleden worden door iedereen tenminste in enigerlei mate als probleem gezien. Het gebrek aan kennis van de 'spelregels' (= het Reglement van Orde, het staatsrecht) wordt als een probleem ervaren. (...) Het collectieve geheugen neemt af en daarmee een correctiefactor. (...) De stuurgroep zou het aanmoedigen als partijen zich kritisch zouden beraden over de samenstelling van kandidatenlijsten. Met de sterke schommelingen in verkiezingsuitslagen c.q. de grote stromingen 'zwevende' kiezers van de laatste jaren en het Nederlandse stelsel van evenredige vertegenwoordiging is de vernieuwing in de Tweede Kamer immers gegarandeerd' (Verbeet et al., 2009, pp. 14-15). Op tien jaar tijd (1998-2006) is de parlementaire ervaring bij de start van de Tweede Kamerzitting gedaald met meer dan 10 %: van 51 maanden ervaring bij de start van de legislatuur in 1998, naar 45 maanden bij de start van de legislatuur in 2006. Na twee jaar in de legislatuur 1994 had een Tweede Kamerlid gemiddeld 73 maanden ervaring; in 2008 was dat nog amper 59 maanden (Verbeet et al., 2009, p. 89).

In België treedt de verjonging pas scherp naar voren vanaf de jaren negentig (Depauw & Fiers, 2008) en gaat ze gepaard met een opvallende vervrouwelijking van de parlementsleden. Die is het gevolg van de zogenaamde wet-Smet-Tobback van 24 mei 1994. In hun zoektocht naar vrouwelijke kandidaat-parlementsleden richten de politieke partijen zich immers steevast tot jonge kandidates. Er staan bij het begin van de 21[ste] eeuw inderdaad nauwelijks vrouwelijke vijftigers of zestigers op de kieslijsten (21,5 % bij de regionale verkiezingen van 2004 in Vlaanderen), laat staan als verkiesbare kandidaten. Zo stonden er bij de regionale verkiezingen van 2004 op de kieslijsten van de vijf grootste Vlaamse partijen en kartels amper negen kandidates ouder dan vijftig op een verkiesbare plaats. Maar deze zoektocht heeft ook gevolgen voor de mannelijke kandidaten. Bij dezelfde verkiezingen stonden er slechts twee mannelijke twintigers op een verkiesbare plaats, tegenover elf vrouwelijke twintigers. Geen van beide mannen raakte effectief verkozen.

De verkorting van de politieke carrières

Ten derde stellen we vast dat het aantal politici met een lange politieke carrière tijdens de voorbije tweede decennia gestaag is afgenomen. De gemiddelde ervaring in de Kamer is op dertig jaar tijd bijna gehalveerd: van 8,3 jaar bij de verkiezingen van 1965 tot een schamele 4,3 jaar in 1995, bij de start van de Kamer 'nieuwe stijl'. Uiteraard is er in 1995 een effect van de wijze waarop de instituties gewijzigd werden. De uittredende parlementsleden hadden immers de keuze of ze hun carrière verderzetten in de Kamer dan wel in een van de regionale parlementen. Van de 184 aftredende senatoren bij de verkiezingen van 1995 stelden er zich slechts 34 opnieuw kandidaat voor de Senaat. Daarnaast stelden 42 senatoren zich kandidaat voor de federale Kamer, 35 voor het Vlaams Parlement, 22 voor het Waals Parlement en ten slotte 5 voor het Brussels Hoofdstedelijk Parlement. In 1999 zijn deze verschuivingen van een veel beperktere orde, zodat men de indruk krijgt dat de parlementaire elites zich per assemblee gevormd hebben – al schetsen de constante wissels van parlements- en regeringsleden over de beleidsniveaus heen (het zogenaamde *level hopping*) een ander beeld.

Tabel 38: Gemiddelde anciënniteit in de Kamer en spreiding van de ervaring van de Kamerleden in de Kamer van Volksvertegenwoordigers

	Gemiddelde anciënniteit	0 jaar	0<5 jaar	5<10 jaar	10<15 jaar	15<20 jaar	>20 jaar	Totaal
1946	7,1	52,0	5,9	12,9	12,4	2,5	14,4	100,0
1965	8,3	31,1	16,5	15,1	9,0	23,1	5,2	100,0
1985	7,1	24,1	24,5	21,7	19,3	4,7	5,7	100,0
2003	4,7	39,3	26,0	20,0	8,7	4,0	2,0	100,0

Bron: Fiers (2006).

Meerdere oorzaken liggen aan de basis van die kortere carrières. Vooreerst is er het effect van het grillige stemgedrag van de vlottende kiezer, waardoor parlementsleden, zoals we hierboven reeds hebben aangegeven, minder zeker zijn van hun parlementaire mandaat. Vanaf de jaren zestig is het niet meer ongewoon dat na de verkiezingen meer dan 20 % van de Kamerleden nieuwelingen zijn (Fiers, 2001).

Ten tweede schuiven de politieke partijen, in hun streven naar zo veel mogelijk stemmen, met hun grote electorale pionnen zoals het hun het beste uitkomt. Op die manier doet ook de federale premier mee bij de regionale en Europese verkiezingen en vinden we regionale ministers terug op de lijsten voor de federale verkiezingen. In 2004 bijvoorbeeld nam meer dan de helft van de Vlaamse leden van de Kamer van Volksvertegenwoordigers en van de Senatoren die tot de Nederlandse taalgroep behoorden, deel aan de verkiezingen voor het Vlaams Parlement (Fiers et al., 2004). Bovendien had 37% van de kandidaten voor de verkiezingen van 2004 zich ook al eens kandidaat gesteld bij de verkiezingen van 2003. Bij de federale verkiezingen van juni 2007 is het aantal deelnemende Vlaamse parlementsleden al opgelopen tot 75 (Vanlangenakker, Weekers et al., 2007). Ook al nemen ze niet allemaal hun functie ook daadwerkelijk op, toch ligt het aan de basis van een bonte samenstelling van Kamer en Vlaams Parlement (Fiers, Gerard & Van Uytven, 2006). Naar analogie met de term '*jobhopper*' introduceerden we de term '*levelhopper*' (Fiers, 2001) voor politici die frequent en schijnbaar zonder duidelijke logica van het ene naar het andere mandaat op een ander politiek niveau springen.

Ten derde hebben de institutionele hervormingen uit 1993 op een dubbele manier invloed op de carrièreopbouw van politici. Enerzijds worden ministers verplicht om hun parlementaire zetel af te staan aan de eerste opvolger op hun kieslijst. Slechts een handvol van deze opvolgers heeft zich intussen in de kijker kunnen werken. In de meeste gevallen zijn het echter trouwe partijsoldaten, die ondanks hun loyaliteit bij de volgende verkiezingen weer uit het parlement verdwijnen. Gemiddeld is een Kamerlid niet langer dan 3,9 jaar onafgebroken vast lid van een zelfde parlementaire commissie (Depauw & Fiers, 2008). Hoe kan hij/zij dan effectief controle uitoefenen op de regering? Anderzijds worden de posities van de diverse regeringen versterkt doordat ze enkel ten val gebracht kunnen worden via een constructieve motie van wantrouwen. Dit betekent dat het individuele parlementslid veel minder invloed kan uitoefenen op de regering dan voorheen het geval was. Het is dan ook paradoxaal vast te stellen dat de grotere stabiliteit van de instellingen na 1995 gepaard gaat met een grotere instabiliteit van het mandaat.

De gewijzigde politieke rekrutering

Derde vaststelling die we kunnen maken bij de analyse van het profiel van de parlementsleden is dat de invloed van de traditionele politieke socialisatiekanalen afneemt. De weg waarlangs parlementsleden traditioneel tot in het parlement opklommen, startte in de gemeenteraad en verliep – al dan niet via een uitvoerend mandaat op gemeentelijk of provinciaal niveau – richting het bovenlokale niveau. Daarbij werden kandidaten gewikt en gewogen en enkel de 'besten' werden geselecteerd voor volksvertegenwoordigende functies. Sinds de jaren negentig is er echter een kentering gekomen in die rekrutering van parlementsleden. Het bezitten van enige politieke ervaring op het gemeentelijke niveau is een heel stuk minder belangrijk geworden. Getuige daarvan is de terugval van het aantal parlementsleden met een dergelijke lokale verankering. Terwijl in 1981 nog 81 % van de Kamerleden en 73,2 % van de senatoren voorafgaandelijk in de gemeentepolitiek actief was geweest, is dit aandeel in 1999 gedaald tot respectievelijk 71,3 % en 52,1 %. Dit betekent dat er steeds vaker zogenaamde *zij-instromers* tot het parlementaire mandaat opklimmen. Het gaat dan om personen die niet dit klassieke patroon gevolgd hebben en pas in een later stadium en onder invloed van de maatschappelijke positie die ze bekleden of hun sociodemografische kenmerken in de politiek en in het parlement geloodst worden. Zo is het op het einde van de jaren negentig en het begin van de 21[ste] eeuw onder invloed van de media *bon ton* onder de partijen om met bekende mediafiguren op de lijsten uit te pakken. Ook al zijn het niet allemaal even grote succesnummers, toch brengen zij soms een alternatieve en verfrissende kijk op de vertegenwoordigende democratie. Evenwel houden velen onder hen het relatief snel voor bekeken.

Het grotere aantal zij-instromers kan in verband gebracht worden met een gewijzigde visie op de opbouw van politieke carrières. Daarbij worden algemeen maatschappelijke trends weergegeven die we ook in andere sectoren van de arbeidsmarkt vaststellen. Professioneel engagement mondt niet langer uit in een levenslange maar in een tijdelijke loyaliteit, die gemakkelijk inwisselbaar is voor een andere uitdaging in een andere omgeving. Vandaar ook het kleinere aantal politici dat aan een politieke loopbaan begint met het idee om er lange tijd in mee te draaien. Max Webers concept van 'politiek als roeping' (*Politik als Beruf*) lijkt daardoor stilaan achterhaald.[90] Politiek engagement is niet langer een roeping voor het leven, maar eerder een berekende carrièrezet en een schakel in een geheel aan professionele ervaringen.

---

90. Dit wordt ook in Frankrijk geconstateerd. Zie Costa & Kerrouche, 2007.

2) Externe relaties

Vele van de bovenstaande interne ontwikkelingen vinden evenwel hun oorsprong bij een veranderende externe relatie. Zo hebben de opeenvolgende staatshervormingen grote invloed gehad op de onderlinge verhoudingen van de beleidsniveaus. En waar er wel een structureel overleg voorzien wordt op het niveau van de regeringen – in het zogenaamde overlegcomité – ontbreekt elke vorm van geïnstitutionaliseerde samenwerking tussen de federale en de deelstaatparlementen. Nochtans heeft de grondwetgever dat gevaar proberen te bezweren met het instellen van een categorie van 21 gemeenschapssenatoren. Verkennend onderzoek naar de activiteiten van de tien Vlaamse gemeenschapssenatoren in de periode 1995-1999 (Van Hee, 2004) heeft evenwel aangetoond dat zij er niet in slagen om zich over de partijgrenzen heen constructief op te stellen en zich als vertegenwoordigers van de deelstaten in de Senaat of als vertegenwoordiger van de Senaat bij de deelstatelijke parlementen te promoten, dit ondanks het feit dat ze actiever zijn op wetgevend en decreetgevend vlak dan de meesten van hun federale en regionale collega's.

Bovendien is de regelgeving bijzonder complex geworden. De opeenvolgende staatshervormingen hebben niet gezorgd voor afgelijnde of homogene bevoegdheidspakketten. Zo zit de belangrijke arbeidsreglementering verweven op het federale vlak en het regionale vlak, en behoort het curatieve element van gezondheidszorg tot de bevoegdheden van de federale overheid, terwijl het aspect 'preventie' tot de competenties van de gemeenschappen behoort. Zie ook het complexe dossier van de nachtvluchten, waarbij de federale regering bevoegd is voor een deel van de materie maar de gewesten eigen geluidsnormen konden vaststellen, waardoor de zaak jarenlang geblokkeerd was. Ten slotte is er de invloed van de Europese Unie. Ongeveer 70 % van de nationale regelgeving wordt bepaald door de afspraken die op het Europese niveau worden gemaakt. Uiteraard verkleint dat in sterke mate de manoeuvreerruimte van het nationale parlement, laat staan die van het individuele parlementslid.

Het parlement overvleugeld door de regering en de partijen

Een regering kan in feite op vier verschillende manieren haar wil opleggen aan het parlement en aldus de verhouding tussen de 'eerste' en 'tweede' macht omkeren. In het meest extreme geval vraagt de regering aan het parlement om bij volmacht te mogen regeren. Dit betekent dat het parlement *de facto* buitenspel wordt gezet en de regering vrij spel krijgt om een beleid door te voeren. Van het einde van de Tweede Wereldoorlog tot in de jaren tachtig lukt het maar twee regeringen.[91] In de jaren tachtig en het begin van de jaren negentig daarentegen wordt frequent en langdurig bij volmacht geregeerd. In 1982 beschikt de regering-Martens-Gol gedurende elf maanden over bijzondere machten. Ze neemt daarbij niet minder dan tweehonderd besluiten gericht op de competitiviteit van de bedrijven, de sanering van de begroting en de herinrichting van het onderwijs. Korte tijd later, in 1983 en 1986, kan de regering opnieuw tijdelijk over bijzondere machten beschikken, zij het dat voortaan een parlementaire bekrachtiging van de genomen besluiten vereist is. Ook in de jaren negentig maken de twee regeringen onder eerste minister Jean-Luc Dehaene gebruik van een variant van de bijzondere machten, door zogenaamde kaderwetten voorop te stellen.

Maar de dominantie van de uitvoerende macht kan ook een stuk subtieler, met name via een efficiënte wetgeving. Terwijl veruit het grootste aantal wetgevende initiatieven door parlementsleden wordt geïnitieerd, behaalt de regering de grootste efficiëntie in het aantal wetsontwerpen dat wordt goedgekeurd. Dat is geen nieuw gegeven; het werd al voor de legislatuur 1961-1965 vastgesteld (Dewachter, 1967): 79 % van het wetgevende initiatief kwam uit handen van parlementsleden, terwijl slechts 21 % zijn oorsprong vond bij de regering. Maar slechts 12 % van de parlementaire wetsvoorstellen werd goedgekeurd, tegenover een ontstellende 91 % van de wetsontwerpen die de regering had ingediend.[92] Recente cijfers bevestigen het permanente karakter van deze verhoudingen, althans wat de Kamer van Volksvertegenwoordigers betreft.

---

91. In 1967 voor de herschikking van de openbare financiën en in mei 1978, hoewel deze laatste nooit effectief gerealiseerd werd wegens de vroegtijdige val van de regering.
92. Exacte cijfers: 4266 voorstellen uit parlementair initiatief tegenover 512 goedgekeurde. Van regeringszijde: 1115 initiatief en 1018 goedgekeurd (Dewachter, 2001).

Tabel 39: Wet- en decreetgevend initiatief in de periodes 1999-2003 en 1999-2004

	Kamer (1999-2003)			Vlaams Parlement (1999-2004)			Waals Parlement (1999-2004)			Brussels Hoofdsted. Parlement (1999-2004)		
	ontwerpen	voorstellen	totaal	ontwerpen	voorstellen	totaal	ontwerpen	voorstellen	totaal	ontwerpen	voorstellen	totaal
ingediend	603	1224	1827	346	298	644	344	155	499	215	167	382
	33,0 %	67,0 %		53,7 %	46,3 %		68,9 %	31,1 %		56,3 %	43,7 %	
aangenomen	671	206	877	335	131	466	344	33	377	206	22	228
	76,5 %	23,5 %		71,9 %	28,1 %		91,2 %	8,8 %		90,4 %	9,6 %	
aangenomen t.o.v. ingediend	111,3 %[93]	16,8 %		96,8 %	44,0 %		100,0 %	21,3 %		95,8 %	13,2 %	

Bronnen: www.dekamer.be, www.vlaamsparlement.be, www.parlement-wallon.be, www.bruparl.irisnet.be

93. Dat er meer dan 100 procent van de ingediende wetsontwerpen werd goedgekeurd, wordt veroorzaakt doordat de goedkeuring van een aantal hangende wetsontwerpen uit de vorige legislatuur werd overgeheveld naar de legislatuur 1999-2003.

Ten derde heeft, zoals hierboven reeds vermeld, de bepaling dat ministers hun mandaat in het parlement moeten overlaten aan een opvolger, niet in de kaart van het parlement gespeeld. De opvolgers zijn te zeer afhankelijk van het aanblijven van het regeringslid dat ze vervangen, waardoor ze zelf weinig initiatieven nemen die de positie van het parlement ten aanzien van de regering zou versterken. De parlementen draaien met andere woorden slechts op gereduceerd vermogen, terwijl het net de bedoeling was om de controle van de parlementen op de regeringen te versterken.

Ten vierde is er de invloed van het rigide regeerakkoord. Omwille van de versnippering in het Belgische partijlandschap en de vereiste dat een federale regering zowel ten noorden als ten zuiden van de taalgrens over een meerderheid beschikt, sluiten de coalitiepartijen grote akkoorden die het regeringsbeleid voor de komende vier jaar uitstippelen. Vergelijkend onderzoek wees uit dat de Belgische regeerakkoorden tot de dikste van Europa behoren, met gemiddeld 43 000 woorden (De Winter, Timmermans & Dumont, 2000). Omdat ze doorgaans pas na lange besprekingen worden afgesloten – gemiddeld pas na 78 dagen in de periode 1970-1985, pas na 148 dagen in 1987-1988, na 194 dagen in 2007, en na 541 dagen in 2010-2011 – en het daarbij om een precaire evenwichtsoefening gaat die ten allen prijze moet worden gerespecteerd, blijft er weinig ruimte voor de parlementsleden van de meerderheidsfracties om wetgevende initiatieven te nemen die niet in het regeerakkoord staan, laat staan om initiatieven te nemen die tegen die regeerakkoorden indruisen (De Winter & Dumont, 2003). Na de Tweede Wereldoorlog werden enkel een aantal ethische dossiers in handen van het parlement gelaten, zoals de abortusregeling (1990) en de regeling voor euthanasie (2002).

Ten slotte worden vanaf de jaren vijftig soms heel ingrijpende beleidsbeslissingen niet langer in het parlementaire halfrond genomen, maar via buitenparlementair overleg tot stand gebracht (Dewachter, 2001). Zo is er de oplossing van de schoolstrijd (1958), de onafhankelijkheid van Congo (1960), de eenheidswet (1960-1961) en recenter de beslissing om toe te treden tot de Europese Economische en Monetaire Unie (1993). Ze zorgden stuk voor stuk voor veel beroering, maar worden doelbewust buiten het parlement om beslecht. Bovendien komt de onaangepastheid van onze parlementaire procedures om snel en accuraat in te spelen op maatschappelijke evoluties op pijnlijke wijze naar boven in de jaren zeventig. Eerst blijft het parlement buitenspel staan bij de bestrijding van de oliecrisis en later verzuimt het een strikte begrotingscontrole toe te passen, waardoor de staatsschuld op enkele jaren tijd volledig uit de hand loopt. Als reactie kregen we in de jaren tachtig en negentig een aantal periodes van volmachten en kaderwetten.

6. Welke rol voor het parlement?

Toch betekent dit niet dat de rol van het parlement volledig is uitgespeeld. De controlefunctie van het parlement is de voorbije jaren immers verschoven van een gezamenlijke controle van de collectieve wetgevende macht op het collectieve orgaan van de uitvoerende macht naar een meer geïndividualiseerde controle op de individuele verantwoordelijkheden van ministers in bepaalde dossiers. Men kan dit uit twee cijfers afleiden. Vooreerst is er het parlementaire recht om controlecommissies op te richten naar aanleiding van één welbepaalde gebeurtenis waarbij een politicus of hoge ambtenaar betrokken is geraakt. Het parlement treedt dan op met dezelfde bevoegdheden als een onderzoeksrechter. Het doel is meestal om politieke of strafrechtelijke verantwoordelijkheden van politici of ambtenaren in een welbepaald dossier vast te leggen. Hoewel de oprichting van parlementaire onderzoekscommissies wordt geregeld door een wet uit 1880, is de mogelijkheid pas zeer recentelijk echt onder de aandacht van de parlementsleden gekomen (Nandrin, 2003). Zo worden er in de periode 1985-2002 in de Kamer liefst vijftien parlementaire onderzoekscommissies opgericht, terwijl het er in de hele periode 1880-1985 amper vijf zijn geweest. Ook in enkele andere assemblees zijn parlementaire onderzoekscommissies een regulier controle-instrument geworden: sinds 1980 richtte de Senaat zeven onderzoekscommissies op en het Vlaamse Parlement vier. Wanneer de regering niet meer als geheel kan worden gecontroleerd, richten de parlementsleden zich bijgevolg tot individuele leden, ministers en verantwoordelijken.

Ten tweede kan men die geïndividualiseerde uitoefening van de controlefunctie ook afleiden uit de spectaculaire toename van het aantal interpellaties, mondelinge en schriftelijke vragen die aan de ministers worden voorgelegd (zie tabel 40). De draagwijdte ervan reikt evenwel niet altijd even ver. Schriftelijke en mondelinge vragen vormen immers nauwelijks een bedreiging voor regeringsleden.

Tabel 40: **Evoluties in het gebruik van de controle-instrumenten in de Kamer van Volksvertegenwoordigers**

Legislatuur	Interpellaties	Mondelinge vragen	Schriftelijke vragen
1950-1954	278		5121
1965-1968	279	248	5777
1981-1985	676	900	17 288
1999-2003	1125	1731	7481

Bronnen: Depauw (2002); www.deKamer.be

Sommigen stellen dat het parlement zich zo een functie van *brandalarm* toegemeten heeft 'waarbij het parlement wacht op tekenen van belangengroeperingen of individuele burgers dat het overheidsbeleid zijn doel mist of dat de overheidsdiensten zich misdragen' (Depauw, 2002, p. 237). Het parlementslid heeft dan een knipperlichtfunctie en kan in de marge van een beleidsbeslissing nog wat aan de originele teksten morrelen. Maar echt wegen op het beleid zit er dan niet meer in. De betrokkenheid van het parlement beperkt zich immers steeds vaker tot het *naderhand* accepteren van wat *vooraf* en *van bovenaf* wordt gestuurd. Met andere woorden: de instemming van de volksvertegenwoordigers wordt steeds vaker alleen nog gevraagd ter legitimering van een beslissing die elders wordt genomen, *in casu* door de partijen en de regering.

In Nederland, waar men met een gelijkaardige explosie van schriftelijke vragen wordt geconfronteerd, stelt men zich openlijk de vraag of de aandacht van het parlement niet wordt weggeleid door dergelijke 'incidentenpolitiek'. Ondanks een verdrievoudiging in de periode 1995-2008 van het aantal schriftelijke vragen (van 1110 stuks tot 3002 stuks) en een bijna-verdubbeling van het aantal mondelinge vragen (van 84 tot 134) (Verbeet et al., 2009, p. 88), wordt de effectiviteit ervan sterk in twijfel getrokken (Andeweg & Thomassen, 2007). Uit beide onderzoeken die bij leden van de Tweede Kamer werden afgenomen, blijkt dat de toekomstige taken voor het parlement veeleer op het gebied van het organiseren van hoorzittingen liggen, en dat er meer heil te verwachten valt van systematische controle via onderzoek, dan wel via productie van medewetgeving.

IV. Besluit

Uit de wijze waarop zowel Nederland als België vormgegeven hebben aan hun democratie kunnen we een aantal besluiten trekken. Ten eerste dat het proportionele kiesstelsel aanleiding heeft gegeven tot een erg gefragmenteerd partijlandschap. In Nederland ligt de hoofdoorzaak daarvoor in het feit dat de zetels verdeeld worden in één enkele kieskring, waardoor een erg lage natuurlijke drempel optreedt. In België zorgde de overheersende etnolinguïstische breuklijn ervoor dat de partijen opgesplitst werden in Vlaamse en Franstalige partijen, die bovendien door de opeenvolgende fases van de staatshervorming steeds verder uit elkaar gedreven werden.

Daardoor zijn er steeds meerdere partijen nodig om een meerderheid te vormen. Dat betekent dat het regeerprogramma van elke nieuwe regering per definitie berust op een compromis, waardoor de verantwoordelijkheid voor het beleid vaak moeilijk exact te bepalen is. Het feit dat men in een coalitie opereert, maakt het bijzonder gemakkelijk om te schuilen achter de rug van de coalitiegenoten. Dat het onder dergelijke omstandigheden niet eenvoudig werken is, hoeft geen betoog. Vandaar dat men bij de start de overeen-komst vastlegt in een gedetailleerd regeerakkoord, de bijbel waarmee de regering het parlement kan beteugelen.

De keerzijde van die gewapende vrede is dat het parlement veel van zijn invloed, en dus ook van zijn aantrekkingskracht verliest. Het parlement slaagt er steeds minder goed in om zwaargewichten aan te trekken die weer-werk kunnen bieden aan de regering. En als dat toch eens lukt, stappen die personen vaak snel en ontgoocheld op. Het gevolg zijn kortere carrières en parlementsleden die soms zelfs de regels van interne orde niet onder de knie krijgen. Het parlement kan enkel nog de tanden ontbloten door werk te maken van zijn parlementair onderzoeksrecht bij grove nalatigheden van de overheid of het ambtenarenapparaat. Maar veelal is dat niet veel meer dan 'incidentenpolitiek', die bovendien niet bepaald een fraai beeld van de democratie ophangt.

Hoofdstuk 7

GEMENGDE STELSELS: HET DUITSE POLITIEKE SYSTEEM

I. Inleiding

Een aantal belangrijke westerse democratieën hebben recentelijk hun kiesstelsel hervormd en daarbij een gemengd stelsel aangenomen: Italië (tot 2005) en Nieuw-Zeeland (Nagel, 2004) gingen daartoe over in 1993, Japan in 1994 (Wada, 2004). De eerste twee inspireerden zich daarbij op het Duitse voorbeeld en Japan voerde een variant in, het zogenaamde *parallelle systeem*. Na de val van de Berlijnse Muur (1989) en de uitdaging om een volwaardige parlementaire democratie vorm te geven, opteerden ook een aanzienlijk aantal Centraal- en Oost-Europese staten voor deze laatste variant van het gemengde stelsel: Albanië, Bulgarije, Hongarije, Litouwen, de voormalige Joegoslavische Republiek Macedonië (FYROM), Rusland en Oekraïne.

Beide varianten zijn opgebouwd uit een *combinatie van twee kiesstelsels*. Een deel van de parlementszetels wordt verdeeld volgens een proportioneel stelsel, terwijl een ander deel via een meerderheidsstelsel wordt verkozen. Het voordeel van het proportionele element is uiteraard dat ook kleinere politieke formaties in het parlement vertegenwoordigd zijn, wat in elk van deze staten met een sterk heterogene samenstelling geen overbodige luxe is. Het meerderheidselement zorgt er op zijn beurt voor dat de grote politieke formaties een bonus krijgen, zodat zij gemakkelijker stabiele regeringsmeerderheden kunnen vormen.

Wereldwijd telden we in 2004 een dertigtal landen met een gemengd kiesstelsel (Reynolds, Reilly & Ellis, 2005). Veruit het meest populair is het zogenaamde *parallelle systeem*, dat gebruikt wordt in een 21-tal landen, waaronder Rusland tot 2007. Daarbij worden het aantal zetels dat via het proportionele systeem en het aantal zetels dat via het meerderheidsstelsel gebruikt wordt, strikt van elkaar gescheiden. De uitslag in de ene verkiezing heeft met andere woorden geen effect op de uitslag van de verdeling van de andere zetels. Zo werden in de periode 1993-2007 de 450 zetels van de Russische Doema opgedeeld in twee keer 225 zetels. De ene 225 werden toegewezen via het relatievemeerderheidsstelsel (in evenveel districten); de andere 225 werden verdeeld op proportionele basis (in één kieskring). De zetels hoeven evenwel niet altijd mooi gelijk verdeeld te zijn over de twee systemen. Soms treffen we heel vreemde combinaties aan, zoals blijkt uit de landen opgenomen in tabel 41.

Tabel 41:   Landen met parallelle kiessystemen (verkiezing van het Lagerhuis)

	Totaal N zetels	N zetels volgens proportioneel stelsel	%	N zetels volgens meerderheidsstelsel	%	Soort meerderheidsstelsel
Armenië	131	40	30,5	91	69,5	FPTP
Georgië	150	77	51,3	73	48,7	TRS
Japan	480	180	37,5	300	62,5	FPTP
Litouwen	141	70	49,6	71	50,4	TRS
Pakistan	342	70	20,5	272	79,5	FPTP
Oekraïne	450	225	50,0	225	50,0	FPTP
Rusland (1993-2007)	450	225	50,0	225	50,0	FPTP
Senegal	150	60	40,0	90	60,0	FPTP
Thailand	500	125	25,0	375	75,0	FPTP
DR Congo	500	440	88,0	60	12,0	FPTP
Egypte	498	332	66,7	166	33,3	TRS
Zuid-Korea	299	54	18,1	245	81,9	FPTP
Mongolië	76	28	36,8	48	63,2	FPTP
Filipijnen	292	58	19,9	234	80,1	FPTP

FPTP: First Past the Post / TRS: Tweerondenstelsel

Bron: Reynolds, Reilly & Ellis (2005); update op basis van IDEA en IFES Election Guide.

De tweede variant is een heel stuk complexer omdat het proportionele element de overhand heeft op de zetels die per meerderheidssysteem verkozen worden. Het proportionele element corrigeert als het ware mogelijke scheeftrekkingen die door het meerderheidsstelsel ontstaan. Het systeem wordt in de literatuur aangeduid als een *Mixed-Member Proportional System* (MMP-stelsel) en tot op heden is daar nog geen Nederlandstalige naam voor voorhanden. Dit systeem is, mede omwille van zijn complexiteit, in voege in slechts een negental landen verspreid over de hele wereld. Het bekendste voorbeeld is uiteraard de Duitse Bondsrepubliek, waar het stelsel al sinds 1949 gebruikt wordt (zie tabel 42). Doordat het aantal proportionele zetels soms scheeftrekkingen bij de verdeling van de *Direktmandate* moet corrigeren, kan het zelfs voorkomen dat er in de *Bundestag*, het Lagerhuis van het Duitse parlement, meer dan de oorspronkelijk voorziene 598 zetels verdeeld worden. Hoe dat precies in zijn werk gaat, wordt in de volgende alinea's uit de doeken gedaan.

Tabel 42:   Landen met een MMP-stelsel

	Totaal N zetels	N zetels volgens proportioneel stelsel	%	N zetels volgens meerderheids-stelsel	%	Soort meerder-heids-stelsel
Bolivië	130	53	40,8	77	59,2	FPTP
Duitsland	598	299	50,0	299	50,0	FPTP
Hongarije	386	210	54,4	176	45,6	TRS
Italië (1993-2005)	630	475	75,4	155	24,6	FPTP
Lesotho	120	40	33,3	80	66,7	FPTP
Mexico	500	200	40,0	300	60,0	FPTP
Nieuw-Zee-land	120	70	58,3	50	41,7	FPTP
Roemenië*	412	240	58,3	172	41,7	FPTP
Venezuela**	165	55	33,3	110	66,7	FPTP

* Kiesstelsel met variabel aantal zetels. Cijfers van de verkiezingen van 2012.

** Mixed-Member Majoritarian System[94]

FPTP: First Past the Post / TRS: Tweerondenstelsel

Bron: Reynolds, Reilly & Ellis (2005); update op basis van IDEA en IFES Election Guide.

II.   Het Duitse kiesstelsel

1.   Oorsprong en algemene kenmerken

De oorsprong van het huidige Duitse politieke systeem ligt in het einde van de Tweede Wereldoorlog, op het moment dat het Duitse grondgebied bestuurd wordt door de westerse en Sovjet-Russische winnaars van de oorlog. Zij stonden, samen met de herstelde Duitse politieke partijen, voor de immense taak om een nieuw democratisch systeem op te zetten en meteen de nare herinneringen aan de Weimarrepubliek (1919-1933) uit te vegen, genoemd naar de Duitse stad waar de nieuwe grondwet werd afgekondigd. Die Weimarrepubliek bevatte talrijke valkuilen waardoor antidemocratische machten op een perfect legale manier aan populariteit konden winnen en ultiem de macht konden grijpen. Ze werd gekenmerkt door grote partijfragmentatie, wat aanleiding gaf tot wankele regeringen. Het kiesstelsel van de Weimarrepubliek was immers hyperproportioneel, waardoor ook de geringste mening in de maatschappij vertolkt werd in het parlement.

---

94.   In een *Mixed-Member Majoritarian System* (MMM-stelsel) worden de effecten van het meerderheidssysteem niet getemperd door een proportioneel systeem, maar versterkt door een bijkomend meerderheidssysteem. Volgens Farrell (2011, pp. 113-116) is dit ook feitelijk het geval voor het Russische kiessysteem (1993-2007).

Om een herhaling van die instabiele periode te vermijden, werd in 1949 een bijzonder complex kiesstelsel uitgewerkt met elementen van zowel het meerderheidsstelsel als van het proportionele stelsel. Het kiesstelsel wordt enkel toegepast voor de verkiezingen van het Lagerhuis (de *Bundestag*), niet voor het Hogerhuis (de *Bundesrat*).

Ondanks zijn complexiteit en de Duitse hereniging in 1990 werd er de afgelopen vijftig jaar nagenoeg niets grondigs meer aan gewijzigd.[95] Het stelsel wordt ook toegepast voor de verkiezing van de deelstaatparlementen in dertien van de zestien deelstaten (*Länder*). Alleen in Bremen, Hamburg en Saarland wordt een ander kiesstelsel gebruikt voor de deelstaatverkiezingen, met name een proportioneel kiesstelsel met gesloten partijlijsten.[96]

In 1949, bij de start van de West-Duitse Bondsrepubliek, werd een *Bundestag* verkozen die bestond uit vierhonderd leden. Die leden werden via een gemengd stelsel verkozen, waarbij 60 % van de zetels (242 om exact te zijn) toegekend werd volgens het meerderheidsstelsel (dit zijn de zogenaamde *Direktmandate*) en 40 % (of 156 zetels) via een lijstproportioneel stelsel (Saalfeld, 2005). In tegenstelling tot vandaag kregen de kiezers maar één stem. Elke partij die meer dan 5 % van de stemmen haalde in een *Land*, kon deelnemen aan de zetelverdeling in dat *Land*. De zetels werden toegekend op basis van het lijstresultaat dat de partijen behaalden, waardoor het stelsel *de facto* zeer grote gelijkenissen vertoonde met een zuiver proportioneel stelsel (Kreuzer, 2004, p. 223).

Bij de eerstvolgende verkiezingen (vier jaar later in 1953) onderging het systeem een aantal lichte wijzigingen. Het aantal zetels werd gevoelig opgetrokken tot 484, terwijl kiezers voortaan twee stemmen kregen. De zogenaamde *Erststimme* bepaalt het aantal *Direktmandate* volgens het meerderheidsstelsel en de *Zweitstimme* bepaalt het aantal *Parteimandate*. Deze aanpassingen hadden tot doel de disproportionaliteit te compenseren die in 1949 ontstaan was door het overwicht aan *Direktmandate*. Daarom werd de verdeling tussen meerderheidszetels en proportionele zetels gewijzigd. Voortaan zou de *Bundestag* voor telkens de helft uit beide soorten zetels bestaan.

In 1956 werd ten slotte de laatste grote wijziging doorgevoerd en werd de kiesdrempel (*Sperrklausel*) verhoogd. Om tot de verdeling van de proportionele zetels toegelaten te worden, moesten partijen voortaan 5 % van de

---

95. De vijf *Länder* van de *Deutsche Demokratische Republik* (DDR) sloten zich in 1990 volledig aan bij het politieke systeem van de Duitse Bondsrepubliek (*Bundesrepubliek Deutschland*, BRD), inclusief het kiesstelsel.

96. Dit is dus zonder de mogelijkheid om een voorkeurstem op een individuele kandidaat uit te brengen.

stemmen behalen op het nationale niveau of in staat zijn om drie *Direktmandate* te verwerven.

Latere hervormingen aan de kieswetgeving waren beperkt in reikwijdte. Het ging om het verlagen van de leeftijdsgrenzen en de toepassing van kiesdeler Hare/Niemeyer in plaats van de delerreeks D'Hondt voor de omzetting van stemmen naar zetels. In 2008 werd Hare/Niemeyer op zijn beurt vervangen door de delerreeks Sainte-Laguë/Schepers en voor de eerste keer toegepast bij de Bondsdagverkiezingen van 2009.[97]

Het aantal zetels werd in verscheidene stappen verhoogd, zodanig dat bij de eerste verkiezingen na de hereniging van West- en Oost-Duitsland (in 1990) de *Bundestag* 656 zetels telde. Omdat het zo toch wel erg groot werd, besliste men om het parlement af te slanken. Sinds 2002 bestaat de *Bundestag* daarom in principe uit 598 zetels: 299 worden verdeeld in 299 kleine kieskringen volgens het FPTP-systeem en de 299 andere zetels worden verdeeld volgens het proportionele stelsel via *Parteienlisten* op het *Landesniveau*.[98]

2. Stemverrichtingen en zetelberekening

Wellicht het belangrijkste verschil tussen het Duitse kiesstelsel en alle andere kiesstelsels is dat de Duitse kiezers één brief krijgen waarop ze *twee* stemmen kunnen uitbrengen (zie figuur 14). De *Erststimme* dient om een lokale kandidaat te kiezen via een *First Past The Post*-systeem. Net zoals in het Verenigd Koninkrijk stelt elke partij dus één kandidaat voor en worden de grote partijen, de *Sozialdemokratische Partei Deutschlands* (SPD) en de *Christlich Demokratische Union* (CDU), voor de verdeling van deze 299 zetels bevoordeeld.[99] De zetels die op basis van de *Erststimme* verkozen worden, worden *Direktmandate* genoemd.

---

97. Zie http://www.bundestag.de/bundestag/wahlen/abg_wahl.html.
98. Duitsland is een federatie (bondsstaat) bestaande uit zestien verschillende *Länder*, waarvan Beieren, Noord-Rijnland-Westfalen, Saksen en de stadsstaten Berlijn, Hamburg en Bremen de meeste bekendheid genieten.
99. De *Christlich Demokratische Union* (CDU) vormt doorgaans een kartel met haar Beierse zusterpartij de *Christlich Soziale Union* (CSU). Beide partijen ? ook wel *die Unionsparteien* genoemd ? halen voordeel uit het meerderheidsstelsel: de CSU in Beieren, en de CDU in de overige vijftien *Länder*.

Figuur 15:   Voorbeeld van een Duits stembiljet

Bron: Saalfeld (2005), p. 213.

De *Zweitstimme*, op de rechterhelft van het stembiljet, kunnen de kiezers vervolgens uitbrengen op een partijlijst. Dit is een lijst van namen waarvan de volgorde bepaald is door de partijen zelf. De kiezers kunnen dus zelf geen alternatieve volgorde voorstellen door bijvoorbeeld een voorkeurstem uit te brengen op de kandidaat die hun voorkeur wegdraagt. De partijlijsten zijn immers 'gesloten': de volgorde ligt vast. Heel vaak vindt men dezelfde namen terug aan de linker- en de rechterzijde van het stembiljet. Heel wat kandidaten die vrezen niet verkozen te worden via de *Erststimme*, proberen via de *Zweitstimme* of de partijlijsten verkozen te geraken.

Tabel 43:   Verdeling van de zetels over de *Länder*

Deelstaat	Inwoners (miljoen, 30.06.2012)	Verkiezingen 1998			Verkiezingen 2002			Verkiezingen 2005			Verkiezingen 2009		
		Aantal direkte *Mandate*	Aantal *Land*-zetels	Totale aantal mandaten	Aantal direkte *Mandate*	Aantal *Land*-zetels	Totale aantal mandaten	Aantal direkte *Mandate*	Aantal *Land*-zetels	Totale aantal mandaten	Aantal direkte *Mandate*	Aantal *Land*-zetels	Totale aantal mandaten
Hessen	6,002979	22	25	47	21	23	44	21	22	43	21	24	45
Rijnland-Palts	3,989163	16	18	34	15	15	30	15	16	31	15	17	32
Baden-Württemberg	10,541173	37	41	78	37	39	76	37	39	76	38	46	84
Beieren	12,476565	45	48	93	44	51	95	45	44	89	45	46	91
Saarland	0,995732	5	3	8	4	5	9	4	6	10	4	6	10
Berlijn	3,345108	13	12	25	12	11	23	12	10	22	12	11	23
Mecklenburg-Voorpommeren	1,602954	9	6	15	7	3	10	7	6	13	7	7	14
Brandenburg	2,450319	12	11	23	10	6	16	10	11	21	10	9	19
Saksen-Anhalt	2,266501	13	13	26	10	8	18	10	13	23	9	8	17
Thüringen	2,175035	12	13	25	10	7	17	9	9	18	9	9	18
Saksen	4,046079	21	16	37	17	12	29	17	19	36	16	19	35
Sleeswijk-Holstein	2,803857	11	13	24	11	11	22	11	11	22	11	13	24
Hamburg	1,724309	7	6	13	6	7	13	6	8	14	6	7	13
Nedersaksen	7,784694	31	37	68	29	34	63	29	33	62	30	32	62
Bremen	0,652108	3	2	5	2	2	4	2	2	4	2	4	6
Noord-Rijnland-Westfalen	17,542677	71	77	148	64	70	134	64	66	130	64	65	129
Totaal	80,399253	328	341	669	299	304	603(*)	299	315	614	299	323	622

Bron: *www.genesis.destatis.de; www.bundeswahlleiter.de*

Vooraleer het complexe proces van de toewijzing van de zetels van start kan gaan, wordt het land opgedeeld in 299 eennamige kiesdistricten (*Direkt-mandate*), die elk één afgevaardigde naar de *Bundestag* mogen sturen. Daar-naast worden de overblijvende 299 zetels verdeeld over de 16 *Länder* die de Duitse Bondsrepubliek telt. Het aantal zetels per *Land* hangt uiteraard af van de bevolkingsgrootte van elke deelstaat. Het varieert van – voor de verkie-zingen van 2013 – vier vertegenwoordigers voor de stadsstaat Bremen tot 75 vertegenwoordigers voor de dichtbevolkte deelstaat Noord-Rijnland-West-falen. De 299 *Direktmandate* zijn ongeveer op eenzelfde manier verdeeld over de deelstaten (zie tabel 43), wat resulteert in een totaal aantal zetels voor Bremen van 2 + 2, en ongeveer 64 + 65 voor Noord-Rijnland-Westfa-len. Dit toont meteen het grote belang van het dichtbevolkte Ruhrgebied aan: Noord-Rijnland-Westfalen is op zijn eentje al goed voor een vijfde van het aantal zetels in de *Bundestag*.

De precieze zetelverdeling over de partijen en zetelallocatie over de indivi-duele kandidaten is een proces dat in vijf stappen verloopt (Maddens, 2006). Eerst worden de *Direktmandate* toegekend. Dat gebeurt volgens de regels van het *First Past The Post*-systeem: de kandidaat die het grootste aan-tal stemmen behaald heeft, is verkozen, ongeacht of die meerderheid abso-luut of relatief is. In 2005 werd ongeveer een derde van deze zetels op basis van een absolute meerderheid toegewezen; dat was het geval in 94 van de 299 *Wahlkreise*. Uiteraard bevoordeelt dit de grote partijen: in 2009 behaal-den de CDU, haar Beierse zusterpartij, de *Christlich Soziale Union* (CSU), en de SPD samen 'slechts' 67,4 % van de *Erststimmen*, maar ze rijfden wel 282 van de 299 zetels binnen (94,3 %). De overige zetels gingen niet naar de liberale *Freie Demokratische Partei* (FDP) (ondanks 9,4 % van de *Erststim-men*), maar wel naar de socialistische *Die Linke* (17) en *Die Grünen* (1).[100] *Die Linke* haalde niet veel meer stemmen dan de FDP (11,1 % van de *Erst-stimmen*), maar behaalde wel 4 *Direktmandate* in Berlijn en 12 in de Oost-Duitse deelstaten (4 in Brandenburg, 5 in Saksen-Anhalt, 2 in Thüringen en 1 in Mecklenburg-Voor-Pommeren). Ook *Die Grünen* (9,2 % van de *Erst-stimmen*) verwierven een *Direktmandat* in Berlijn. Maar ook regionaal zijn er grote verschillen en grote bonussen voor de grote partijen. In de deelstaat Beieren gingen alle 45 *Direktmandate* naar vertegenwoordigers van de CSU. De *Direktmandate* die in deze stap verdeeld worden, kunnen niet meer wor-den afgenomen.

---

100. *Die Linke* is pas in 2007 opgericht als een samengaan van de in het voormalige Oost-Duitsland populaire postcommunistische *Partei des Demokratischen Sozialismus* (PDS, sinds 2005 *Die Linkspartei*) en een linkse afscheuring van de SPD. De PDS was op haar beurt de opvolger van de in 1989 ter ziele gegane *Sozialistische Einhei-tspartei Deutschlands* (SED), de communistische eenheidspartij van de DDR.

Na deze eerste stap worden alle *Zweitstimmen* opgeteld. Dan volgt meteen de eliminatie van alle partijen die de kiesdrempel van 5 % niet overschreden hebben, of – tweede mogelijkheid – die geen drie *Direktmandate* behaalden. Het is belangrijk om op die dubbele mogelijkheid te wijzen. In 2009 bijvoorbeeld zou *die Linke* dus hoe dan ook toegelaten worden tot de verdeling van de zetels op basis van de *Zweitstimmen*, zelfs als ze over heel Duitsland geen 5 % van de stemmen had behaald (omdat ze al zestien *Direktmandate* had behaald). Dat geldt niet voor *die Grünen*. Voor hen was het wel degelijk van belang nog de 5 %-drempel te halen om toegelaten te worden tot de verdeling van de zetels op basis van de *Zweitstimmen*. Dat is ook effectief het geval geweest. Maar een partij die minder dan drie *directe Mandate* heeft behaald, behoudt sowieso haar zetels uit de eerste stap.

In de derde stap gaat men over tot de eigenlijke *zetelverdeling* tussen de politieke partijen die meer dan 5 % van de stemmen hebben behaald (of minstens drie *Direktmandate* binnenrijfden). Die zetelverdeling gebeurt op basis van de delerreeks Sainte-Laguë/Schepers: men berekent op basis van de *Zweitstimmen* op hoeveel zetels elke partij recht zou hebben indien er 598 zetels proportioneel verdeeld zouden worden. Men extrapoleert de *Zweitstimmen* dus als het ware naar het nationale niveau. Dit is de fameuze correctiefactor die aangebracht wordt in een *MMP*-systeem. Restzetels worden verdeeld op basis van de grootste rest.

In een vierde stap gaat men de zetel *alloceren* per partij in elk van de zestien *Länder*. Men gaat na waar de partijen hun zetels verdiend hebben. Ook hier worden restzetels verdeeld op basis van de grootste rest. De CSU slaat deze stap over omdat ze alleen in Beieren opkomt. De zetels die ze in de vorige fase gekregen heeft, heeft ze sowieso in Beieren verdiend.

Ten slotte worden in een vijfde fase de zetels toegekend aan individuele kandidaten in elk van de *Länder*. Eerst wordt het aantal *Direktmandate* afgetrokken van het toegewezen aantal mandaten per partij per *Land* (uit stap 4). De overblijvende zetels worden verdeeld over de kandidaten op de partijlijsten van de *Zweitstimme*. In dit geval gaan we ervan uit dat er nog restzetels te verdelen zijn. Maar dat is niet altijd het geval. Bij de aftrekking van de *Direktmandate* van het totale aantal zetels dat een partij toebedeeld heeft gekregen in een bepaald *Land*, zijn er immers drie uitkomsten mogelijk.

a) Ofwel is het aantal proportionele zetels *gelijk* aan het aantal *Direktmandate* en dan worden geen extra lijstzetels toegekend.

b) Ofwel is het aantal zetels waar de partij volgens de proportionele verdeling recht op heeft *groter* dan het aantal *Direktmandate*. Dan worden de extra zetels toebedeeld a rato van het overtal.

c) Ofwel is het aantal zetels waarop een partij recht heeft volgens de proportionele verdeling *kleiner* dan het aantal *Direktmandate* dat de partij al binnengehaald had in stap 1. Omdat het systeem ervan uitgaat dat men die zetels uit de eerste ronde als 'verworven' mag beschouwen, is er dan geen andere mogelijkheid dan die toch te bewaren. Op dat moment krijgen we een zogenaamd *Überhangmandat*. Het gevolg is dat er dan meer dan 598 zetels zullen zijn in de *Bundestag*.

Vroeger waren *Überhangmandate* een grote uitzondering. Sinds de hereniging van Duitsland in 1990 stellen we echter een opvallende stijging van dat aantal *Überhangmandate* vast. In 1994 waren het er niet minder dan zestien (twaalf voor de CDU/CSU en vier voor de SPD), waardoor de *Bundestag* geen 598 maar liefst 614 zetels telde. In 1998 waren het er dertien, in 2002 slechts vijf, maar in 2005 waren het er opnieuw vijftien. In 2009 waren het er maar liefst 24: 21 voor de CDU en drie voor de CSU. Meestal maakt het bestaan van *Überhangmandate* niet veel uit voor de verhoudingen tussen de politieke grootmachten, omdat het wel een bonus geeft aan de grootste partijen maar hun aantal niet opweegt tegen het totaal van 598 'reguliere' zetels. Er is één uitzondering op deze regel. In 1994 kon de regering van bondskanselier Helmut Kohl (CDU/CSU en FDP) enkel aan de macht blijven dankzij de twaalf *Überhangmandate* die de CDU behaald had. Zonder *Überhangmandate* zou de coalitie immers teruggevallen zijn op een meerderheid van amper twee zetels, wat onwerkbaar zou zijn geweest (Saalfeld, 2005, p. 216). Met andere woorden: de *Überhangmandate* zijn al bij al toch niet zo onschuldig als ze op het eerste gezicht lijken.

Omwille van die reden werd in februari 2013 het kiessysteem aangepast.[101] Partijen die geen *Überhangmandate* in de wacht konden slepen, werden immers steevast benadeeld. Het aangepaste kiessysteem (dat voor het eerst in september 2013 wordt toegepast) laat de *Überhangmandate* ongemoeid, maar voert een compensatie in (*Ausgleichmandate*) voor de partijen die deze 'extra' zetels aan hun neus zien voorbijgaan. De idee is dat de toekenning van Überhangmandate de machtsbalans tussen de partijen niet mag verstoren, of beter: in het voordeel van één partij (die veel *Überhangmandate* binnenhaalt) doen kantelen.

Een voorbeeld: partij A haalt *bundesweit* 200 zetels op basis van de *Zweitstimmen* terwijl partij B er slechts 100 verovert. Partij A haalt bovendien 20 *Überhangmandate* binnen. In het oude systeem zou dit betekenen dat partij A louter dankzij de *Überhangmandate* een absolute meerderheid van het aantal zetels behaalt. In het nieuwe systeem is dat onmogelijk aangezien de balans van de verkiezingen 200-100 behouden moet blijven. Dit betekent dus dat nadat partij A 20 *Überhangmandate* krijgt toegewezen, partij B recht heeft op 10 *Ausgleichmandate*. De verhouding tussen de partijen (220-110) blijft daardoor ongewijzigd.

---

101. Zie: http://www.bundestagswahl-bw.de/wahlsystem1.html

Het nadeel van deze hervorming is uiteraard dat het totale aantal zetels fors kan verhogen. Mocht bijvoorbeeld de *Bundestag* zoals die verkozen is in 2009 de regels van 2013 toepassen, dan zou het totale zetelaantal stijgen van 620 naar 671.

III. Voor- en nadelen van het Duitse systeem

Een onmiskenbaar voordeel van dit – vrij ingewikkelde – systeem is dat het een vrij proportioneel stelsel is. Zoals we in hoofdstuk 9 zullen zien, kan men indexen berekenen om de graad van disproportionaliteit te meten. En het Duitse *MMP*-systeem scoort daarin telkens dicht bij de meest proportionele lijstsystemen. Tabel 44 levert daar het beste bewijs van. De verhouding tussen het aantal zetels en het aantal stemmen ligt telkens heel dicht bij de waarde 1,00, wat erop wijst dat dit een erg proportioneel systeem is.[102]

Tabel 44:   De proportionaliteit van het Duitse kiessysteem in 2009

Partij	Percentage Zweitstimmen	Percentage zetels in de Bundestag	Verhouding zetels/stemmen
CDU	27,27	31,19	1,14
CSU	6,53	7,24	1,11
SPD	23,04	23,47	1,02
FDP	14,56	14,95	1,03
Die Linke	11,89	12,22	1,03
Grüne	10,71	10,93	1,02
Andere	6,01	0,00	0,00
Totaal	100,00	100,00	

Bron: *http://www.bundeswahlleiter.de.*

Toch werkt het aantal *Überhangmandate* enigszins disproportionerend, omdat enkel de grote partijen ervan profiteren en enkel zij deze bonus binnenrijven. Van de 57 *Überhangmandate* die toegevoegd werden aan het 'reguliere' aantal zitjes in de periode 1949-2002, gingen er 31 naar de CDU/CSU, 25 naar de SPD en slechts één naar een derde partij: de conservatieve *Deutsche Partei* in 1953 (Saalfeld, 2005, p. 216). Zoals we hierboven reeds aangegeven hebben, is het aantal *Überhangmandate* de voorbije decennia sterk gestegen. Hun aantal is afhankelijk van verschillende factoren: de mate waarin kiezers hun stemmen splitsen, de geografische spreiding dan

---

102. Bij de verkiezingen van 2005 lag de proportionaliteit nog hoger. Toen haalden de CDU en de CSU een score van respectievelijk 1,05 en 1,01. Alle andere partijen haalden een score tussen de 1,01 en 1,03.

wel concentratie van de stemmen voor de partijen, de beperkte omvang van de electorale districten voor de *Erststimme*, een lage opkomst bij de verkiezingen, een groot aantal *wasted votes* en de situatie dat twee partijen in aanmerking komen voor *Direktmandate* (Saalfeld, 2005, p. 214).

Bij de nadelen van dit systeem noteren we uiteraard dat dit een erg complex stelsel is, hoewel Jeffrey Karp (2006) in zijn onderzoek aantoont dat een gebrekkige kennis over de exacte werking van het stelsel geen invloed heeft op het stemgedrag van de kiezers. De invloed van de kiezer op de keuze van de kandidaten is bovendien quasi nihil. Immers, de kandidaten voor de *Direktmandate* worden door de lokale partijafdeling gekozen, terwijl de beslissingen omtrent de lijst en de rangschikking van de kandidaten op de partijlijsten door de partijen op het niveau van de *Länder* genomen worden.

Men kan zich de vraag stellen of deze tweedeling in de manier waarop parlementsleden verkozen worden ook aanleiding geeft tot twee soorten kandidaten, 'nationale' en 'lokale'. Het antwoord van de onderzoekers die zich hierover gebogen hebben, is dubbel. Enerzijds beantwoorden zij deze vraag negatief, omdat zowel de lokale als de regionale afdelingen de kandidaten nomineren. Er zijn ook heel wat dubbelkandidaturen, waardoor de vertegenwoordigers van de grote partijen vaak niet op voorhand weten via welke weg – die van de *Erststimme* of die van de *Zweitstimme* – ze verkozen zullen worden. Daarom moeten beide aan *constituency service* doen en dus de belangen van hun lokale electoraat verdedigen. Overigens blijkt dat verkozenen volgens het systeem van *Direktmandate* niet méér gekend zijn in hun eigen lokale gemeenschap (wat wel het geval is in het Verenigd Koninkrijk) dan de verkozenen op de (proportioneel verdeelde) partijlijsten. Het feit dat er geen tussentijdse verkiezingen zijn wanneer een parlementslid overlijdt of ontslag neemt, verhindert verder de ontwikkeling van een tweedeling onder de parlementsleden. Het is de eerstvolgende kandidaat op de partijlijst die de vrijgekomen zetel toegewezen krijgt.

Nochtans zijn er ook een aantal elementen die een zekere vorm van tweedeling in de geesten van de betrokkenen in de hand werken. Het hele stelsel is immers opgebouwd op basis van een onderscheid tussen de lokale vertegenwoordigers en de partijvertegenwoordigers. *Survey*-onderzoek onder de parlementsleden van o.a. Hans-Dieter Klingemann wees uit dat er zich onder de houders van een *Direktmandat* veel meer *trustees* bevonden dan *delegates* (Klingemann & Wessels, 2001). Met andere woorden: een groter aantal parlementsleden is ervan overtuigd dat het mandaat aan hen persoonlijk toekomt en dat ze in alle vrijheid kunnen beslissen wat ze met het mandaat zullen aanvangen, zonder dat ze om de haverklap 'hun achterban' moeten raadplegen om stemadvies te krijgen.

IV. Effecten en gevolgen van het Duitse kiesstelsel

Ten eerste is er een effect van de mate waarin de kiezers hun stemmen splitsen en dus hun *Erststimme* en *Zweitstimme* gebruiken om op verschillende partijen te stemmen. Daar waar het in het verleden niet frequent gebeurde, is het gesplitst stemmen intussen uitgegroeid tot een erg invloedrijk gegeven. In 1957 bedroeg het aantal gesplitste stemmers 6,4 % van de totale kiezerspopulatie; in 1998 was dat al opgelopen tot 20 %.

Aan de basis van gesplitst stemmen kunnen heel wat redeneringen liggen. Zo kan het gewoon al zijn dat men de plaatselijke kandidaat die de partij van zijn voorkeur voorstelt, zelf niet goed of competent vindt. Meestal echter ligt er een rationelere bedenking van aan de grondslag. De jongste twee decennia hebben de grote partijen SPD en CDU/CSU immers vóór de verkiezingen al kenbaar gemaakt met wie ze een eventuele coalitie zouden aangaan: voor de SPD zijn dat *Die Grünen*; voor de CDU/CSU is dat de liberale partij FDP. Het is dus niet onmogelijk dat goedgeïnformeerde kiezers met hun twee stemmen op verschillende partijen zullen stemmen. We spreken dan over *strategisch stemmen*. Het betekent dat een kiezer ondanks zijn/haar voorliefde voor een bepaalde partij toch niet op die partij stemt, omdat hij meent dat zijn/haar stem meer waarde krijgt door op een andere kandidaat of partij te stemmen.

Er zijn twee vormen van strategisch stemmen, afhankelijk van de preferentie van de kiezer. Ofwel gaat die voorkeur uit naar een grote partij; dan kan die kiezer zijn/haar *Zweitstimme* gebruiken om zeker te zijn dat de geprefereerde coalitiepartner in het parlement vertegenwoordigd zal zijn en dat de geprefereerde coalitie van 'zijn/haar' grote partij effectief gerealiseerd kan worden. Dat is een zeer frequent voorkomende vorm van gesplitst stemmen. Soms voeren partijen zelfs specifiek campagne bij hun eigen electoraat om de tweede stem aan de geprefereerde coalitiepartner te geven; dit is de zogenaamde *Zweitstimmenkampagne*. Zo bijvoorbeeld de CDU/CSU bij de verkiezingen van 1994, toen ze hevig campagne voerde om de FDP over de kiesdrempel van 5 % heen te helpen. Het werd een succes: de FDP won 6,9 % van de *Zweitstimmen* (t.o.v. slechts 3,3 % van de *Erststimmen*) en de coalitie was gered. Ook in 2009 was het verschil in score tussen de *Erststimme* en de *Zweitstimme* voor de FDP (9,4 % versus 14,6 %) opmerkelijk (zie tabel 45).

Tabel 45: Duitse parlementsverkiezingen van 22 september 2013

Partij	Kieskringen (*direkte Mandate*)			Partijlijsten			Totaal aantal zetels		
	Stemmen	%	Zetels	Stemmen	%	Zetels	Totaal	Verschil t.o.v. 2005	%
CDU	16 225 769	37,2	191	14 913 921	34,1	64	255	+61	40,47
CSU	3 543 733	8,1	45	3 243 335	7,4	11	56	+11	8,89
CDU/ CSU	19 769 502	45,3	236	18 157 256	41,5	75	311	+72	49,36
SPD	12 835 933	29,4	58	11 247 283	25,7	134	192	+46	30,48
FDP	1 028 322	2,4	0	2 082 305	4,8	0	0	-93	0
Die Linke	3 583 050	8,2	4	3 752 577	8,6	60	64	-12	10,16
Grüne	3 177 269	7,3	1	3 690 314	8,4	62	63	-5	10
Afd	809 817	1,9	0	2 052 372	4,7	0	0	-	0
Andere	2 397 331	5,5	0	2 720 367	6,3	0	0	-	0
Totaal	43 601 224	100,0	299	43 702 474	100,00 %	331	630	+8	100

Een tweede frequent voorkomende vorm van strategisch stemmen gebeurt in de omgekeerde richting. Het gaat dan om het electoraat van de kleine partijen dat in de eerste ronde niet voor zijn eigen geprefereerde partij stemt maar een strategische stem uitbrengt op die kandidaat van de grote partijen die met zijn eigen geprefereerde partij een postelectorale coalitie wil vormen. Zo probeert men dus – in de tweestrijd tussen CDU/CSU en SPD voor de *Direktmandate* – die grote partij te steunen die de meeste garanties biedt op een regeringsdeelname van de eigen partij. Deze vorm van strategisch stemmen komt ook heel frequent voor. Berekeningen hebben uitgewezen dat het aandeel strategische stemmen bij de *Erststimme* opgelopen is van 2,4 % in 1967 tot 7 % in 1998. Men kan het ook aflezen uit de uitslag van CDU/CSU en SPD wat de eerste en wat de tweede stem betreft (zie tabel 45). In de verdeling van de *Erststimmen* halen CDU/CSU en SPD samen 74,7 % van de stemmen; in de verdeling van de *Zweitstimmen* halen ze samen nog 67,2 %. Bij de voorgaande verkiezingen bedroegen deze percentages respectievelijk 67,4 % en 56,8 % in 2009 en 79,2 % en 69,6 % in 2005.

Maar soms verraden kiezers hun gebrekkige kennis van het stelsel (zie tabel 46), wanneer blijkt dat nog heel wat groene kiezers (13,1 %) hun *Zweitstimme* gaven aan de SPD, terwijl ze dat veel beter enkel met hun *Erststimme* hadden gedaan (33,3 %).

Tabel 46:   Gesplitst stemmen in Duitsland in 2009

Percentage kiezers dat met zijn *Zweitstimme* voor de partij uit de linkerkolom stemde en met de *Erststimme* stemde voor de partij ...								
Partij	SPD	CDU	CSU	Grüne	FDP	Die Linke	Andere partijen	Ongeldig
SPD	**85,5**	3,8	0,7	5,2	1,1	2,4	0,4	0,6
CDU	4,5	**87,2**	-	1,7	4,9	0,8	0,4	0,6
CSU	2,7	-	**89,3**	1,7	4,5	0,3	0,9	0,5
Grüne	33,3	5,0	1,1	**53,6**	2,1	3,6	0,8	0,4
FDP	4,8	39,3	6,5	2,1	**44,8**	1,1	0,9	0,5
Die Linke	12,8	2,7	0,4	4,8	1,7	**75,7**	1,4	0,5
Andere	13,0	9,5	3,8	12,5	9,0	11,4	**37,8**	3,0
Ongeldig	7,9	10,0	1,7	1,3	2,1	2,5	1,3	**73,2**
Percentage kiezers dat met zijn Erststimme voor de partij uit de linkerkolom stemde en met de Zweitstimme voor de partij ..stemde								
Partij	SPD	CDU	CSU	Grüne	FDP	Die Linke	Andere partijen	Ongeldig
SPD	**71,0**	4,4	0,6	12,8	2,5	5,4	2,8	0,4
CDU	2,8	**74,4**	-	1,7	17,9	1,0	1,8	0,5
CSU	2,2	-	**79,2**	1,7	12,8	0,7	3,1	0,3
Grüne	13,1	5,0	1,2	**62,6**	3,4	6,3	8,2	0,2
FDP	2,7	14,2	3,1	2,4	**69,4**	2,2	5,8	0,3
Die Linke	4,9	1,9	0,2	3,5	1,5	**81,4**	6,2	0,3
Andere	3,5	3,8	2,1	3,0	4,3	5,5	**77,3**	0,6
Ongeldig	7,3	8,7	2,0	2,7	4,0	3,5	10,4	**61,3**

Bron: *www.bundeswahlleiter.de.*

Het Duitse kiesstelsel, met zijn proportionaliteit en zijn bonussen voor de grote partijen, heeft veel effect gehad op de regeringsvorming. Zo getuigt het Duitse stelsel van een opmerkelijke stabiliteit. Sinds 1949 is het land bestuurd geworden door nauwelijks acht kanseliers. Vergelijk dat met België, waar premier Elio Di Rupo al de negentiende naoorlogse eerste minister is. Door het stabiele partijlandschap, lange tijd gekenmerkt door maar drie partijen (christendemocraten, socialisten en liberalen), zijn er bovendien maar een beperkt aantal coalities gevormd. Het zijn er vier om precies te zijn:

- CDU/CSU met FDP van 1949 tot 1957, van 1961 tot 1965, van 1982 tot 1998 en van 2009 tot 2013;
- SPD met FDP van 1969 tot 1982;
- SPD met *Bündnis 90/Die Grünen* van 1998 tot 2005;[103]
- CDU/CSU met SPD van 1963 tot 1966 en van 2005 tot 2009.

---

103. Bündnis 90 is een tijdens de *Wende* van 1989-1990 (de val van de Berlijnse Muur, de implosie van de DDR en de hereniging met West-Duitsland) ontstane linksgeoriënteerde burgerbeweging in Oost-Duitsland die optreedt in kartel met ? de overwegend West-Duitse ? *Die Grünen* en in de *Bundestag* één fractie vormen.

Daarbij hoort nog een korte periode van alleenheerschappij van de CDU/
CSU, namelijk van 1957 tot 1961 onder kanselier Konrad Adenauer.

Tabel 47:   De (West-)Duitse regeringscoalities sinds 1982

bondskanselier	aantreden	coalitie	regeringsduur (dagen)
Kohl I	01.10.1982	CDU/CSU – FDP	156
Kohl II	29.03.1983	CDU/CSU – FDP	1398
Kohl III	11.03.1987	CDU/CSU – FDP	1329
Kohl IV	30.10.1990	CDU/CSU – FDP-DSU	33
Kohl V	17.01.1991	CDU/CSU – FDP	1368
Kohl VI	15.11.1994	CDU/CSU – FDP	1412
Schröder I	27.10.1998	SPD – Bündnis 90/Die Grünen	1390
Schröder II	22.10.2002	SPD – Bündnis 90/Die Grünen	1060
Merkel I	22.11.2005	CDU/CSU – SPD	1436
Merkel II	28.10.2009	CDU/CSU – FDP	1426*

* aantal dagen tot aan de verkiezingen van 22 september 2013

Omwille van de bonus voor de grote partijen – met de FDP die zich als een
flinke kleine broer tussen de grote probeert staande te houden – is het een
sterk gepolariseerd partijlandschap. Links en rechts zijn in Duitsland bijna
even sterk en dat vertaalt zich in een wisseling van de meerderheid en een
sterke oppositie. Het is pas vanaf de jaren tachtig dat het 'twee en een half'-
partijsysteem (zoals het Duitse systeem vaak genoemd wordt) uitgedaagd
werd, eerst door een vierde partij (*Die Grünen*, vanaf 1980) en vanaf 1990
ook door een vijfde partij (de communistische PDS, nu *Die Linke*). Als
gevolg daarvan daalde het gezamenlijke stemmenaandeel van CDU/CSU en
SPD van ruim 87 % in 1980 tot minder dan 60 % in 2009 (tabel 48).

Tabel 48:   Evolutie van de Duitse politieke partijen (1980-2009) (in %)

	CDU/CSU	SPD	FDP	B'90/DIE GRÜNEN	PDS/Die Linke	andere
1980	44,5	42,9	10,6	1,5		0,5
1983	48,8	38,2	7	5,6		0,5
1987	44,3	37	9,1	8,3		1,4
1990	43,8	33,5	11	3,8	2,4	5,4
1994	41,4	36,4	6,9	7,3	4,4	3,6
1998	35,1	40,9	6,2	6,7	5,1	5,9
2002	38,5	38,5	7,4	8,6	4	3
2005	35,2	34,2	9,8	8,1	8,7	3,9
2009	33,8	23	14,6	10,7	11,9	6

Na elke verkiezing van de *Bundestag* wordt er ook een nieuwe *Bundesregie-rung* gevormd met aan het hoofd een *Bundeskanzler(in)*. De *Bundeskanz-ler(in)* is de leider van de grootste regeringspartij (en dikwijls tevens partijleider), terwijl de leider van de *junior partner Vizekanzler* wordt. De Bundeskanzler(in) speelt een centrale rol in het Duitse politieke systeem en is eerder vergelijkbaar met de Britse premier dan met de Nederlandse minis-ter-president of de Belgische eerste minister. Sinds de oprichting van de Bondsrepubliek heeft Duitsland acht regeringsleiders gekend: drie van de SPD en vijf van de CDU (zie tabel 49).

Tabel 49:   De (West-)Duitse bondskanseliers sinds 1949

Naam	Begindatum	Einddatum	Partij
Konrad Adenauer	15.09.1949	16.10.1963	CDU
Ludwig Erhard	16.10.1963	01.12.1966	CDU
Kurt Georg Kiesinger	01.10.1966	21.10.1969	CDU
Willy Brandt	21.10.1969	07.05.1974*	SPD
Helmut Schmidt	16.05.1974	01.10.1982	SPD
Helmut Kohl	01.10.1982	27.10.1998	CDU
Gerhard Schröder	27.10.1998	22.11.2005	SPD
Angela Merkel	22.11.2005		CDU

* Brandt trad vervroegd af omwille van een afluisterschandaal.

V.   Het Duitse federalisme

In de voorgaande paragrafen zijn we nog voorbijgegaan aan een heel belang-rijk element van het Duitse politieke systeem, met name dat het in 1949 als een federale staat geconcipieerd is. De oorsprong van die indeling berust op historische gronden, die van lang voor de Tweede Wereldoorlog dateren. Sinds de hereniging in 1990 telt de Duitse Bondsrepubliek zestien *Länder*. Ze verschillen sterk naar inwonersaantal, oppervlakte en economische wel-vaart (zie tabel 50). Uit deze tabel blijkt nog duidelijk de tweedeling tussen het vroegere West- en Oost-Duitsland. Tot die laatste behoorden de deelsta-ten Brandenburg, Mecklenburg-Voor-Pommeren, Saksen, Thüringen en Saksen-Anhalt. Zo ligt in de voormalige Oost-Duitse gebieden de werkloos-heidsgraad veel hoger en het gemiddelde maandelijkse gezinsinkomen veel lager dan in de vroegere West-Duitse deelstaten. Ook het stemgedrag ligt volledig anders. *Die Linke*, die een grote schare oud-communisten herbergt, haalt in de vijf voormalige Oost-Duitse *Länder* 25,4 % van de stemmen en slechts 4,9 % in de voormalige West-Duitse *Länder* (*Der Spiegel*, september 2005).

Wat de bevoegdheidsverdeling tussen de deelstaten en de nationale staat betreft, moet men een onderscheid maken tussen vier soorten. Ten eerste zijn er de *exclusieve bevoegdheden* voor de federale staat. Het gaat om elf domeinen, die opgesomd worden in artikel 53 van de Duitse grondwet: onder meer buitenlandse zaken, defensie, burgerschap, vrij verkeer van personen, emigratie en immigrantenbeleid, handelsverdragen, de totstandbrenging van een interne douane-unie en het statuut van de federale ambtenaren.

Ten tweede zijn er 25 bevoegdheden waarvoor een principe van *concurrerende bevoegdheden* geldt (art. 74 en 74a). In deze beleidsvelden kan de federale wetgever wetgevende initiatieven nemen, maar hij is er niet toe verplicht. Meer zelfs, indien de federale wetgever geen initiatieven neemt, kunnen de deelstaten zelf beslissingen nemen. Maar wel onder één voorwaarde, met name dat federale wetgeving steeds voorrang heeft op de wetgeving van een deelstaat (dit is het zogenaamde *Bundesrecht bricht Landesrecht*-principe). De federale overheid kan trouwens niet zomaar een recht claimen op dit vlak. Een federale regeling moet vooral voorzien in 'eenvormigheid van levensomstandigheden'. Tot deze concurrerende bevoegdheden behoren onder andere het privaat- en strafrecht, justitie, arbeidsrecht, socialezekerheidswetgeving en bijstand, verkeer en milieu.

Tabel 50:   De Duitse deelstaten

Deelstaat	Inwoners (miljoen, 30.06.2012)	Oppervlakte (x 1000 km^2)	Bondsraad (2013)	Besteedbaar jaarinkomen/ inwoner (2011, ?)	Werkloosheid (2012, in %)	Regering (op 01.07.2013)
Voormalig West-Duitsland						
Baden-Württemberg	10,541	35,751	6	21679	3,9	Bündnis 90/Die Grünen/SPD
Beieren	12,477	70,550	6	22086	3,7	CSU/FDP
Berlijn	3,345	0,892	4	16927	12,3	SPD/CDU
Bremen	0,652	0,419	3	20332	11,2	SPD/Bündnis 90/Die Grünen
Hamburg	1,724	0,755	3	21313	7,5	SPD
Hessen	6,003	21,115	5	20452	5,7	CDU/FDP
Nedersaksen	7,785	47,614	6	18972	6,6	SPD/Bündnis 90/Die Grünen
Noord-Rijnland-Westfalen	17,543	34,098	6	20056	8,1	SPD/Bündnis 90/Die Grünen
Rijnland-Palts	3,989	19,854	4	20712	5,3	SPD/Bündnis 90/Die Grünen
Saarland	0,996	2,569	3	18762	6,7	CDU/SPD
Sleeswijk-Holstein	2,804	15,800	4	19931	6,9	SPD/Bündnis 90/Die Grünen/SSW
Voormalig Oost-Duitsland						
Brandenburg	2,450	29,484	4	17382	10,2	SPD/Die Linke
Mecklenburg-Voor-Pommeren	1,603	23,194	3	16317	12	SPD/CDU
Saksen	4,046	18,420	4	17227	9,8	CDU/FDP
Saksen-Anhalt	2,267	20,450	4	16661	11,5	CDU/SPD
Thüringen	2,175	16,173	4	16944	8,5	CDU/SPD
Duitsland	80,399	357,137	69	19933	6,8	CDU/CSU/FDP

Ten derde zijn er de kaderwetten (de zogenaamde *Rahmengesetzgebung*). De federale wetgever blijft op deze terreinen vager wat de invulling en omschrijving van de bevoegdheden betreft, zodat de deelstaten meer ruimte krijgen om eigen accenten te leggen in het grotere raamwerk dat de federale overheid heeft uitgetekend. Tot deze domeinen behoren onder meer het universitaire onderwijs, het ambtenarenstatuut en het land- en waterbeheer.

Ten slotte zijn er de *residuele bevoegdheden* die exclusief in de schoot van de deelstaten werden gelegd. Met andere woorden: wat niet expliciet door de wetgever in de handen van de federale overheid werd gelegd, behoort tot de verantwoordelijkheid van de deelstaten. Het gaat dan onder meer over de rest van het onderwijs, het cultuurbeleid, de politie en het lokaal bestuur (Delmartino & Swenden, 2002, pp. 206-207).

Ten slotte moeten we er ook op wijzen dat er een administratief federalisme heerst. Dit betekent dat de deelstaten de eindverantwoordelijkheid dragen voor de implementatie van de federale wetgeving op deelstatelijk niveau.

VI. Bicameraal parlementair systeem

Ondanks het feit dat aan het hoofd van de Duitse federatie een president staat, behoort Duitsland niet tot de presidentiële systemen. De president wordt immers niet door de bevolking rechtstreeks verkozen. Het zijn daarentegen de leden van de *Bundestag* en vertegenwoordigers van de deelstaatparlementen die in gezamenlijke zitting de president aanduiden voor een termijn van vijf jaar. De president speelt in het Duitse politieke systeem hoegenaamd geen vooraanstaande rol. Buiten de zesde president, Richard von Weizsäcker (1984-1994), die een vooraanstaande rol speelde bij de Duitse hereniging in 1990 en zich ook een groot voorstander toonde van verregaande Europese eenwording, kon geen enkele andere Duitse bondspresident zich in de schijnwerpers van het politieke beleid plaatsen. De huidige president, Joachim Gauck (2012-...), was voor de aanvaarding van het Duitse presidentschap o.a. een protestantse pastor en een Oost-Duitse mensenrechtenactivist. In het Duitse politieke systeem speelt de president eerder een symbolisch-morele dan een (partij)politieke rol.

In tegenstelling tot Oost-Duitsland, dat slechts één kamer in het parlement telde, heeft West-Duitsland steeds een bicameraal stelsel gekend. Het centrum van de dagelijkse politieke macht lag en ligt nog steeds bij de *Bundestag*. Met zijn ongeveer 600 zetels weegt de *Bundestag* het sterkst door als controlerend orgaan op de regering (*Bundesregierung*). De regering moet immers voor elke beslissing kunnen terugvallen op een meerderheid in de *Bundestag*.

Naast de *Bundestag* opereert er ook een *Bundesrat*; dit is het Hogerhuis van het Duitse federale systeem. Deze *Bundesrat* heeft een vetorecht ten aanzien van alle federale wetgeving die rechtstreeks de bevoegdheden van de deelstaten aanbelangt. 'Aanvankelijk ging men ervan uit dat de goedkeuring van de Bondsraad slechts zou nodig zijn voor 20 tot 30 procent van alle federale wetten. Uit de praktijk blijkt [echter] dat de Bundesrat een vetorecht verworven heeft ten overstaan van 60 procent van alle federale wetten.' (Delmartino & Swenden, 2002, p. 205)

Sinds de eenmaking in 1990 bestaat de *Bundesrat* uit 69 leden. Elke deelstaat heeft recht op minstens drie en maximaal zes vertegenwoordigers. Hij is dus, net als de Amerikaanse Senaat, niet volkomen proportioneel samengesteld, anders zou de deelstaat Noord-Rijnland-Westfalen recht hebben op zeventien keer meer vertegenwoordigers dan de deelstaat Saarland. Bovendien zijn de evenwichten bijzonder ingenieus in elkaar gezet. Ten gevolge van de komst van vijf relatief kleine deelstaten uit het voormalige Oost-Duitsland moest er in 1990 gesleuteld worden aan de stemverhoudingen. Zo niet, dan dreigden de drie grootste deelstaten (Beieren, Noord-Rijnland-Westfalen en Baden-Württemberg) in de verdrukking te geraken door een overmacht aan kleinere staten. Om dat te vermijden kunnen grondwetswijzigingen – waarvoor een tweederdemeerderheid gevonden moet worden, zowel in de *Bundestag* als in de *Bundesrat* – sindsdien niet meer worden goedgekeurd zonder de steun van een van de grote *Länder*. Omgekeerd kunnen de vijf nieuwe *Länder* samen net niet voldoende stemmen behalen om een grondwetswijziging tegen te houden. De tien kleinste *Länder* hebben samen 28,7 % van de stemmen in handen en kunnen daarmee wel een federale wet tegenhouden (al lijkt een coalitie van net deze tien deelstaten veelal onwaarschijnlijk). Uit tabel 50 blijkt trouwens dat niet alle *Länder* dezelfde politieke vertegenwoordiging hebben of dat de meerderheid van de *Bundestag* automatisch dezelfde is als de meerderheid van de *Bundesrat*. Integendeel, dikwijls gebeurt het dat de meerderheidspartijen van de *Bundesrat* die (de *Bundesregierung*) volgen, bij 'tussentijdse' deelstaatverkiezingen worden afgestraft. De partijpolitieke samenstelling van de *Bundesrat* kan dus na elke deelstatelijke verkiezing wijzigen.

Bij stemmingen in de *Bundesrat* kunnen de deelstaten hun stemmen overigens niet opsplitsen. De zes stemmen van Noord-Rijnland-Westfalen kunnen bijvoorbeeld niet verdeeld worden. Het versterkt nogmaals de idee dat de vertegenwoordigers in de *Bundesrat* hun héle deelstaat vertegenwoordigen. De 69 vertegenwoordigers zijn immers ook allen leden van de *deelstaatregeringen*. Hierin verschilt de *Bundesrat* van de Belgische Senaat, de Nederlandse Tweede Kamer, de Franse *Sénat*, het Britse *House of Lords* en zelfs van de Amerikaanse Senaat.

VII. Besluit

Het Duitse parlementaire stelsel, gestoeld op het MMP-kiesstelsel, is onge-twijfeld een van de meest aantrekkelijke parlementaire stelsels. Het slaagt er namelijk in om water en vuur met elkaar te verzoenen: zowel te voorzien in een slagkrachtige regering, die behept met een zetelbonus uit de slag om de kiezer komt, terwijl er toch een brede waaier aan partijen in het parlement zetelen. Bovendien houdt het systeem het slot op de deur voor extremis-tische partijen, terwijl de kleinere partijen, doordat ze op de wip zitten om een van de twee grote partijen aan een regeringsmeerderheid te helpen, wezenlijke inspraak en dus politieke invloed krijgen.

De aantrekkelijkheid van het stelsel leidde ertoe dat sinds de jaren negentig een aanzienlijk aantal landen dit stelsel overgenomen hebben.

Hoofdstuk 8

ÉÉN PARLEMENT VOOR EUROPA?
De lange strijd om erkenning van het Europees Parlement

I.   Inleiding

Naast de vierjaarlijkse verkiezingen voor het federale parlement, de vijfjaarlijkse verkiezingen voor de deelstaatassemblees en de zesjaarlijkse verkiezingen van de gemeente- en provincieraden worden de Belgische kiezers eens om de vijf jaar opgeroepen om hun vertegenwoordigers in het Europees Parlement te kiezen. Die 'Europese verkiezingen' vonden pas voor het eerst plaats op 10 juni 1979, al was er al in het Verdrag van Rome (maart 1957) sprake van een rechtstreeks verkozen parlementaire vergadering. Het Europees Parlement opereert naast de Europese Commissie en de Raad van Ministers, die gezamenlijk als het ware de uitvoerende macht van de Europese Unie (EU) vormen.[104]

In 1979 werden 410 parlementsleden gekozen in de 9 lidstaten van de toenmalige *Europese Gemeenschappen*. Sindsdien is die supranationale vereniging van Europese staten grondig van uitzicht veranderd. Niet alleen wijzigde in 1992 de naam naar *Europese Unie*, ook het aantal lidstaten kende een forse toename: van 9 lidstaten in 1979 tot 28 lidstaten sinds 1 juli 2013. Deze groei had ook gevolgen voor de vertegenwoordiging van de lidstaten in de Europese instellingen. Zo werd het aantal leden van de Europese Commissie opgedreven, omdat elke lidstaat recht heeft op één commissaris.[105] Het werkte een verdere en vaak onlogische versnippering van de portefeuilles in de hand. In de Raad van Ministers werd noodgedwongen afgestapt van

---

104. Aangezien de Europese Commissie het monopolie heeft op het initiatief van nieuwe wetgeving, behoort het niet alleen tot de uitvoerende macht van de EU, maar kan het ook tot de wetgevende macht worden gerekend. De Europese Raad (van staatshoofden en regeringsleiders) – niet te verwarren met de Raad van Europa noch met de Raad van Ministers (de vakministers van de lidstaten) – vervult formeel genomen geen wetgevende rol. Op politiek vlak is het echter een zeer belangrijke agendasetter.

105. Tot in 2004 hadden de grote lidstaten elk twee commissarissen. Het Verdrag van Lissabon (2009) voorziet in een afslanking van het aantal commissarissen, maar de Europese Raad besliste in december 2012 om dit uit te stellen tot in 2019. Tot zolang houdt elke lidstaat één lid van de Europese Commissie.

de idee om beslissingen enkel bij unanimiteit van de stemmen te nemen. Een ingewikkeld systeem van gekwalificeerdemeerderheidsstemmingen moet vermijden dat de kleine landen de grote kunnen dwarsbomen, of dat de grote lidstaten de kleintjes onder de voet lopen. In het Europees Parlement had de uitbreiding in de eerste plaats effect op het aantal leden. In de periode 2004-2009 zetelden 785 leden, wat het Europees Parlement het grootste democratisch verkozen parlement ter wereld maakte. Sinds de toetreding van Kroatië op 1 juli 2013 telt het Parlement 766 leden. In de tweede plaats zorgde de uitbreiding ook voor praktische problemen, bijvoorbeeld op het gebied van de werkingstalen. Die stegen van 4 talen in 1958 tot 24 erkende talen in 2013.

Maar naast de *uitbreiding* is de geschiedenis van de EU er gelukkig ook een van *verdieping*. Daarbij nam het gewicht en het belang van het Europees Parlement in de besluitvorming stelselmatig toe, onder meer via de medebeslissing (*co-decision*) die het sinds 1992 aan bepaalde Europese wetgeving moet verlenen. Het aantal dossiers waarin er van dergelijke zogenaamde codecisie sprake is, is sindsdien gevoelig gestegen. Daardoor heeft het Europees Parlement onder de Europeesgezinde politici sterk aan belang gewonnen. Helaas voor het Parlement leidde dit niet tot een grotere appreciatie door de publieke opinie. Meer dan ooit heeft het Europees Parlement te kampen met een democratisch deficit. Voor veel burgers is het Europees Parlement een onbekende instelling waarvoor men zich de moeite niet getroost om deel te nemen aan zijn verkiezing. Nochtans steekt er een mooie en noodzakelijke gedachte achter het Parlement: de plaats waar de Europese burgers elkaar ontmoeten om de toekomst van het Europese project verder vorm te geven.

II. Van Gemeenschappelijke Vergadering tot Europees Parlement

Reeds van bij de start van het Europese eenwordingsproject was er sprake van om een volksvertegenwoordigend orgaan te installeren. Dit idee werd verankerd in artikel 2 van het Verdrag van Rome (maart 1957). Toch duurde het nog een jaar, tot 19 maart 1958 om precies te zijn, alvorens de eerste zitting van de *Europese Parlementaire Vergadering* werd gehouden. Dat gebeurde in Straatsburg en onder het voorzitterschap van de Fransman Robert Schuman, een van de grondleggers van de Europese eenwording. Die eerste vergadering bestond uit 142 leden, onrechtstreeks verkozen, en was zowel wat samenstelling als wat bevoegdheden betreft, een doorslagje van de *Gemeenschappelijke Vergadering* van de Europese Gemeenschap voor Kolen en Staal (EGKS). Deze laatste was een 'assemblee' *avant la lettre* die reeds sinds 1952 actief was binnen de EGKS (McElroy, 2007; Bitsch, 2007). Ondanks de bescheiden rol die de volksvertegenwoordiging werd toebedeeld door het Europese verdrag – haar rol was beperkt tot het uitbrengen van niet-bindende adviezen – had ze via de debatten die ze organiseerde rond politieke en economische aangelegenheden een aanzienlijke invloed op de ontwikkeling van het Europese integratieproces.

De Europese Parlementaire Vergadering bleef vier jaar bestaan, tot ze zichzelf omdoopte tot *Europees Parlement* (30 maart 1962). Op die manier maakte ze een eind aan de verwarring die de verschillende vertalingen van de naam van de instelling hadden veroorzaakt. Op 17 mei 1960 keurde de Europese Parlementaire Vergadering een resolutie goed – die uitgewerkt was door de Luikse hoogleraar Fernand Dehousse – waarin ze ervoor pleitte om de leden van het Europees Parlement op termijn om de vijf jaar rechtstreeks te laten verkiezen door de bevolking. Mede door felle oppositie van de Franse president Charles de Gaulle – in eigen land nochtans de grote pleitbezorger van de rechtstreekse verkiezing van het presidentschap – duurde het veertien jaar, tot de Top van Parijs van 9 en 10 december 1974, vooraleer er verdere vooruitgang geboekt werd (Bitsch, 2007).

De Gaulle had intussen de Franse politiek al via de achterdeur verlaten, en de nieuwbakken Franse president Valéry Giscard d'Estaing wou met de steun van de Duitse kanselier Helmut Schmidt zijn Europees voorzitterschap met veel glans afsluiten. De Top van Parijs vond echter plaats onder ongunstig gesternte: de monetaire markten stonden onder zware druk, terwijl de economie in recessie ging onder invloed van de eerste oliecrisis. Die crisis maakte duidelijk dat er meer overleg nodig was tussen de lidstaten; maatregelen van individuele landen boden immers geen soelaas meer. Het aandringen op regelmatig overleg resulteerde in de installatie van de Europese Raad van staatshoofden en regeringsleiders, die driemaal per jaar zou samenkomen, en in de beslissing om het Europees Parlement tegen 1978 voor het eerst rechtstreeks te laten verkiezen (Corbett et al., 2003).

Het Europees Parlement had, onder leiding van de Nederlandse socialistische politicus Schelto Patijn, in de aanloop naar deze top reeds een aantal concrete modaliteiten vooropgesteld. Dit rapport vormde de basis voor de Europese Akte van 20 september 1976, 'Betreffende de verkiezing van de leden van het Europees Parlement via rechtstreekse verkiezingen'. De contouren ervan waren al in januari 1976 goedgekeurd en werden bekrachtigd op de Europese Raad van staatshoofden en regeringsleiders van juli 1976. De precieze zetelverdeling zorgde echter voor heel wat politiek getouwtrek tussen de toenmalige negen lidstaten. Ook de bepaling in het Verdrag van Rome dat het Europees Parlement op basis van een uniform kiesstelsel samengesteld zou worden, vormde lange tijd een knelpunt in de discussie (Corbett et al., 2003).

Het compromis resulteerde in een parlement van 410 leden, waarvoor de grote lidstaten elk 81 vertegenwoordigers mochten leveren. Dit was meer dan oorspronkelijk voorzien in het rapport-Patijn, maar betekende toch dat de kleinere lidstaten oververtegenwoordigd bleven ten opzichte van de grote lidstaten. Vooral de kleine lidstaat Luxemburg werd met zes vertegenwoordigers veel beter bedeeld dan waar hij strikt genomen recht op had (tabel 51). Door de opeenvolgende uitbreidingen, met Griekenland in 1981, Spanje en Portugal in 1986, Finland, Zweden en Oostenrijk in 1995 en tien Centraal- en Oost-Europese staten en Cyprus en Malta in 2004, groeide het aantal Europees Parlementsleden tot een voorlopig maximum van 732 bij aanvang van de legislatuur 2004-2009. Door de uitbreiding van de EU op 1 januari 2007 met Bulgarije (18 zetels) en Roemenië (35 zetels) werd het Parlement tot juni 2009 tijdelijk uitgebreid tot 785 leden.[106] Het Verdrag van Lissabon, dat op 1 december 2009 in werking trad, voorzag echter in een maximumaantal van 751. Omwille van een overgangsmaatregel die drie nieuwe leden aan het Parlement toevoegde en de toetreding van Kroatië (plus 12 leden), telt het Parlement sinds 1 juli 2013 766 leden.[107] Daarmee is het Europees Parlement, dat meer dan een half miljard Europeanen vertegenwoordigt, het grootste rechtstreeks verkozen parlement ter wereld.

III. 'In verscheidenheid verenigd'[108]

Toch is er verre van eensgezindheid over de precieze samenstelling van het Europees Parlement. Dat heeft vooreerst te maken met een aantal mechanische effecten van de zetelverdeling over de lidstaten, waardoor er geen volledig proportionele verdeling van de zetels naar inwonersaantal is gerealiseerd. Ten tweede is er het probleem van de vestigingsplaats van het Parlement, een kwestie die reeds meer dan vijftig jaar aansleept en die een weinig bevredigende oplossing heeft gevonden. Ten slotte ontbreekt het nog steeds aan een uniform kiesstelsel voor de Europese verkiezingen. Zo gaan bijvoorbeeld niet alle Europeanen op dezelfde dag stemmen.

---

106. Een gelijkaardige verhoging van het aantal leden tot 788 was het geval tussen mei en juni 2004, om de komst van tien nieuwe lidstaten op te vangen. Na de verkiezingen van juni 2004 werd het aantal leden teruggebracht tot 732.
107. De verkiezingen van juni 2009 verliepen nog onder het Verdrag van Nice waardoor er volgens het nieuwe verdrag op 1 december 2009 plots 'te veel' Europarlementsleden zetelden. Door de vermindering van het totale aantal leden moeten de verkiezingen van 2014 het Parlement terug op zijn maximale aantal (751) brengen.
108. "In verscheidenheid verenigd" is het officiële motto van de EU: http://europa.eu/about-eu/basic-information/symbols/index_nl.htm.

Tabel 51: Evolutie van het aantal zetels per lidstaat in het Europees Parlement

Lidstaat	Toetreding	Inwonersaantal 01.01.2012	Verdeling vóór 1979	Aantal zetels 1979	Aantal zetels 1999	Aantal zetels 2004 (2007)	Aantal zetels 2009 (2013)	Aantal zetels Lissabon	Aantal zetels 2014	Inwoners 01.01.2012 / zetels 2014
Duitsland	1957	81 843 743	36	81	99	99	99	99	96	852 539
Italië	1957	59 394 207	36	81	87	78	72	73	73	813 619
Frankrijk	1957	65 327 724	36	81	87	78	72	74	74	882 807
Verenigd Koninkrijk	1973	63 256 141	36	81	87	78	72	73	73	866 522
Nederland	1957	16 730 348	14	25	31	27	25	26	26	643 475
België	1957	11 094 850	14	24	25	24	22	22	21	528 326
Denemarken	1973	5 573 894	10	16	16	14	13	13	13	428 761
Ierland	1973	4 582 769	10	15	15	13	12	12	11	416 615
Luxemburg	1957	524 853	6	6	6	6	6	6	6	87 476
Griekenland	1981	11 290 067			25	24	22	22	21	537 622
Spanje	1986	46 196 276			64	54	50	54	54	855 487
Portugal	1986	10 542 398			25	24	22	22	21	502 019
Zweden	1995	9 482 855			22	19	18	20	20	474 143
Oostenrijk	1995	8 443 018			21	18	17	19	18	469 057
Finland	1995	5 401 267			16	14	13	13	13	415 482
Polen	2004	38 538 447				54	50	51	51	755 656
Hongarije	2004	9 932 000				24	22	22	21	472 952
Tsjechië	2004	10 505 445				24	22	22	21	500 259
Slowakije	2004	5 404 322				14	13	13	13	415 717
Litouwen	2004	3 003 641				13	12	12	11	273 058
Letland	2004	2 041 763				9	8	9	8	255 220
Slovenië	2004	2 055 496				7	7	8	8	256 937

Lidstaat	Toetreding	Inwonersaantal 01.01.2012	Verdeling vóór 1979	Aantal zetels 1979	Aantal zetels 1999	Aantal zetels 2004 (2007)	Aantal zetels 2009 (2013)	Aantal zetels Lissabon	Aantal zetels 2014	Inwoners 01.01.2012 / zetels 2014
Cyprus	2004	862 011				6	6	6	6	143 669
Estland	2004	1 294 486				6	6	6	6	215 748
Malta	2004	417 520				5	5	6	6	69 587
Roemenië	2007	21 355 849				35	33	33	32	667 370
Bulgarije	2007	7 327 224				18	17	18	17	431 013
Kroatië	2013	4 398 150						12	11	399 832
Totaal		506 820 764	198	410	626	785	736	766	751	674 861

Bronnen: Corbett et al., 2003; McElroy, 2007; www.europarl.europa.eu; www.ec.europa.eu/eurostat.

Reeds van bij de start van de Europese Parlementaire Vergadering rees discussie over het aantal vertegenwoordigers dat elke lidstaat mocht afvaardigen. Enerzijds wilde men een duidelijke verdeling tussen grote en kleine lidstaten, maar anderzijds mocht het Parlement niet te groot in omvang worden, wilde het werkbaar blijven. Het compromis resulteerde in een stelsel van *degressieve proportionaliteit* (art. 9 A 1 van het Verdrag van Lissabon). Dit betekent dat elke lidstaat over een aantal zetels beschikt dat evenredig is aan het bevolkingsaantal, met een minimum van zes en een maximum van 96 zetels per lidstaat. Een Europarlementslid zal zo gemiddeld 662 049 inwoners vertegenwoordigen. Maar zoals vaak met gemiddeldes liggen de extremen ver uit elkaar: in grote lidstaten ligt het aantal inwoners per Europarlementslid veel hoger dan in kleine lidstaten. Zo zullen de Franse, Duitse, Britse, Italiaanse en Spaanse leden van het Europees Parlement om en bij de 850 000 inwoners vertegenwoordigen, terwijl hun Luxemburgse collega een tiende minder inwoners zal vertegenwoordigen (80 367 om precies te zijn). In Malta zal de verhouding nauwelijks 68 417 inwoners per zetel bedragen.

De verdrievoudiging van het aantal lidstaten en de bijna-verdubbeling van het aantal zetels ten opzichte van 1979 heeft echter ook een keerzijde: steeds vaker wordt de vlotte werking van het Parlement gehinderd door zijn grote omvang en door de – sinds kort – 24 officiële talen waarin het Europees Parlement werkt. Een hervorming drong zich op. Eerst bepaalde het Verdrag van Nice (2001) dat het aantal parlementsleden vanaf 2009 beperkt zou worden tot 732. Nadien werd dit aantal licht gecorrigeerd tot 736. Het Verdrag van Lissabon (2007) paste deze regeling verder aan de gewijzigde omstandigheden aan, na de toetreding van twaalf nieuwe lidstaten. Doordat het Verdrag van Lissabon niet goedgekeurd geraakte vóór de verkiezingen van juni 2009, werd de verdeling die in Nice was afgesproken, van kracht. Deze situatie was bijzonder nadelig voor Spanje, dat in 2009 slechts één Europees Parlementslid per 905 000 inwoners mocht afvaardigen. Overigens liet een akkoord in Lissabon lang op zich wachten, omdat de voorgestelde reductie in een aantal lidstaten erg gevoelig lag. Zo moest Polen in Lissabon drie zetels inleveren, terwijl het bij zijn toetreding in 2004 net zwaar slag had geleverd om een gelijk aantal Europarlementsleden te mogen aanstellen als Spanje. Ook Italië lag lange tijd dwars omdat het zetels moest inleveren tegenover het Verenigd Koninkrijk en Frankrijk. De Portugese eerste minister José Sócrates bekwam bij zijn Italiaanse ambtsgenoot Romano Prodi evenwel de doorbraak door een zetel extra tevoorschijn te goochelen, waardoor het nieuwe aantal leden op 751 vastgelegd werd in plaats van op 750. Officieel heet het dat het Europees Parlement 750 leden telt plus de voorzitter (art. 9 A 1 van het Verdrag van Lissabon).

Een aangelegenheid waar evenwel nog steeds geen overeenstemming over gevonden werd, is een unieke vestigingsplaats van het Europees Parlement (*zetelkwestie*). Het Parlement houdt immers op twee verschillende plaatsen zijn vergaderingen. Drie weken per maand worden de zittingen in Brussel gehouden, waarna alle documenten van de lopende dossiers in dozen opgeborgen worden en getransporteerd worden naar de Franse stad Straatsburg. Daar houdt het Parlement één week per maand zitting. De keuze voor Straatsburg kan teruggebracht worden op zijn symbolische waarde. Niet alleen huisvest de stad sinds 1948 de parlementaire vergadering van de Raad van Europa, de eerste internationale organisatie op Europese bodem van betekenis na de Tweede Wereldoorlog. In 1952 werd beslist om de vergaderingen van de Europese Parlementaire Vergadering in datzelfde halfrond te organiseren. Bovendien was de stad in het verleden vaak een twistappel geweest tussen Frankrijk en Duitsland. Tegenwoordig staat ze symbool voor de Frans-Duitse vriendschap, de sterke as waarrond het Europese project vorm kreeg. Toen in 1958 werd beslist om de hoofdzetel van de Europese Gemeenschappen voorlopig in Brussel te huisvesten, was dat de meest logische locatie voor het Europees Parlement, dicht bij de Europese Commissie (Beauvallet & Michon, 2007). Maar Straatsburg lobbyde hard om zijn positie te behouden en ei zo na werd op de Europese Top van Edinburg (1992) beslist dat Straatsburg de enige vergaderplaats van het Europees Parlement zou worden.

De situatie wordt nog verder bemoeilijkt doordat van in het begin een aantal administratieve diensten van het Parlement in Luxemburg werd gelokaliseerd. Bijgevolg laat ook de stad Luxemburg geregeld haar aspiraties blijken in het debat omtrent de enige vestigingsplaats voor het Parlement. De twisten tussen België, Frankrijk en Luxemburg werden op de spits gedreven toen ze alle drie op korte tijd hypermoderne infrastructuur lieten bouwen om die aspiraties kracht bij te zetten en de regeringsleiders als het ware voor een *fait accompli* te stellen. Sinds de inschrijving in het Verdrag van Amsterdam (1997) dat er jaarlijks minstens twaalf sessies in Straatsburg georganiseerd moeten worden, is het dossier muurvast komen te zitten en lijkt een oplossing voor één vestigingsplaats verder weg dan ooit.[109] Het Europees Parlement is dus niet alleen het grootste rechtstreeks verkozen parlement ter wereld, maar wellicht ook 's werelds parlement met de meeste vestigingsplaatsen. Intussen kost de maandelijkse heen-en-weerverhuis van dossiers, parlementsleden en administratieve diensten handenvol geld aan de Europese inwoners. Het moet wel gezegd dat de Europarlementsleden zelf massaal (de Franse uitgezonderd) voorstander zijn van één zetel, met name in Brussel. Maar voor de zetelkwestie is het Parlement niet zelf bevoegd. Dat is een beslissing van de lidstaten. En om de betreffende verdragsbepaling te

---

109. In Straatsburg vinden de plenaire zittingen plaats, inclusief de stemmingen. De zogenaamde miniplenaire sessies in Brussel werden na een klacht van Frankrijk door het Europees Hof van de EU in december 2012 van de kalender geschrapt. Dit arrest versterkte dus de positie van Straatsburg als 'hoofdzetel' van het Parlement.

wijzigen, is unanimiteit nodig. Zolang Frankrijk zijn been stijf houdt (en zijn veto kan stellen), gebeurt er niets, de frequente oproepen van Europarlementsleden ten spijt.

Ten derde duurde het ongeveer veertig jaar alvorens men overeenstemming vond over een *uniform kiesstelsel* dat in alle lidstaten gehanteerd kan worden om de leden van het Parlement te verkiezen, niettegenstaande artikel 138 van het Verdrag van Rome (1957) al voor een dergelijk uniform kiesstelsel pleitte. Pas in het Verdrag van Amsterdam (1997) werd bepaald dat volgende regels met ingang van 2002 van kracht zouden zijn: het kiesstelsel moet een vorm van proportionele vertegenwoordiging zijn (een lijstproportioneel stelsel of een *Single Transferable Vote*); het land kan eventueel verdeeld worden in verschillende kiesdistricten, zolang het proportionele karakter van de verkiezing niet geschaad wordt; en de kiesdrempel mag maximaal 5 % bedragen (Corbett et al., 2003, p. 11). Onder deze aanhoudende druk stapte het Verenigd Koninkrijk in 1999 af van zijn traditionele *First Past The Post*-systeem. Sindsdien worden de Europese verkiezingen er gehouden in twaalf kiesdistricten (elf op het Britse vasteland en een in Noord-Ierland waar per *Single Transferable Vote* gestemd wordt). Deze uniformering belet niet dat er nog steeds grote verschillen bestaan tussen de kiesstelsels: van één kieskring in Nederland tot zestien in Duitsland (één voor elk *Land*); België en Luxemburg die een opkomstplicht hanteren terwijl alle andere lidstaten zweren bij stemrecht; verschillende voorwaarden om te mogen kiezen (passief kiesrecht) en om verkozen te worden (actief kiesrecht), om er enkele te noemen. In feite weerspiegelt dit gebrek aan uniformiteit de enorme verscheidenheid aan kiesstelsels en politieke systemen die er in de EU bestaan (tabel 52). Van één kiessysteem is dus nog lang geen sprake.

Tabel 52:   Kiesstelsels en politieke systemen in de EU-lidstaten

Lidstaat	Eén- of tweekamerstelsel	Kiessysteem (Lagerhuis)	Staatshoofd	Rechtstreeks verkozen president	Kiessysteem president
Duitsland	Twee	MMP	President	✗	/
Italië	Twee	Gesl. LPR	President	✗	/
Frankrijk	Twee	TRS	President	✓	TRS
Verenigd Koninkrijk	Twee	FPTP	Monarch	/	/
Nederland	Twee	Open LPR	Monarch	/	/
België	Twee	Open LPR	Monarch	/	/
Denemarken	Eén	Open LPR	Monarch	/	/
Ierland	Twee	STV	President	✓	AV
Luxemburg	Eén	Open LPR	Monarch	/	/
Griekenland	Eén	Open LPR*	President	✗	/
Spanje	Twee	Gesl. LPR	Monarch	/	/

Lidstaat	Eén- of tweekamerstelsel	Kiessysteem (Lagerhuis)	Staatshoofd	Rechtstreeks verkozen president	Kiessysteem president
Portugal	Eén	Gesl. LPR	President	✓	TRS
Zweden	Eén	Open LPR	Monarch	/	/
Oostenrijk	Twee	Open LPR	President	✓	TRS
Finland	Eén	Open LPR	President	✓	TRS
Polen	Twee	Open LPR	President	✓	TRS
Hongarije	Eén	MMP	President	×	/
Tsjechië	Twee	Open LPR	President	✓	TRS
Slowakije	Eén	Open LPR	President	✓	TRS
Litouwen	Eén	Parallel	President	✓	TRS
Letland	Eén	Open LPR	President	×	/
Slovenië	Twee	Open LPR	President	✓	TRS
Cyprus	Eén	Open LPR	President	✓	TRS
Estland	Eén	Open LPR	President	×	/
Malta	Eén	STV	President	×	/
Roemenië	Twee	MMP	President	✓	TRS
Bulgarije	Eén	Gesl. LPR	President	✓	TRS
Kroatië	Eén	Gesl. LPR	President	✓	TRS

Bronnen: IFES Elections Guide en IDEA.

Men is er overigens nog steeds niet in geslaagd om de verkiezingen voor het Europees Parlement op dezelfde dag te laten plaatsvinden. De oorzaak ligt in het feit dat ook de nationale verkiezingen op verschillende dagen in de week worden georganiseerd. Zo stemmen de Britten en de Nederlanders op donderdag, de Ieren op vrijdag, de Tsjechen op vrijdag of zaterdag, de Italianen, Letten en Maltezen op zaterdag en de andere lidstaten op zondag (Franklin, 2007). De resultaten van de verkiezingen die op donderdag, vrijdag of zaterdag gehouden werden, mogen in principe niet bekendgemaakt worden voor het laatste stembureau in de EU op zondagavond is dichtgegaan. Maar daar wordt steeds vaker tegen gezondigd onder druk van de nationale media, die uiteraard willen weten en informeren welke partijen gewonnen en verloren hebben. Het leverde Nederland in 2004 een fikse reprimande van de Europese Commissie op toen de openbare en commerciële zenders het verbod om resultaten kenbaar te maken aan hun laars lapten en de Nederlandse verkiezingsuitslag al op donderdagavond in de ether brachten. Nochtans kan men ervan uitgaan dat de winst- en verliesrapporten in één land weinig invloed hebben op de verkiezingsuitslag in andere lidstaten. De Europese verkiezingen zijn immers steeds vaker verworden tot wat men in de literatuur *second order national elections* noemt: verkiezingen die op zich niet veel waarde hebben voor de kiezers, maar aangewend worden om zich uit te spreken over het beleid van de nationale regering (Reif & Schmitt, 1980).

IV. Van euforie tot euroscepsis

Inderdaad, het grote elan van de Europese verkiezingen is er verkiezing na verkiezing op achteruitgegaan. Die verkiezingen worden immers steeds vaker met scepsis dan wel met euforie bejegend. Nochtans vonden de eerste verkiezingen van 7 en 10 juni 1979 plaats in een ware golf van euro-enthousiasme. Verscheidene oud-ministers en oud-eerste ministers maakten hun opwachting op de kieslijsten (o.a. oud-bondskanselier Willy Brandt, toekomstig Frans president François Mitterrand en Belgisch ex-premier Leo Tindemans) en gingen bovendien daadwerkelijk (zij het vaak slechts kortstondig) zetelen in het parlement dat het Europese project mee vorm moest geven. Ook de bevolking reageerde enthousiast: de opkomst bij de eerste verkiezingen lag op 63 %. Dat was weliswaar lager dan gemiddeld bij de verkiezingen voor het nationale parlement, maar al bij al een redelijke score. We noteren echter grote verschillen tussen de lidstaten onderling (zie tabel 53).

Dat in eurolauwe landen als Denemarken en het Verenigd Koninkrijk vaak meer dan de helft van de kiezers thuisblijft, wekt wellicht geen grote verwondering. In het Verenigd Koninkrijk bedroeg de hoogste opkomst 36,4 %, met een beschamende 24,0 % in 1999 als dieptepunt. De Denen, die bij nationale verkiezingen nochtans telkens hoge opkomstcijfers van 80 % en meer laten noteren, lopen ook niet warm voor de Europese verkiezingen: de maximale opkomst was 52,9 % in 1994. Maar het zijn vooral de lage opkomstcijfers in Duitsland, Frankrijk en Nederland, drie landen die traditioneel tot de eurofiele landen worden gerekend, die veel verbazing en argwaan wekken. In 1999 kwamen liefst zeven op de tien Nederlandse kiezers niet opdagen voor de verkiezingen! Daarbij deden ze nauwelijks onder voor hun Britse collega's, die bekendstaan om hun haat-liefdeverhouding met de Europese Unie. Opvallend is het verschil in opkomst in Zweden: bij Europese verkiezingen komt er liefst 40 procentpunten minder kiezers opdagen dan voor de verkiezingen voor het nationale parlement. In België en Luxemburg, twee landen met opkomstplicht, trotseert een gelijk aandeel van de bevolking de eventuele sancties als bij de verkiezingen voor het nationale parlement. Er is nagenoeg geen toename wat de absentie betreft. In België wordt dit vanaf 1999 mede verklaard door het feit dat tegelijkertijd verkiezingen voor de deelstaatparlementen worden gehouden.[110]

---

110. In 1999 en 2014 vallen ook de federale verkiezingen samen met de Europese en de regionale verkiezingen.

Tabel 53:   De niet-deelname aan Europese verkiezingen (in %)

	1979	1984	1989	1994	1999	2004	2009	Verschil t.o.v. gemiddelde niet-deelname bij nationale parlementsverkiezingen 1979-2009
Duitsland	34,3	43,2	37,7	40	54,8	57	56,7	+37,6
België	8,6	7,8	9,3	9,3	9	9,2	9,6	+1,9
Denemarken	52,2	47,6	53,8	47,1	49,5	52,1	40,5	+26,4
Frankrijk	39,3	43,3	51,3	47,3	53,2	57,2	59,4	+26,9
Ierland	36,4	52,4	31,7	56	49,8	41,2	41,4	+10,7
Italië	15,1	16,6	18,5	25,2	29,2	26,9	35,0	+20,5
Luxemburg	11,1	11,2	12,6	11,5	12,7	11	9,3	-1,8
Nederland	42,4	49,4	52,8	64,4	70	60,7	63,3	+43,9
Verenigd Koninkrijk	67,8	67,4	63,8	63,6	76	61,2	65,3	+35,9
Griekenland	18,5 (*)	22,8	20,1	28,8	24,7	36,8	47,4	+25,8
Spanje		31,1 (**)	45,4	40,9	37	54,9	55,1	+28,9
Portugal		27,6 (**)	48,8	64,5	60	61,4	63,2	+34,3
Zweden				58,4 (***)	61,2	62,2	54,5	+40,6
Oostenrijk				32,2 (***)	50,6	57,6	54,0	+39,5
Finland				39,7 (***)	68,6	60,6	59,7	+29,3
Cyprus						28,8	40,6	+33,2
Estland						73,2	56,1	+21,5
Hongarije						61,5	63,7	+22,5
Letland						58,7	46,3	+20,8
Litouwen						52	79,0	+30,8
Malta						17,6	21,2	+16,7
Tsjechië						71,7	71,8	+47,4
Slowakije						83	80,4	+57,9
Slovenië						71,7	71,7	+42,4
Polen						79,1	75,5	+24,9
Bulgarije						70,8 (****)	61,0	+27,8
Roemenië						70,5 (****)	72,3	+35,4
Kroatië							79,2 (*****)	+47,6
EU-gemiddelde	37	39	41,5	43,2	50,2	54,3	57	

(*) Verkiezing gehouden in 1981 (Griekenland)
(**) Verkiezingen gehouden in 1987 (Spanje en Portugal)
(***) Verkiezingen gehouden in 1995 (Zweden) en 1996 (Oostenrijk en Finland)
(****) Verkiezingen gehouden in 2007 (Bulgarije en Roemenië)
(*****) Verkiezing gehouden in 2013 (Kroatië)

Bron: *www.europarl.europa.eu.*

Sinds twee verkiezingen blijven er over de hele Europese Unie meer mensen thuis dan er gaan stemmen. In 2004 werd een kritisch punt bereikt, toen slechts 46,7 % van de EU-kiezers kwam opdagen. De dramatische opkomst-cijfers die opgetekend werden in de kersverse lidstaten wakkerden het debat over de legitimiteit van de parlementaire vergadering en van het Europese project verder aan. Dat de opkomst in Slowakije (17,0 %) en Polen (20,9 %) diep onder de grens van 50 % lag, plaatste vele vraagtekens bij de oprecht-heid van hun aanvraag om lid te worden van de EU. Het zette hier en daar in de oude lidstaten heel wat kwaad bloed, aangezien de uitbreiding naar Centraal- en Oost-Europa er politiek geen evidente aangelegenheid was geweest. Alleen de Maltese bevolking toonde zich écht enthousiast voor deze verkiezingen: met een opkomst van ruim 82 % nestelde het zich in de *ranking* als derde land, na België (90,8 %) en Luxemburg (89,0 %).

De lage opkomstcijfers zijn bijzonder treffend omdat deze Europese verkie-zingen vaak gehouden worden samen met andere verkiezingen op gemeen-telijk of deelstatelijk niveau. Uiteraard is er het Belgische voorbeeld, waar de verkiezingen voor de deelstaten sinds 1999 gekoppeld zijn aan deze vijf-jaarlijkse Europese verkiezingen. In het Verenigd Koninkrijk vielen de Europese verkiezingen van 2004 samen met de gemeente- en regionale ver-kiezingen, wat wellicht de opstoot in opkomstcijfers verklaart. Met enige ironie is het gewettigd om te stellen dat er nooit eerder zoveel Britten had-den deelgenomen aan de Europese verkiezingen: 38,8 % om precies te zijn! Niet toevallig scoren de Britten in de halfjaarlijkse Eurobarometer erg afwij-kend op de vraag in hoeverre de inwoners van de lidstaten zich 'Europeaan' dan wel 'nationale' inwoner voelen (Wyplosz, 2007).

Nochtans is het samen houden van de Europese verkiezingen met verkie-zingen op het (sub)nationale niveau niet de meest krachtige variabele om de opkomst te verklaren. Naast de logische invloed van de opkomstplicht op de opkomst, dragen – in dalende orde – het vertrouwen in de politieke partijen, de mate van oververtegenwoordiging in het Europees Parlement, het vertrouwen in de nationale regeringen, en de duur van het lidmaatschap méér bij tot het verklaren van de opkomst dan het gelijktijdig organiseren van andere verkiezingen op dezelfde dag. Er is, ondanks de tegenvoorbeel-den van Slowakije en Polen, een sterk positieve invloed wanneer het om een ex-communistische lidstaat gaat (Rose, 2004b).

Het feit dat deze verkiezingen samen met andere verkiezingen worden gehouden, draagt dan misschien niet sterk bij tot een hoge opkomst, het onderstreept wel de idee van *second order*, of tweederangsverkiezingen (Reif & Schmitt, 1980; Déloye, 2007). Bij de Europese verkiezingen slaagt de kie-zer er nog minder dan bij nationale verkiezingen in om zijn beleidsvoorkeu-ren duidelijk te maken. Hij laat zich leiden door nationale thema's, terwijl de Europese verkiezingsprogramma's er niet toe doen (Depauw & Van

Hecke, 2006). Dat onderstreept op een pijnlijke manier dat het Europees Parlement er in dertig jaar niet in geslaagd is om de Europese publieke opinie te overtuigen van zijn belang.

Want, hoewel het Europees Parlement een supranationaal orgaan is, worden de leden door hun nationale politieke partijen genomineerd en door het nationale electoraat verkozen, na een campagne met thema's die hoog op de nationale politieke agenda staan (Rose, 2004b). Het hoeft dan ook geen verwondering te wekken dat het vertrouwen in de nationale partijen en nationale regering een sterke verklarende kracht heeft ten aanzien van de electorale opkomst. Volgens de halfjaarlijkse Eurobarometerenquête bedroeg het vertrouwen in de nationale partijen in Polen en Slowakije in de aanloop naar de verkiezingen van 2004 respectievelijk nauwelijks 3 % en 8 % en lag de opkomst als gevolg daarvan bedroevend laag (Rose, 2004b). In statistische termen uitgedrukt komt het erop neer dat elke toename van vertrouwen in de politieke partijen met 1 % resulteert in een toename van de opkomst met 1,4 procentpunten.

Het gevaar van het statuut als tweederangsverkiezingen is dat ontevredenheid over het regeringsbeleid zich aftekent in het resultaat van de Europese verkiezingen. Rose (2004b) berekende dat het aandeel van de grootste regeringspartij in 2004 in liefst 22 van de 25 lidstaten met meer dan tien procentpunten daalde in de Europese verkiezingen. In Duitsland daalde de score van de regeringspartij SPD tot een dramatisch lage 21,5 %. Overigens is het geen alleenstaand feit dat in de *slipstream* hiervan nieuwe partijen gemakkelijker doorbreken op het Europese dan op het nationale front. Dat was in België onder meer het geval voor de Vlaamse en Franstalige groenen in 1984 en voor het Vlaams Blok in 1994 (Déloye, 2007).

V.   De moeizame weg naar meer invloed

Het 'tweederangsgevoel' van het Europees Parlement werd lange tijd gevoed door de beperkte bevoegdheden waarover het parlement maar kon beschikken. De initiële blauwdruk van de Europese Unie legde namelijk de meeste bevoegdheden in handen van de Raad van Ministers, bestaande uit nationale ministers van regeringen van de diverse lidstaten, die voorstellen van de Europese Commissie zou bespreken en – bij unanimiteit van stemmen – ook goedkeuren. Een Europees Hof van Justitie zou toezicht houden op de naleving van de Europese regels, zowel door de burgers als door de regeringen zelf.

In een dergelijke vertaling van Montesquieus idee van de *trias politica* was er maar een beperkte plaats weggelegd voor een Europees Parlement met daadwerkelijke inspraak in het beleid. In de eerste fase van de Europese eenwording was het parlement bijgevolg niet veel meer dan een forum waar delegaties van de nationale parlementen elkaar konden ontmoeten. Dat idee werd tot 1979 versterkt doordat de vergadering was samengesteld uit leden die verkozen werden uit en door de nationale parlementen. Dit embryonale parlement werd door de Raad van Ministers geconsulteerd voor advies in een beperkt aantal aangelegenheden. Alleen inzake het aanblijven van de Europese Commissie had het Parlement zijn zeg: het kon een vertrouwens-stemming houden en indien twee derde van de leden het ermee eens was, kon de Commissie ontslagen worden.[111]

De beperkte bevoegdheden van het Parlement waren een doorn in het oog van de échte Europese federalisten, die aanvoerden dat een politiek stelsel waarin enkel ministers verantwoordelijk zijn voor de wetgeving, lijdt aan een democratisch deficit (Corbett et al., 2003). Na hard lobbywerk van de Europarlementsleden zelf en na vele jaren van geduld is de invloed van het Europees Parlement effectief toegenomen.

Sinds het Verdrag van Amsterdam (1997) wordt het Europees Parlement immers erkend als nagenoeg evenwaardige partner van de Raad van Minis-ters inzake het uitvaardigen van de Europese wetgeving. Het proces daartoe verliep in verschillende fasen (Corbett et al., 2003; Europees Parlement, 2008; European NAvigator (ENA), 2008).

De eerste stap in de uitbreiding van de bevoegdheden van het Europees Par-lement kwam er in de eerste helft van de jaren zeventig, toen de begrotings-verdragen van 1970 en 1975 het Parlement het recht toekenden om de begroting van de Europese Gemeenschappen te weigeren, het niveau van de uitgaven te wijzigen en de rekeningen goed of af te keuren. Het Parlement slaagde er op die manier in om het overwicht van de post landbouw in de Europese begroting te verkleinen, zodat er geleidelijk aan meer budget vrij-kwam voor de andere begrotingsposten. In 1975 werd in een officiële geza-menlijke verklaring tussen de Raad van Ministers en het Europees Parlement een verzoeningsprocedure uitgewerkt voor het geval beide instel-lingen van mening zouden verschillen over de te nemen maatregelen. De procedure installeerde een verzoeningscommissie, die bestond uit evenveel leden van de Raad als leden van het Parlement. Indien men er niet uit geraakte, zou het vooralsnog de Raad zijn die het laatste woord had.

Een uitspraak van het Europees Hof van Justitie uit 1980 over een zaak waarin de Raad een beslissing had genomen nog voor het Parlement zich

---

111. Dit heeft zich slechts één keer in de Europese geschiedenis bijna voorgedaan, na-melijk op 15 maart 1999, toen de Commissie onder leiding van de Luxemburger Jacques Santer, net vooraleer het Parlement zich zou uitspreken, zelf ontslag nam op beschuldiging van corruptie van een van haar leden, de Franse oud-eerste mi-nister Edith Cresson.

erover uitgesproken had, betekende dan weer een hele opsteker voor het Europees Parlement. Voortaan had het *de facto* de mogelijkheid om de Europese regelgeving te vertragen, bijvoorbeeld om bijkomend advies in te winnen.[112]

Een volgende belangrijke stap werd gezet in 1986, bij de goedkeuring van de Eenheidsakte (of Europese Akte). Twee nieuwe principes werden er geïntroduceerd: enerzijds de 'samenwerkingsprocedure', die het Europees Parlement het recht verleende op een tweede lezing van de wetgeving, en anderzijds de 'instemmingsprocedure' (*assent*) over de uitbreiding van de EU. Onder dit laatste principe kreeg het Europees Parlement het recht om zijn goedkeuring te geven aan de ratificatie van internationale verdragen of van associatieovereenkomsten.[113] Maar uiteraard lag de belangrijkste verwezenlijking in het principe van 'samenwerking' of *co-operation*. Ook al sloeg dit principe slechts op tien artikelen van het Europees Verdrag van Rome,[114] het betekende dat de raad zijn 'gemeenschappelijke positie' (*common position*) voor een tweede lezing ter goedkeuring aan het Parlement moest voorleggen. Het Parlement kreeg dan drie maanden de tijd om zich erover uit te spreken, waarbij het de positie van de Raad kon aanvaarden of verwerpen of amendementen kon voorstellen. De tien artikels waarop deze regeling van toepassing was, regelden het grootste deel van de wetgeving die een eengemaakte markt zou mogelijk maken, evenals het opzetten van individuele onderzoeksprogramma's.

De acceptatie van de Eenheidsakte vormde een belangrijke doorbraak voor de wetgevende kracht van het Parlement. Van een *beleidsbeïnvloedende* instelling werd het een volwaardige *beleidsvoerende* instelling. Het beschikte voortaan over een 'voorwaardelijke agendasettingsmacht' (Tsebelis, 1994): het Europees Parlement kreeg het recht om amendementen in te dienen in de loop van het wetgevende proces, die, wanneer ze door de Commissie worden gesteund, enkel bij unanimiteit kunnen worden verworpen door de Raad, terwijl een gekwalificeerde meerderheid van de Raadsleden volstaat om die amendementen te aanvaarden. In contrast met vele nationale parlementen heeft het Europees Parlement die formele machten zo maximaal mogelijk benut. De strikte scheiding met de uitvoerende macht (zoals in een presidentieel stelsel) samen met de afwezigheid van een dominante meerderheid of coalitie in het halfrond heeft het Parlement in staat gesteld om

---

112. Dit is het zogenaamde Isoglucose-arrest in de zaak tussen SA Roquette Frères en de Raad van Ministers.
113. Associatieovereenkomsten met niet-lidstaten komen vaker voor dan een eigenlijke uitbreiding van de Europese Unie.
114. Meer bepaald de artikels 7, 49, 54 (2), 56 (2) tweede zin, 57 (met uitzondering van de tweede zin van paragraaf 2), 100a, 100b, 118a, 130e en 130q (2) van het Verdrag van Rome.

zijn bevoegdheden veel optimaler te benutten dan menig nationaal parlement (Auel & Rittberger, 2007, pp. 124-125).

De inwerkingtreding van het Verdrag van Maastricht (1992) op 1 november 1993 diepte het principe van *coöperatie* verder uit tot een principe van *codecisie* of medebeslissingsrecht. Op een aantal belangrijke domeinen, zoals de wetgeving op de creatie van de interne markt, consumentenbescherming, gezondheid, onderwijs en bescherming van het leefmilieu, kreeg het Europees Parlement dezelfde bevoegdheden als de Raad van Ministers. Het verdrag installeerde een formele verzoeningscommissie die de taak had om een compromis uit te werken tussen de Raad en het Parlement wanneer zij van mening zouden verschillen over het te volgen beleid. Indien er binnen die verzoeningscommissie geen overeenstemming bereikt kon worden, beschikte het Parlement voortaan over het recht om – in een dergelijk verzoeningsproces – de nieuwe beslissing van de Raad te verwerpen bij een absolute meerderheid van stemmen (Luff, 1992). De in totaal vijftien domeinen waarop deze regeling betrekking had, situeerden zich allemaal in de zogenaamde eerste pijler, die de aspecten van de Europese Gemeenschap regelde. Ten aanzien van de zogenaamde tweede pijler, het buitenlands en veiligheidsbeleid, en de derde pijler, die de aangelegenheden van justitie en binnenlandse aangelegenheden regelde, bleef het Europees Parlement enkel een adviserende rol spelen.

Naast de nieuwe bevoegdheden op het wetgevende vlak voorzag het Verdrag van Maastricht ook in grotere inspraak voor het Parlement in de benoeming van de commissievoorzitter. Enkel indien het Parlement zich, na een hoorzitting over het beleidsprogramma van de nieuwe voorzitter, akkoord verklaarde, kon de voorzitter van de Europese Commissie aan de slag. De uitspraak van het Parlement was echter niet bindend. Een soortgelijke procedure werd ingeschreven voor de aanstelling van de voorzitter van de Europese Centrale Bank.

Vijf jaar later, in het Verdrag van Amsterdam, werd niet alleen het aantal domeinen waarop codecisie van kracht werd verder uitgebreid, maar werd tevens de procedure vereenvoudigd. Bovendien besliste het Parlement voortaan mee over de benoeming van de voorzitter van de Europese Commissie en ging het niet louter om een adviserende rol. Deze laatste werd overigens verplicht om bij de start van de Commissie het advies van het Parlement in te winnen ten aanzien van elk van de voorgestelde individuele leden. Deze bepaling versterkte zowel de rol van het Europees Parlement, dat nu formele inspraak kreeg in de aanstelling van de Commissie, als de rol van de Commissie zelf, aangezien deze voortaan over een veel grotere politieke legitimiteit beschikte.

Onder het Verdrag van Nice (2001) werden de domeinen voor codecisie verder uitgebreid, met als gevolg dat het Parlement inspraak kreeg in meer dan 70 % van de Europese wetgeving (McElroy, 2007). De aandacht in Nice ging evenwel vooral uit naar de institutionele gevolgen van de aankomende uitbreiding van de EU met tien nieuwe lidstaten per 1 mei 2004. Het aantal leden van het Europees Parlement werd beperkt, de stemverhoudingen in de Raad van Ministers werden aangepast en er werd een formule afgesproken om het aantal Eurocommissarissen te verminderen (maar die regeling werd nadien ingetrokken onder druk van negatieve referenda).

Dankzij het Verdrag van Lissabon (2009) heeft het Parlement verder aan macht gewonnen. De codecisieprocedure (die nu de standaardwetgevingsprocedure of *ordinary legislative procedure* heet) is uitgebreid met een 40-tal domeinen waaronder landbouw, energie en immigratie, wat betekent dat het Parlement een evenwaardige cowetgever is naast de Raad van Ministers. Daarnaast moet het Parlement ook zijn goedkeuring geven aan de begroting van de EU (de jaarlijkse begroting en het financieel meerjarenbeleid). Afgezien van het gewijzigde totale aantal leden (het Verdrag stelt een maximum in van 751) moet het Parlement zich ook institutioneel herpositioneren aangezien het Verdrag van Lissabon een aantal nieuwe functies in het leven heeft geroepen zoals de permanente voorzitter van de Europese Raad.

Het resultaat van de opeenvolgende uitbreidingen van de bevoegdheden van het Europees Parlement wordt door sommigen vergeleken met de werking van een bicameraal stelsel, waarin de Raad van Ministers de vergadering is waarin de lidstaten vertegenwoordigd zijn en het Europees Parlement de assemblee is die de belangen van de bevolking behartigt (Hix, 1999). In dit opzicht verschilt de Europese Unie radicaal ten aanzien van andere supranationale instellingen, waar een volksvertegenwoordigend orgaan ontbreekt, niet rechtstreeks verkozen is of slechts over zeer beperkte bevoegdheden beschikt.

Intussen is het niet zo eenvoudig meer om zich de Europese Unie voor te stellen zónder het Europees Parlement. Wellicht zou de EU dan verworden zijn tot een logge organisatie, gedomineerd door bureaucraten en diplomaten, slechts losjes gesuperviseerd door de bevoegde ministers uit de lidstaten. De creatie van een vertegenwoordigend orgaan in het hart van het besluitvormingsproces in Brussel, met rechtstreeks verkozen volksvertegenwoordigers die vragen stellen, om informatie vragen en mee de wetgeving uittekenen na consultatie van hun kiezers op het thuisfront, maakt de Europese Unie veel opener en transparanter dan gelijk welke andere intergouvernementele organisatie (Corbett et al., 2003). Bovendien schaaft de samenstelling van het Parlement geregeld de scherpe kantjes af van conflicten tussen de Europese natiestaten. Daar waar de Raad soms blijk geeft van een 'gladiatorengevecht' tussen de verschillende nationale belangen, trekt het Europees Parlement de kaart van het politiek-ideologische debat. De Europees Parlementsleden zijn immers niet opgedeeld per lidstaat, maar opereren binnen supranationale politieke fracties, gebaseerd op ideologische gronden. Met de meeste fracties correspondeert trouwens een – door de EU gefinancierde – Europese politieke partij (zie tabel 54).

Tabel 54: Overzicht van de Europese partijen en de fracties in het Europees Parlement

Europese politieke partij	fractie in het Europees Parlement	politieke familie	enkele lidpartijen
Europese Volkspartij (EVP)	Fractie van de Europese Volkspartij (Christendemocraten)	christendemocraten/ conservatieven	CDU, UMP, CDA, CD&V, cdH
Partij van Europese Socialisten (PES)	Progressieve Alliantie van Socialisten en Democraten voor Europa (S&D)	socialisten/sociaal-democraten	Labour, PS, SPD, PvdA, sp.a
Alliantie van Liberalen en Democraten voor Europa (ALDE-partij)	Alliantie van Liberalen en Democraten voor Europa (ALDE-fractie)	liberalen/centristen	LibDem, FDP, VVD, D66, Open Vld
Europese Democratische Partij			MoDem
Europese Groene Partij	Fractie van de Groenen/Europese Vrije Alliantie (EVA)	groenen	Les Verts, Die Grünen, Ecolo
Europese Vrije Alliantie (EVA)		(linkse) regionalisten	SNP, N-VA
Alliantie van Europese Conservatieven en Hervormers	Fractie van de Europese Conservatieven en Hervormers	conservatieven/euro-sceptici	Conservatives, CU
Partij van Europees Links	Europees Unitair Links/Noord Groen Links	socialisten/ex-communisten	SP, Die Linke
EUDemocraten	Europa van Vrijheid en Democratie	eurosceptici	UKIP
geen partij	niet-fractiegebonden leden	o.a. extreem-rechts	PVV, Vlaams Belang

Situatie in juli 2009

Bron: www.europarl.europa.eu

Ondanks de verdienste dat de fractievorming boven elke nationale twist staat, zadelt ze de parlementsleden soms met een bijkomend probleem op. Bij uitstek Europees Parlementsleden lijden immers aan het probleem dat ze twee *principals* of 'meesters' dienen: hun eigen nationale belangen (of de belangen van de politieke partij waarvoor ze verkozen zijn) enerzijds en de belangen van hun Europese politieke fractie anderzijds. Meestal wordt er gestemd volgens afspraken binnen de politieke fractie – ook in het Europees Parlement heerst er een zekere vorm van fractiediscipline. Af en toe wegen de nationale belangen echter zwaarder door dan de politiek-ideologische. Dat is onder meer het geval in een aantal kernsectoren van het Europese beleid (zoals het domein landbouw en aanverwanten) die een rechtstreekse weerslag hebben op de situatie van het eigen electoraat. Zo trokken de Griekse vertegenwoordigers de nationalistische kaart toen het aankwam op de invoering van een keurmerk voor het gebruik van het etiket 'feta' voor speciaal bereide geitenkaas en stemmen Franse Europarlementsleden nationalistisch ter verdediging van de belangen van de vissers of de wijnbouwers. Toch wordt door de meeste Europarlementsleden erkend dat het Europees Parlement een ideale plek is om partijoverschrijdend werk te leveren, veel meer dan dat in de nationale parlementen het geval is.

VI. Kiezen voor een Europese carrière: de Europarlementsleden

Het Europees Parlement wordt gekenmerkt door euroscepsis, een dalende opkomst bij de verkiezingen, beperkte inspraak in de regelgeving, gebrek aan initiatiefrecht voor de individuele parlementsleden en de spagaatstand om twee *principals* (zijn land/nationale partij en zijn Europese fractie) te moeten dienen. Onder deze – niet bepaald gunstige – omstandigheden kan men zich de vraag stellen wie een carrière ambieert in een dergelijk parlement. Temeer omdat het Europees Parlement geen 'sexy' parlement is voor de media en Europarlementsleden meer moeite hebben om in de media weerklank te vinden voor hun acties en voorstellen (Corbett et al., 2003, p. 8).

Maar niet alleen voor de media, ook voor de meeste Europese publieke opinies én politici in Europa hebben de dossiers die op de Europese onderhandelingstafel liggen niet bepaald de hoogste prioriteit. Voor ons Belgen is het heel moeilijk om de mentale afstand in te schatten tussen het werk in Brussel/Straatsburg en de nationale politieke arena waarbinnen een nieuw mandaat bevochten moet worden. Het Europese en het Belgische parlement liggen nauwelijks 700 meter van elkaar verwijderd, letterlijk 'om de hoek'. Op organisatorisch vlak maakt het voor een Belgische politicus dus weinig verschil of hij voor een Europese of een nationale carrière kiest. Voor zijn of haar Finse, Sloveense en Siciliaanse collega, daarentegen, betekent het opnemen van een Europees mandaat evenwel een kapitale wending in zijn of haar politieke carrière. Niet alleen sijpelt de arbeid die verricht wordt in het Europees Parlement maar moeizaam door tot in de binnenlandse publieke opinie, bovendien verliest men voeling met het eigen electoraat, eenvoudigweg omdat men niet – of alvast veel minder – fysiek in zijn kiesdistrict aanwezig is. Terwijl het net die publieke opinie is die beslist over de al dan niet verlenging van het mandaat bij de volgende verkiezingen. Uiteraard leggen ook een aantal praktische aangelegenheden (verhuis naar Brussel, eventuele verhuur van de eigen woning, etc.) een bijzondere druk op het gezinsleven van de niet-Belgische leden van het Europees Parlement.

Wie zich als Italiaan, Zweed of Ier voor een mandaat in het Europees Parlement verkiesbaar stelt, moet ten volle de haalbaarheid inschatten om nadien terug te keren naar het nationale parlement in Rome, Stockholm of Dublin. Tijdens de eerste legislaturen werd daar een mouw aangepast, doordat het Europees Parlement het zogenaamde *dubbelmandaat* toeliet. Daarbij was het Europarlementsleden toegestaan om het Europese mandaat te combineren met een parlementair mandaat in het thuisland. De maatregel, in 1976 ingeschreven in artikel 5 van de wetgeving die de verkiezing van het Europees Parlement regelde, was eerst en vooral een manier om het Europese mandaat aantrekkelijk te maken voor toppolitici uit de verschillende lidstaten. Sommige landen, waaronder België, schreven de regel in hun eigen kieswetgeving in, terwijl andere lidstaten (waaronder Nederland, het Verenigd Koninkrijk en Denemarken) hem stilzwijgend accepteerden. Bijna een derde (31 %) van de in 1979 gekozen Europarlementsleden was tevens lid van het eigen nationale parlement. Maar er werden grote verschillen opgetekend tussen de verschillende lidstaten. De Belgische, Luxemburgse en Ierse delegaties bestonden voor vier vijfde uit politici met een dubbelmandaat, terwijl het voor de Duitse, Franse en Italiaanse delegaties om een derde van de Europarlementsleden ging (Marrel, 2007). Nauwelijks 11 % van de Britse Europarlementsleden had een dubbelmandaat, wat er nogmaals op wijst dat het traject van de Britse Europarlementsleden volledig losgekoppeld is van de carrières van de binnenlandse politici.

Na een beslissing uit 2002 staat het Europees Parlement sinds 2004 enkel nog toe dat een Europees mandaat gecombineerd wordt met een mandaat op lokaal niveau (gemeenteraadslid, schepen of burgemeester) (Marrel, 2007). Het dubbelmandaat, in 1984 voor het eerst verboden in Griekenland en vanaf 1989 ook in België, behoort daarmee definitief tot het verleden. Op het einde lieten enkel Italië (met een aanzienlijke 14 % van de Europese Parlementsleden die nog een dubbelmandaat uitoefenden in januari 2004), Ierland, het Verenigd Koninkrijk en Finland het dubbelmandaat toe.

Toch betekent het niet dat toppolitici van groot nationaal belang niet aan de Europese verkiezingen zouden deelnemen, ondanks de strikte regels die in de meeste Europese lidstaten gelden voor kandidaten die geen ambitie hebben om effectief te gaan zetelen. Het contrast met de gebruiken in België, waar de keuze voor een carrière als Europees Parlementslid veel minder verstrekkende gevolgen heeft, is de voorbije jaren bijzonder scherp aan de oppervlakte gekomen. Sinds de rechtstreekse verkiezing van de deelstaatparlementen in 1995, maar vooral sinds 2003 nemen de Belgische partijen het niet al te nauw meer om politici van het ene naar het andere politieke niveau te schuiven (de zogenaamde *level hopping*). Zo hebben de afgelopen dertig jaar tien Belgen verzaakt aan het mandaat van Europees Parlementslid, ondanks het feit dat ze voor dat parlement verkozen waren. Liefst zes op de tien gevallen deden zich voor bij de verkiezingen van juni 2004 (Cuppens, s.d.).[115]

Nochtans zou het verkeerd zijn om *élke* overstap van het Europese naar het federale of deelstatelijke niveau te interpreteren als een uiting van *level hopping*. Politici kunnen immers ook *doelbewust* kiezen voor een Europese carrière. In feite kunnen vier soorten Europees Parlementsleden onderkend worden, zo stelt de Britse onderzoekster Susan Scarrow (1997) op basis van een studie van Britse, Franse, Duitse en Italiaanse Europarlementsleden. De eerste categorie in haar typologie zijn de zogenaamde binnenlandse carrièristen, die de zetel in het Europees Parlement beschouwen als een springplank naar het behalen of heroveren van een zetel in het nationale parlement. De tweede categorie, de zogenaamde Europese carrièristen, daarentegen, toont een langetermijnengagement voor de Europese zaak. Het zijn politici die overtuigd zijn van hun keuze voor Europa en geen nationaal mandaat nastreven. Ten derde, is er een categorie van politici die op het einde van hun carrière zijn gekomen. Zij blijven slechts kort in het Europees Parlement en geraken meestal ook niet meer herverkozen, noch bij de eerstvolgende verkiezingen in het thuisland, noch bij de eerstvolgende Europese verkiezingen. Ten slotte onderscheidt Scarrow ook een restcategorie, veelal bevolkt door Europarlementsleden die nog niet lang genoeg in het Europees Parlement zetelen om tot de categorie van de 'Europese carrièristen' te behoren. Voor sommigen is het Europese mandaat een troostprijs voor het beëindigen van een carrière op het nationale niveau, terwijl het voor anderen een springplank is naar een functie buiten de politiek, in de administratie of in de privésector.

De spreiding van de Europarlementsleden over deze categorieën verschilt sterk van lidstaat tot lidstaat. Er spelen ook toevallige factoren. Toen de Franse *Parti socialiste* (PS) bij de nationale verkiezingen van maart 1993 zo goed als weggevaagd werd (er bleven slechts 53 van de 260 zetels uit 1988 over), probeerde een aanzienlijk aantal Franse oud-parlementsleden een nieuw mandaat te bemachtigen in het Europees Parlement bij de eerstvolgende verkiezingen van juni 1994. Het hoge aantal Britse Europees Parlementsleden dat het predicaat 'Europese carrière' toebedeeld krijgt, kan gerelateerd worden aan het algemene gevoel van euroscepticisme dat onder de bevolking en onder de Britse politici leeft, waardoor de Europees Parlementsleden als het ware een aparte categorie vormen. In andere landen, daarentegen, werpt het aantal *fin-de-carrièrepolitici* hoge ogen. Samen met

---

115. Het gaat om Geert Bourgeois (toenmalig kartel CD&V/N-VA), Michel Daerden (PS), Filip Dewinter (Vlaams Belang), Louis Michel (MR), Joëlle Milquet (cdH) en premier Guy Verhofstadt (Open Vld). De andere verkozenen die hun mandaat niet opnamen, zijn Roger Nols (PRL) in 1984, Louis Tobback (SP) in 1994 en Bert Anciaux (Volksunie/ID21) en Frank Vandenbroucke (SP) in 1999.

de vaststelling dat een aanzienlijk aantal invloedrijke, gevestigde politici na een rijkgevulde nationale carrière in het Europees Parlement verzeild geraakte, voedde dit de idee dat het Europees Parlement een plaats van *have-beens* was geworden: een instelling waar zij heen gaan om, net zoals olifanten, statig te sterven op een afgelegen plek (Depauw & Van Hecke, 2006).

Tabel 55: **Carrières van Europees Parlementsleden (tot 1994)**

	Verenigd Koninkrijk	Frankrijk	Duitsland	Italië	Alle landen
Europese carrière	63 %	23 %	57 %	27 %	28 %
	(64)	*(38)*	*(53)*	*(37)*	*(192)*
Binnenlandse carrière	19 %	34 %	8 %	28 %	16 %
	(19)	*(57)*	*(7)*	*(38)*	*(121)*
Einde van de politieke carrière	18 %	43 %	36 %	45 %	28 %
	(18)	*(71)*	*(33)*	*(61)*	*(183)*
Aantal geclassificeerd (*)	78 %	79 %	63 %	72 %	73 %

Bron: Scarrow, 1997.

(Cijfers tussen haakjes wijzen op het absolute aantal parlementsleden in elke categorie.)

(*)   Niet alle Europees Parlementsleden beschikten over een duidelijk profiel dat in een van deze categorieën onder te brengen was.

In de loop der tijd werden nog verscheidene andere typologieën ontwikkeld, meestal in een of andere variant van de bovenstaande indeling. Verzichelli en Edinger (2005) wijzen er bijvoorbeeld op dat het aantal Europees Parlementsleden in alle Europese lidstaten gevoelig gestegen is, omdat dit mandaat – met de uitbreiding van de bevoegdheden van het Europees Parlement – een daadwerkelijke opportuniteit geworden is. Ze formuleren en testen in hun artikel een aantal hypothesen met betrekking tot het supranationale, dan wel nationale karakter van de loopbanen van de Europees Parlementsleden. Door het idee van expertise te koppelen aan deze loopbanen, komen Verzichelli en Edinger tot een zesdelige typologie. Drie types hebben een achtergrond die sterk gerelateerd is aan de binnenlandse politieke scène: de *gepensioneerde Europarlementsleden*, de zogenaamde *euroinsiders* en de categorie *politici in Europa*. Omwille van hun voornamelijk binnenlandse focus dragen zij niet veel bij tot bijkomende macht voor het Europees Parlement.

De auteurs verwachten echter dat het aantal *euro-experts*, gekenmerkt door een belangrijke binnenlandse carrière maar met een duidelijk engagement voor supranationale thema's, bij elke verkiezing zal toenemen. Wellicht net zoals het aantal *euroleaders* – Europarlementsleden die hun eerste verkozen mandaat behalen in het Europees Parlement en tevens vooruitzicht hebben op de uitbouw van een lange Europese carrière. Ten slotte is er de – volgens Verzichelli en Edinger groeiende – categorie van de *springplankpolitici*. Het zijn veelal jongere politici die niet geïnteresseerd zijn in een lange loopbaan op Europees vlak als zodanig, maar toch de bijzondere waarde ervan weten in te schatten, om hun eigen politieke project te realiseren. Daarmee gaan ze in tegen eerdere bevindingen van onder anderen de toonaangevende Amerikaanse politicologe Pippa Norris (1999), die betwistte dat de these van het Europese mandaat als springplank voor een nationaal mandaat afdoende bewezen was. Ook Scarrow (1997) ging er nog van uit dat er steeds meer politici voor een volwaardige Europese carrière zouden kiezen.

Tabel 56:   De typologie van Europarlementsleden volgens Verzichelli en Edinger (2005)

	Competentie		
	Lokaal	Algemeen	Europees
Verkiezing in het EP als gevolg van een parlementaire training	EP-gepensioneerde		Europese 'insider'
EP-carrière belemmerd door patronen van een binnenlandse carrière	Politici in Europa		Euro-expert
EP-carrière autonoom van een binnenlandse carrière	Springplankpoliticus		Euroleider

Bijna een decennium later blijken deze evoluties zich dus niet gerealiseerd te hebben. Wie een studie maakt over het profiel van de Europees Parlementsleden kan immers niet om de extreem hoge *turn-over*cijfers heen. Ze vormen de uitdrukking van het aantal parlementsleden dat bij verkiezingen het parlement verlaat. Daar waar dit in een nationaal parlement doorgaans varieert tussen 25 en 35 %, scheert het in het Europees Parlement veel hogere toppen: bij de meeste verkiezingen verdween de helft van de zetelende parlementsleden (tabel 57)! Uiteraard vormden de verkiezingen van 1979 een bijzonder geval, aangezien het voorgaande parlement op een totaal andere wijze was samengesteld. Slechts 14,6 % van de gekozenen in 1979 was ook lid geweest van het voorgaande niet-rechtstreeks verkozen parlement. Enkel bij de verkiezingen van 1989 had meer dan de helft van de gekozenen ook deel uitgemaakt van het voorgaande Europees Parlement. Bij alle andere verkiezingen is er een erg groot verloop van parlementsleden.

Tabel 57:   Percentage herkozen parlementsleden per verkiezing en per
lidstaat

	1979	1984	1989	1994	1999	2004
België	29,2	54,2	50,0	52,0	40,7	54,2
Denemarken	18,8	68,8	50,0	41,2	50,0	42,9
Duitsland	19,8	69,1	54,3	51,0	79,7	66,7
Finland	-	-	-	-	56,3	57,1
Frankrijk	6,1	50,6	37,0	36,7	31,0	44,9
Griekenland	-	20,8	50,0	36,0	36,0	16,7
Ierland	13,3	46,7	53,3	46,7	80,0	30,8
Italië	11,0	45,7	26,8	25,6	25,3	41,0
Luxemburg	16,7	62,5	33,3	66,7	16,7	50,0
Nederland	32,0	56,0	68,0	61,3	41,9	59,3
Oostenrijk	-	-	-	-	71,4	72,2
Portugal	-	0,0	54,2	37,0	40,0	41,7
Spanje	-	0,0	76,7	50,8	54,7	46,3
Verenigd Koninkrijk	11,1	63,0	70,4	63,2	42,0	78,2
Zweden	-	-	-	-	54,2	31,6
Totaal	14,6	46,4	52,2	41,6	46,3	53,0

Bron: *Pasquinucci & Verzichelli, 2004; Marrel & Payre, 2007.*

Omwille van deze hoge *turn-over*cijfers duurt een mandaat in het Europees
Parlement gemiddeld slechts zes jaar.[116] Het Belgische gemiddelde ligt daar
net iets onder: vijf jaar en zeven maanden (Depauw & Van Hecke, 2006,
p. 156). Er is evenwel heel wat variatie. Zo zetelde Gérard Deprez van 1984
tot 2009 onafgebroken in het Europees Parlement. Ook Fernand Herman
(cdH) bouwde een lange carrière uit (twintig jaar tussen 1979 en 1999),
evenals Jaak Vandemeulebroucke (Volksunie, zeventien jaar tussen 1981 en
1998), Raf Chanterie (CVP, zeventien jaar tussen 1981 en 1999) en Willy
De Clercq (PVV/VLD, zeventien jaar tussen 1979 en 2004).[117] Buiten
Deprez, die vijftien jaar lang partijvoorzitter was voor de PSC, De Clercq,
die partijvoorzitter, vice-eerste minister en Europees Commissaris was, en
Karel De Gucht, die na zijn carrière als Europarlementslid partijvoorzitter,
minister van Buitenlandse Zaken en Europees Commissaris werd, vinden
we voornamelijk minder ronkende namen terug in de top tien van langste
mandaten in het Europees Parlement: Raymonde Dury (PS), Ernest Glinne
(PS), José Happart (PS), Paul Lannoye (Ecolo). Vandemeulebroucke, Chanterie, Dury, Lannoye: het zijn typische voorbeelden die volgens Scarrows

---

116. Al wordt dit gemiddelde beïnvloed door de relatief korte periode (vanaf 1995) dat
Zweedse, Finse en Oostenrijkse parlementsleden aan hun carrière konden werken.
117. Met een onderbreking tussen 1981 en 1989, toen hij achtereenvolgens vice-eerste
minister in de Belgische regering en Europees Commissaris was.

indeling in de categorie *Europese carrièristen* vallen: politici met een lang Europees engagement die geen loopbaan op het nationale niveau nastreven.

Aan de andere kant vinden we ook erg korte mandaten terug, zoals dat van Philippe Busquin (PS), die in 1999 twee maanden in het Europees Parlement zetelde alvorens Europees Commissaris te worden, of het mandaat van Jacqueline Rousseaux (MR), die in 2004 de laatste vier maanden van het mandaat van Frédérique Ries volmaakte. Peter Bossu (SP) nam in 1999 verrassend al na zes maanden ontslag uit het Europees Parlement, zonder een ander politiek mandaat op te nemen.

Uiteraard is het grote verloop van parlementsleden niet bevorderlijk voor de slagkracht van het Europees Parlement. Na elke verkiezing moet een groot aantal nieuwe leden zijn weg zoeken in de procedures en bevoegdheden van het Europees Parlement (Depauw & Van Hecke, 2006). In dit verband moeten we ook wijzen op de vele opvolgingen tijdens de legislaturen 1979-1984 en 1999-2004, toen telkens meer dan de helft van de Belgische Europarlementsleden in de loop van de legislatuur vervangen werd (Cuppens, s.d.). De eerste piek wordt verklaard door het afhaken van een aantal toppolitici die, zodra het enthousiasme voor de eerste rechtstreekse verkiezingen was bekoeld, opnieuw naar de nationale politieke scene terugkeerden. Aan de basis van de tweede piek liggen gelijkaardige overwegingen. In tegenstelling tot de eerste legislatuur ging het echter niet meer om toppolitici, maar om *level hoppers* die van het ene naar het andere politieke mandaat sprongen in de cascade aan verkiezingen die in ons land gehouden worden.

Natuurlijk zijn niet alle opvolgers groentjes in de politiek. Sommige opvolgers komen rechtstreeks uit het nationale parlement overgewaaid, bijvoorbeeld omdat ze bij de Europese verkiezingen als opvolger aangeduid werden, vervolgens een nationaal of regionaal mandaat opnamen bij de eerste daaropvolgende verkiezingen, om ten slotte alsnog opgeroepen te worden voor het Europees Parlement. De bokkensprongen in de carrière van het sp.a-Europarlementslid Saïd El Khadraoui in de periode 1999-2004 zijn daar een typisch voorbeeld van. Hij werd op 4 januari 2001 schepen van de stad Leuven, lid van de federale Kamer van Volksvertegenwoordigers op 18 mei 2003, en – als derde opvolger verkozen in 1999 – op 7 oktober 2003 lid van het Europees Parlement.

Overigens rekruteerde de Belgische delegatie in het verleden steevast onder politici met aanzienlijke ervaring in het nationale parlement. Met uitzondering van de delegatie van 1999 had altijd meer dan de helft van de Europarlementsleden reeds in het nationale parlement gezeteld. In 2004 ligt het percentage opnieuw erg hoog, met 83,3 %, al moet er verwezen worden naar het grote aantal bekende politici die bij deze verkiezingen wél op de lijst stonden en verkozen werden, doch zonder het Europese mandaat te aanvaarden. Toch is het opvallend dat deze scores in een aantal grote Europese lidstaten veel lager liggen: in Frankrijk, Duitsland en het Verenigd Koninkrijk bedraagt het percentage minder dan 20 %. In alle lidstaten zien we overigens een daling van deze scores over de jaren heen. Met uitzondering van Portugal ligt het aantal oud-leden van het nationale parlement bij de eerste Europese verkiezingen die georganiseerd werden, telkens hoger dan bij daaropvolgende verkiezingen. Het algemene gemiddelde daalt van 44 % bij de eerste rechtstreekse verkiezingen in 1979 tot amper 30 % in 1999. Het bevestigt de stelling dat Europees Parlementsleden er op een ander loopbaantraject zitten dan leden van de nationale parlementen.

Tabel 58: Percentage Europarlementsleden met ervaring in het nationale parlement

	1979	1984	1989	1994	1999
België	83,3	54,2	52,4	52,0	40,0
Denemarken	56,3	37,5	43,8	37,5	37,5
Duitsland	40,7	27,2	16,0	18,4	15,2
Finland	-	-	-	86,7	43,8
Frankrijk	39,5	43,2	28,4	29,9	16,5
Griekenland	-	21,7	41,7	28,0	24,0
Ierland	86,7	73,3	66,7	60,0	66,7
Italië	51,9	40,7	38,3	35,6	37,9
Luxemburg	66,7	66,7	83,3	100,0	83,3
Nederland	56,0	40,0	24,0	35,5	21,9
Oostenrijk	-	-	-	75,0	38,1
Portugal	-	28,6 (*)	79,2	75,0	72,0
Spanje	-	46,7 (*)	65,0	42,2	32,8
Verenigd Koninkrijk	19,8	18,5	12,3	9,2	21,8
Zweden	-	-	-	77,3	66,7
Totaal	44,6	36,6	35,9	36,1	30,9

Bron: Pasquinucci & Verzichelli, 2004.
(*) 1987 in plaats van 1984

Sinds het Verdrag van Maastricht is het bovendien mogelijk dat men zich kandidaat stelt in een andere lidstaat dan de lidstaat waarvan men de nationaliteit draagt. Het Verenigd Koninkrijk liet al sinds 1984 toe dat onderdanen van (de Republiek) Ierland of van andere *Commonwealth*-landen zich op Britse bodem verkiesbaar stelden. Italië was in 1989 de tweede lidstaat om dit toe te laten. Toch komt het slechts uiterst zelden voor dat niet-onderdanen verkozen worden. Tot de verkiezingen van 2004 gebeurde het slechts

253

negen keer, waarvan twee keer in België (Corbett et al., 2003).[118] Wellicht het bekendste voorbeeld is de Duitser Daniël Cohn-Bendit, die in 1999 in Frankrijk verkozen werd op de lijst van Les Verts.[119]

Wie goed geïnformeerd is, zou op die manier handig op zoek kunnen gaan naar een lucratieve 'transfer'. De meer dan 700 Europarlementsleden werden immers tot 2009 niet op een uniforme wijze verloond voor hun werk! Het salaris liep namelijk gelijk met het loon dat de nationale parlementsleden ontvingen. Zo kwam het dat een Spaanse vertegenwoordiger die naast een Italiaan in het Europese halfrond zat, slechts een kwart van het loon van zijn buurman ontving. In 2001 verdiende de Spanjaard namelijk slechts 34 190 euro op jaarbasis, terwijl de Italiaan – als bestverdienend Europarlementslid – ruim 127 717 euro verdiende. De Belgische vertegenwoordigers bevonden zich met een jaarlijks salaris van 66 533 euro zowat in de middenmoot en in de buurt van hun Griekse (69 455 euro) en Nederlandse (64 800 euro) collega's (Corbett et al., 2003).

In september 2005 werd echter een eind gemaakt aan deze absurde situatie. Bij besluit van 28 september 2005 nam het Europees Parlement het 'Statuut van de leden van het Europees Parlement' aan. Daarbij werd onder andere bepaald dat de Europees Parlementsleden 'recht hebben op een adequate bezoldiging die hun onafhankelijkheid waarborgt' (art. 9). Alle leden krijgen vanaf juni 2009 een gelijk salaris, ter waarde van 38,5 % van het bruto-jaarsalaris van een rechter aan het Hof van Justitie van de Europese Gemeenschappen (art. 10). Dit komt neer op ongeveer 7000 euro bruto per maand, en de lidstaten mogen zelf bepalen in hoeverre zij dit bedrag onderwerpen aan het nationale belastingrecht (art. 12.4). Naast het salaris krijgen de Europarlementsleden ook aanzienlijke kostenvergoedingen (voor transportkosten, overnachtingen, etc.).

Ten slotte willen we er nog op wijzen dat het systeem van evenredige vertegenwoordiging ervoor zorgt dat er doorgaans meer vrouwen in het Europees Parlement zetelden dan in de nationale parlementen.[120] In het Europees Parlement zetelden in 2004 30,2 % vrouwen, wat ruim zeven procentpunten meer is dan in de nationale parlementen van deze lidstaten (Verzichelli & Edinger, 2005). In een aantal lidstaten bedraagt het verschil ruim twintig procentpunten, zoals dat in 2004 het geval was in Frankrijk (31 % verschil), Luxemburg (30 % verschil), Slovenië (30,6 % verschil),

---

118. In 1999 werd de Italiaanse Monica Frassoni verkozen op de lijst van de Belgische *Parti socialiste* (PS) en tegelijk werd Frédérique Ries, die toen nog de Luxemburgse nationaliteit bezat, verkozen op de lijst van de Franstalige liberalen.
119. Cohn-Bendit was een van de vooraanstaande studentenleiders bij de oproer van mei 1968 in Parijs.
120. Al is er een duidelijke correlatie tussen beide variabelen van 0,65 in 1994 (Norris & Franklin, 1997) en 0,45 in 2004 (Depauw & Van Hecke, 2006).

Hongarije (23,5 % verschil), Litouwen (27,8 % verschil) en Ierland (25,2 % verschil). Zweden had in 2004 de grootste vrouwelijke delegatie: meer dan 57 % van de Zweedse Europarlementsleden was vrouw. Daarna volgden Luxemburg (de helft van de zes vertegenwoordigers), Nederland (44 %) en Frankrijk (43,6 %). In België stelden we evenwel geen effect vast van de quotawetgeving, die een bepaald aantal plaatsen op de kieslijsten reserveert voor vrouwen. Noch in 1999, noch in 2004 nam het aantal vrouwelijke mandatarissen beduidend toe, ondanks de strengere quotawetgeving na 2002 (Depauw & Van Hecke, 2006; Fiers, Servranckx & Pilet, 2006). Integendeel, in 2004 werd geen enkele Europese lijst door een vrouwelijke kandidaat getrokken. Het aantal vrouwelijke Europarlementsleden uit België bleef daardoor steken op 29,2 %.

Hoofdstuk 9

EFFECTEN VAN KIESSTELSELS
Disproportionaliteiten, opkomst en vrouwenvertegenwoordiging

I.   Inleiding

Doorheen de voorbije hoofdstukken is duidelijk geworden dat de keuze van het kiesstelsel verregaande gevolgen heeft voor de werking van de democratie. Ze heeft niet alleen een effect op de wijze waarop de burgers vertegenwoordigd worden, maar tevens op het aantal politieke partijen dat in de politieke arena meestrijdt en op de manier waarop de parlementsleden hun rol en taak zullen vervullen (als partijvertegenwoordiger of als vertegenwoordiger van hun regio of kiesdistrict). Maar ook het aantal vrouwen en het aantal allochtonen in het parlement wordt erdoor bepaald, net zoals het aantal partijen dat nodig zal zijn om een stabiele regering te vormen.

Het is onbegonnen werk om álle effecten van het kiesstelsel in één omvattend hoofdstuk samen te brengen. Bijgevolg hebben we een selectie van recente en relevante topics gemaakt. In dit hoofdstuk zullen we het achtereenvolgens hebben over de manier waarop we de graad van disproportionaliteit bepalen, over het effect van opkomst en wat er gedaan kan worden aan lage opkomstcijfers, en over de effecten die de kiesstelsels hebben op de vertegenwoordiging van vrouwen in de politiek en in het parlement.

II.   De Gallagherindex voor de graad van (dis)proportionaliteit

In de voorgaande hoofdstukken hebben we er meermaals op gewezen dat het ene kiesstelsel *proportioneler* is dan het andere, waarbij we als criterium namen hoe goed het kiesstelsel de verschillende politieke opinies van de burgers weergeeft. Wanneer het kiesstelsel dat onvoldoende deed, bestempelden we het kiesstelsel als disproportioneel. Maar we kunnen dit uiteraard alleen maar op een goede wijze definiëren als we een neutrale schaal hebben waartegen we de proportionaliteit of de disproportionaliteit kunnen afmeten.

Met het oog hierop werden verschillende indexen ontwikkeld. Deze indexen geven de verhouding weer van de verdeling van de stemmen ten opzichte van de verdeling van de zetels. Ze gaan er daarbij van uit dat de disproportionaliteit minimaal is (en gelijk aan nul) wanneer het percentage zetels (%z) dat elke partij verwerft exact gelijk is aan haar percentage stemmen (%s). De disproportionaliteit is daarentegen maximaal wanneer een klein aantal stemmen voor een partij leidt tot een groot aantal zetels, of omgekeerd, wanneer een groot aantal stemmen niet omgezet wordt in een corresponderend aantal zetels.

Er zijn verschillende varianten van die *disproportionaliteitsindex*. We bespreken alleen de meestgebruikte index, en illustreren deze index aan de hand van de uitslagen van de Britse verkiezingen van 6 mei 2010 en de Nederlandse verkiezingen van 12 september 2012.

Tabel 59:   Uitslag van de verkiezingen in het Verenigd Koninkrijk, 6 mei 2010

	N stemmen	% stemmen	N zetels	% zetels	%z-%s	Kwadraat
Conservatives	10 703 654	36,05	306	47,08	11,02	121,4985
Labour	8 606 517	28,99	258	39,69	10,70	114,5336
Liberal Democrats	6 836 248	23,03	57	8,77	-14,26	203,2920
UKIP	919 471	3,10	0	0	-3,10	9,5924
BNP	564 321	1,90	0	0	-1,90	3,6133
SNP	491 386	1,66	6	0,92	-0,73	0,5360
Green	265 243	0,89	1	0,15	-0,74	0,5470
Sinn Féin	171 942	0,58	5	0,77	0,19	0,0361
DUP	168 216	0,57	8	1,23	0,66	0,4411
Plaid Cymru	165 394	0,56	3	0,46	-0,10	0,0091
SDLP	110 970	0,37	3	0,46	0,09	0,0077
Ulster Conservatives and Unionists	102 361	0,34	0	0	-0,34	0,1189
English Democrats	64 826	0,22	0	0	-0,22	0,0477
Alliance	42 762	0,14	1	0,15	0,01	0,0001
Respect	33 251	0,11	0	0	-0,11	0,0125
TUV	26 300	0,09	0	0	-0,09	0,0078
Independent	229 021	0,77	1	0,15	-0,62	0,3814
Speaker	22 860	0,08	1	0,15	0,08	0,0059
Som	29 687 604		650		44,95802	454,68115
Helft van de som						227,34058
Wortel						15,077821

Tabel 60:   Uitslag van de verkiezingen in Nederland, 12 september 2012

Partij	N stemmen	% stemmen	N zetels	% zetels	%z-%s	Kwadraat
VVD	2 504 948	26,58	41	27,33	0,75	0,567730
PvdA	2 340 750	24,84	38	25,33	0,50	0,245791
PVV	950 263	10,08	15	10	-0,08	0,006920
SP	909 853	9,65	15	10	0,35	0,119442
CDA	801 620	8,51	13	8,67	0,16	0,025832
D66	757 091	8,03	12	8	-0,03	0,001119
CU	294 586	3,13	5	3,33	0,21	0,043056
GroenLinks	219 896	2,33	4	2,67	0,33	0,111131
SGP	196 780	2,09	3	2	-0,09	0,007748
PvdD	182 162	1,93	2	1,33	-0,60	0,359492
50PLUS	177 631	1,88	2	1,33	-0,55	0,304151
Piratenpartij	30 600	0,32	0	0	-0,32	0,105427
MenS	18 310	0,19	0	0	-0,19	0,037747
Geldige stemmen	9 424 235		150	100		
Blanco/ongeldig	37 988					
Som					4,17	1,935585
Helft van de som						0,967793
Wortel						0,983765

Eerder opgemaakte indexen, zoals de Rae-index en de index van Loose-moore-Hanby vertoonden grote gebreken doordat ze de disproportionalitei-ten respectievelijk onder- en overschatten (Maddens, 2006). Om tegemoet te komen aan de tekortkomingen van beide indexen, werkte de Ierse politi-coloog Michael Gallagher een nieuwe index uit, de zogenaamde *Gallagh-erindex*. Hij wordt als volgt berekend: het gekwadrateerde verschil tussen het procentuele aandeel stemmen en het procentuele aandeel zetels wordt opgeteld voor alle partijen, gedeeld door twee en daaruit wordt de vier-kantswortel getrokken. In formulevorm ziet de index er als volgt uit:
$\sqrt{1/2} \, \Sigma \, (\%s - \%z)^2$.

Door te kwadrateren worden grote en kleine verschillen ten opzichte van elkaar gewogen. Daardoor wordt de bevoordeling van een partij met bij-voorbeeld vijf procentpunten wel degelijk in rekening gebracht en telt dat zwaarder door dan vijf bevoordelingen of benadelingen van één procent-punt. Het resultaat van de Britse verkiezingen volgens de Gallagherindex is 15,078 (in 2005 17,755); het Nederlandse resultaat is 0,984 (in 2006 1,014).

Deze Gallagherindex is tegenwoordig de meestgebruikte index om de disproportionaliteit van kiesstelsels in kaart te brengen. Daarbij komt het disproportionerende karakter van de meerderheidsstelsels tot zijn recht. De index laat immers toe om sluitende vergelijkingen te maken tussen de kiesstelsels (tabel 61).

Tabel 61: **Relatie tussen electorale formule en disproportionaliteit**

Electorale formule	Aantal landen	Gemiddelde disproportionaliteit
Lijstproportioneel – Hare	14	3,36
Single Transferable Vote	2	3,94
Lijstproportioneel – D'Hondt	20	4,53
Lijstproportioneel – Droop	5	4,63
Relatieve meerderheid	18	13,33
Absolute meerderheid	2	13,59

Bron: Farrell, 2011, p. 157.

III. Invloed van het kiesstelsel op de opkomst (*electoral turnout*)

Naast de vraag naar de proportionaliteit van het kiesstelsel rest ook de vraag naar de *legitimiteit* ervan. Deze vraag heeft betrekking op het percentage kiezers dat deelgenomen heeft aan de verkiezingen. Immers, wanneer weinig kiezers opdagen en deelnemen aan de verkiezingen, kan men bezwaarlijk van legitieme verkiezingen spreken. In het omgekeerde geval, bij een grote opkomst, is niet alleen de legitimiteit van de verkozen vertegenwoordigers gegarandeerd, maar ook de legitimiteit van hun beleidsbeslissingen.

Talrijke studies hebben geprobeerd om aan te tonen dat de opkomst afhankelijk is van een brede waaier aan zowel institutionele, wettelijke als culturele factoren. Pippa Norris (2004, p.153) gaat uit van een *rational choice*-redenering en onderscheidt drie factoren die van belang zijn. Volgens haar zal de kiezer enkel deelnemen aan de verkiezingen als zijn kosten-batenanalyse positief uitvalt. Dat resultaat wordt bepaald door drie factoren: de politieke instituties zelf die de brede context definiëren waarin de verkiezingen plaatsvinden, de concrete kieswetgeving en ten slotte de eenvoudige administratieve regels waaraan men moet voldaan hebben om een geldige stem te kunnen uitbrengen.

## 1.	De opkomstplicht

Uiteraard steekt het feit of de kiezer verplicht is om aan de verkiezingen deel te nemen met kop en schouders boven de andere factoren uit. In 2009 waren er een 30-tal landen in de wereld waar de kiezers verplicht worden om zich op de dag van de verkiezingen aan te melden bij het kiesbureau (*compulsory voting*). Al is er in de wetenschappelijke literatuur geen eensgezindheid over deze lijst, toch gaat het in de regel om de *oude democratieën* Australië, België, Costa Rica, Cyprus, Italië (van 1945 tot 1993) en Luxemburg, en de *nieuwe democratieën* Argentinië, Bolivië, Brazilië, Chili, de Dominicaanse Republiek, Ecuador, Griekenland, Guatemala, Honduras, Liechtenstein, Mexico, Panama, Peru, Thailand, Singapore, Thailand, Turkije, Uruguay en Venezuela.[121] Het is een courante misvatting te veronderstellen dat de kiezers in deze landen verplicht zouden zijn om effectief te stemmen; ze zijn enkel verplicht om zich op de dag van de verkiezingen aan te melden bij het stembureau. Vandaar dat het beter is om te spreken van landen met een *opkomstplicht* dan het woord *stemplicht* te gebruiken.

In de Europese Unie geldt er enkel nog een opkomstplicht in België, Luxemburg, Cyprus, Griekenland en Italië. In Oostenrijk, waar de opkomstplicht in de meeste deelstaten in 1979 werd afgeschaft, was deze regel nog tot 2004 van kracht voor de deelstaatverkiezingen in Tirol en Vorarlberg. Het overgrote deel van de Europese staten is dus overgeschakeld op stemrecht. Zo ook Nederland, dat van 1917 tot 1970 een stelsel van opkomstplicht kende. Het wetsvoorstel dat de opkomstplicht afschafte, leverde pas bij de achtste poging de vereiste meerderheid (Andeweg, 2005).

Wie niet komt opdagen voor de verkiezingen riskeert in Italië en Griekenland geen officiële documenten te krijgen (rijbewijs, paspoort ?). Grieken lopen bovendien het risico op een veroordeling tot maximaal één maand gevangenisstraf, al vormt de jacht op niet-opgedaagde kiezers sinds 1994 geen prioriteit meer in het vervolgingsbeleid van de Griekse justitie. Daardoor is de opkomst bij verkiezingen er gezakt van 84,5 % in 1989 tot 74,1 % in 2007 (Dinas, 2008). In Cyprus kan die gevangenisstraf zelfs oplopen tot zes maanden (Norris, 2004).

---

121. De democratische *credentials* van sommige landen zijn uiteraard voor discussie vatbaar. Het *International Institute for Democracy and Electoral Assistance* (IDEA) voegt aan deze lijst nog volgende landen toe: de Democratische Republiek Congo, Egypte, de Fiji-eilanden, de Filipijnen, Gabon, Libanon, Nauru, Paraguay en Turkije (zie http://www.idea.int/vt/compulsory_voting.cfm). Farrell (2011, pp. 224-225) hanteert een meer restrictieve lijst van vijftien landen: Argentinië, Australië, België, Brazilië, Costa Rica, Chili, Cyprus, Dominicaanse Republiek, Griekenland, Liechtenstein, Luxemburg, Mexico, Panama, Peru en Uruguay. Merk op dat Midden- en Latijns-Amerika goed vertegenwoordigd is binnen de selecte club van landen met opkomstplicht.

De dreiging met gevangenisstraffen is evenwel een uitzondering. Meestal bestaat de sanctie uit een geldboete. In de Oostenrijkse regio's Vorarlberg en Tirol riskeerden kiesgerechtigden die niet kwamen opdagen tot 700 euro boete. In Cyprus bedraagt die boete zelfs 900 euro (López Pintor & Gratschew, 2004). In België zijn de boetes of is het risico op een veroordeling eerder beperkt en is het, net zoals in Griekenland, geenszins van prioritair belang in het justitiële vervolgingsbeleid.

2.   De opkomstplicht als remedie tegen dalende participatie?

Het debat over de invoering of afschaffing van de opkomstplicht heeft de laatste jaren een prominente plaats gekregen in het denken over de verkiezingen. Niet alleen in België, overigens. Ook in andere landen wordt geregeld verwezen naar de eventuele herinvoering van een systeem van opkomstplicht om het hoofd te bieden aan de dalende opkomst bij verkiezingen. Op het einde van de 20ste eeuw was het immers *bon ton* om te beweren dat de kennis van en de interesse in de politiek er schrikbarend op achteruitgingen. Niet alleen daalde in de meeste landen het percentage kiezers dat kwam opdagen voor de verkiezingen, maar ook was dit des te meer het geval bij de jongere generaties. Men vreesde daardoor niet alleen een grotere *aliënatie* van de jongeren, maar ook dat het zou leiden tot politieke apathie.

In een aantal landen is de deelname aan de verkiezingen effectief onmiskenbaar gedaald. Dat is bijvoorbeeld het geval in Oostenrijk, waar de opkomstcijfers voor de parlementsverkiezingen na het afschaffen van de opkomstplicht in 1979 daalden van 92,2 % in 1979 tot 84,3 % in 2002. In Finland zette de trend al in vanaf het midden van de jaren zeventig. In 1975 daalde de participatie met ruim zeven procentpunten ten opzichte van 1972 en daalde ze verder tot 69,7 % in 2003. In de Vijfde Franse Republiek daalde de opkomst van 81,3 % in 1973 tot amper 60,0 % in 2007 en in Nederland getroostte zich in 1988 nog slechts 73,2 % van de kiesgerechtigden de moeite om te gaan stemmen. In het Verenigd Koninkrijk is de opkomst bij de voorbije verkiezingen op een dramatische 59,4 % (2001) en 61,5 % (2005) teruggevallen. In 2010 steeg de opkomst tot 65,1 %. In hoofdstuk 8 wezen we al op de dramatische terugval van de opkomstcijfers bij de Europese verkiezingen.

Uit studies over de participatie aan de verkiezingen in de geïndustrialiseerde landen in de periode van de jaren zestig tot de jaren negentig blijkt dat het opleggen van een opkomstplicht de deelname aan de verkiezingen met 10 tot 16 % verhoogt. In Latijns-Amerika worden gelijkaardige percentages opgemeten (Lijphart, 2000, p. 320).

Vandaar dat in sommige landen de discussie ontbrandt over de herinvoering van de opkomstplicht. Daarbij argumenteert men dat de democratisch verkozen regeringen over een grotere legitimiteit beschikken naarmate er meer kiezers deelnemen aan de verkiezingen. Ten tweede heeft het gaan stemmen ook een opvoedende waarde voor de burgers, omdat zij hun eigen inbreng in het democratische proces leren kennen. Ze worden uiteraard ook verplicht om een opinie te vormen over de verkiezingen en de thema's die centraal staan in de campagnes. Ten derde kan de opkomstplicht ook beschouwd worden als een middel om de verkiezingsuitgaven te beperken. De politieke partijen zullen dan immers geen dure campagnes meer opzetten om kiezers naar de stembussen te krijgen, vermits ze dan sowieso verwacht worden om dat te doen. Ten slotte geldt wellicht als meest krachtige argument dat een regering maar voor iedereen kan spreken wanneer ook iedereen zich heeft uitgesproken. De verwachting is immers, gebaseerd op Amerikaans onderzoek, dat het sociaaleconomisch achtergestelde deel van de bevolking geen (of te weinig) gebruikmaakt van haar recht om te stemmen. Daardoor, zo gaat de redenering verder, zullen de politieke partijen ook enkel oog hebben voor de begoeden en de rijkere middenklasse, en het armere deel van de bevolking buiten beschouwing laten.

Het belangrijkste argument tégen opkomstplicht is dat het niet strookt met de basisvrijheden van een moderne liberale democratie. Het verplichten van kiezers om deel te nemen aan de verkiezingen heeft namelijk een paternalistisch trekje, waardoor het volgens de tegenstanders verouderd is en 'niet meer van deze tijd'. Bovendien leidt het tot proteststemmen, van mensen die het niet eens zijn met het feit dat de overheid hen verplicht om te gaan stemmen. Op die manier kan het wel eens contraproductief werken en ook meer tegenstanders en blanco of ongeldige stemmen genereren. Het is dan maar de vraag in hoeverre de overheid daarmee gediend is (IDEA, 2008).

3.   Institutionele factoren die invloed hebben op de opkomst

Toch moeten we de stelling van een dalende participatie wat nuanceren. In sommige landen haalt men zonder opkomstplicht hogere deelnamepercentages dan in landen waar men wél een opkomstplicht heeft. In Malta, Uruguay en Indonesië nam het afgelopen decennium altijd meer dan 90 % van de bevolking deel aan de verkiezingen (Norris, 2004, p. 151). In Nederland zorgde de commotie rond de moord op de politicus Pim Fortuyn negen dagen voor de verkiezingen van 15 mei 2002 voor een hausse in de opkomstcijfers (79,1 %). Sindsdien blijft de deelname aan de parlementsverkiezingen er vrij hoog: zowel in 2003 als in 2006 werd de grens van 80 % deelname overschreden. In 2010 en 2012 bedroeg de opkomst respectievelijk 75,4 % en 74,6 %. Ook in andere landen zijn de opkomstcijfers niet of nauwelijks gewijzigd. In IJsland ligt de opkomst al decennialang rond de

88 %, in Denemarken en Zweden bedroeg de opkomst tijdens de afgelopen twintig jaar gemiddeld 85 % en ook in Duitsland zweeft ze steeds rond de 80 %. In Noorwegen lijken de kiezers pas in de jaren negentig af te haken. De opkomst ligt er nog op 75 %, maar dat is acht procentpunten lager dan in de jaren tachtig.

Tabel 62: Gemiddelde opkomst bij nationale verkiezingen (1988-2012)

Land	Gemiddelde opkomst 1988-2012	Land	Gemiddelde opkomst 1988-2012
Malta	95,52	Letland	71,40
België	91,06	Slovenië	69,88
Luxemburg	88,96	Verenigd Koninkrijk	67,16
Cyprus	88,78	Ierland	67,10
Denemarken	85,60	Finland	66,89
Zweden	83,95	Bulgarije	66,83
Italië	83,68	Kroatië	66,06
Oostenrijk	82,78	Estland	65,15
Noorwegen	77,77	Frankrijk	63,13
Duitsland	77,74	Portugal	62,91
Nederland	77,71	Roemenië	59,51
Griekenland	75,36	Verenigde Staten van Amerika	59,36
Tsjechië	73,76	Hongarije	56,80
Spanje	73,49	Polen	49,36
Slowakije	72,92	Litouwen	49,14

Bron: Eigen berekeningen op basis van data van IDEA (www.idea.int/vt).

Toch kan men niet om de vaststelling heen dat de participatiegraad in een aantal landen zorgwekkend is (tabel 62). De afgelopen twee decennia verzaakte gemiddeld meer dan de helft van de Amerikaanse kiezers aan zijn stemrecht voor de verkiezingen voor het Congres. Wanneer de verkiezingen samenvielen met presidentsverkiezingen lag de opkomst telkens net boven de 50 %, al was de herverkiezing van Bill Clinton in 1996 gebaseerd op de stemmen van slechts 49,1 % van de kiezers. In de jaren zonder gelijktijdige presidentsverkiezingen viel de participatie terug tot 36,4 % (1998) of 37 % (2002) (Gallagher, 2008). In Polen ligt de gemiddelde opkomst sinds de eerste vrije verkiezingen in 1991 op een schamele 46 %. Zwitserland (gemiddeld 38 % deelname in de jaren negentig), Mali, Colombia en Senegal zijn andere landen met een *turnout* die onder de 50 %-grens duikt.

In sommige landen die een minimumopkomst vereisen, zouden deze verkiezingen zelfs helemaal niet geldig zijn. In de oud-Sovjet-Russische staten Georgië en Wit-Rusland en bijvoorbeeld ook in Hongarije stelt de wetgeving dat minstens de helft van de kiezers deelgenomen moet hebben, op straffe van nietigverklaring van de verkiezingen (Blais & Massicotte, 2000, p. 322). In Rusland en Hongarije geldt bij de tweede poging, indien bij de eerste maal geen 50 % van de bevolking had deelgenomen, een verplichte minimumopkomst van 25 %.

Nochtans heeft men lang geen vat op álle factoren die een rol spelen in de opkomst voor verkiezingen. Dat aantal is immers afhankelijk van zowel maatschappelijke factoren als factoren die te maken hebben met de kieswetgeving of met de administratieve procedures die van toepassing zijn. Onder politicologen is er echter geen eensgezindheid over het effect van elk van deze factoren afzonderlijk.

Dieter Nohlen (2002) hecht veel belang aan de maatschappelijke factoren. Hij onderkent er vier. Ten eerste is er het *niveau van sociale gelijkheid*. In maatschappijen die gekenmerkt worden door grote maatschappelijke ongelijkheid, zijn kiezers minder geneigd om aan de verkiezingen deel te nemen. Er is namelijk een grotere *bias* ten aanzien van de sociaaleconomisch gedepriveerden om te participeren aan de verkiezingen. Voor wie in armoede leeft, is deelname aan de verkiezingen wellicht niet de meest prioritaire zorg. Vanuit een rationele overweging levert een deelname aan de verkiezingen wellicht bijzonder weinig resultaat op; vandaar de geringe interesse om aan de verkiezingen deel te nemen. Het is dan ook geen toeval dat de laagste gemiddelde opkomstcijfers in Europa (1945-2002) gevonden worden in Portugal, Spanje, Ierland en het Verenigd Koninkrijk, staten die gekenmerkt worden door een grote kloof tussen rijk en arm. Het is echter net in de Scandinavische landen, met hun goed uitgebouwde sociale voorzieningen die de verschillen tussen rijk en arm aftoppen, dat de hoogste *turnout* van Europa wordt opgemeten.[122]

De tweede maatschappelijke factor is de *regerings- of maatschappelijke focus op politieke cultuur*. Uiteraard kunnen ook sensibiliseringscampagnes van de overheid invloed uitoefenen op de mate waarin kiezers participeren aan de verkiezingen. Zeker in niet-westerse landen mag men er niet zomaar van uitgaan dat iedereen op de hoogte is van de verkiezingen of van het belang van deelname aan de verkiezingen. De mate waarin het 'participeren' aan de verkiezingen door de overheid wordt aangemoedigd, heeft ook een positief effect op de opkomst, zo stelt Nohlen.

Ten derde wordt de opkomst bepaald door *de impact van de verkiezingen en de performantie van het parlement*. Deze factoren stellen de centraliteit van

---

122. Met uitzondering van Finland, waar de participatiegraad rond 65 % ligt.

de vertegenwoordigingsdemocratie in vraag. Centraal hierbij staat de vraag naar de verhouding tussen het parlement en het juridische systeem (dat zowel controle uitoefent op de wetten als op de uitvoerende macht) en de administratie (die voor de uitvoering van de wetten moet instaan). Indien het parlement onmondig is, of indien het door het juridische of het administratieve apparaat steeds weer in het ongelijk wordt gesteld, stellen vele kiezers zich de vraag waarom ze de moeite zouden nemen om voor dat parlement te gaan stemmen.

Ten slotte is er het *vertrouwen in de instellingen* dat als vierde maatschappelijke factor een invloed heeft op de opkomstpercentages. Hoe groter dat vertrouwen, hoe meer kiezers zullen stemmen. Dit gaat uiteraard veel verder dan enkel het stemmen bij verkiezingen. Voortbouwend op het belangrijke werk van Almond en Verba (1963), die verwezen naar het bestaan van een *civic virtue*, heeft Robert Putnam in zijn studie *Making Democracy Work* (1994) op een doortastende wijze aangetoond hoe het vertrouwen in de overheid in de diverse Italiaanse regio's positieve effecten ressorteert op de participatiegraad van de bevolking. Ook in de literatuur rond het sociaal kapitaal is het vertrouwen in de overheid een belangrijke factor ter verklaring van het bezit van (of het gebrek aan) sociaal kapitaal (Coleman, 1988; Putnam, 2000).

4.   Invloed van de kieswetgeving op de opkomst

Naast de maatschappelijke factoren identificeert Dieter Nohlen (2002) ook een viertal factoren die invloed hebben op de opkomst bij verkiezingen die rechtstreeks verband houden met de kieswet. Een eerste belangrijk element is de mate waarin het kiesstelsel de stemmenverdeling weerspiegelt. Met andere woorden: de mate van proportionaliteit van het kiesstelsel is reeds van belang nog voor de eerste stem is uitgebracht. Men gaat immers ervan uit dat kiezers volgens een *rational choice*-redenering beslissen om aan de verkiezingen deel te nemen. Het spreekt dan voor zich dat gematigde aanhangers van een bepaalde minderheidsstrekking in de maatschappij zich veel minder aangesproken zullen voelen om deel te nemen aan de verkiezingen, wanneer het kiesstelsel aanstuurt op een *horse race* tussen kandidaten van de twee grootste partijen. In Frankrijk, bijvoorbeeld, lag de opkomst voor parlementsverkiezingen in de Vijfde Republiek gemiddeld op 72,7 % (met een zeer lage 60,3 % en 60,0 % bij de verkiezingen van respectievelijk 2002 en 2007). Daarentegen is het des te aantrekkelijker om aan de verkiezingen deel te nemen indien een kleine partij wel degelijk zicht heeft op het veroveren van een zetel, waarvoor elke stem telt. Wanneer we de rangschikking van de Europese lidstaten opmaken naar opkomst, dan zijn het stuk voor stuk proportionele stelsels die aan de top van die rangschikking staan (tabel 62).

Het voorgaande element kunnen we ook ruimer opentrekken tot de vraag: 'Hoe zinvol is mijn stem?'. Sommige kiesstelsels zijn immers geconcipieerd om het aantal partijen te reduceren. Dit werkt demoraliserend voor de aanhangers van kleinere partijen. Daarenboven moet men ook rekening houden met de mate van aangekondigde strijd. Met andere woorden: het hangt af van de vraag of men in een *safe seat*-district woont dan wel in een district waar de voorsprong slechts 'marginaal' is. Denk aan de aanhanger van de *Conservatives* in het *Labour*bastion Liverpool. Men moet al heel erg overtuigd zijn van zijn partijkeuze om effectief de strijd aan te gaan. De kandidaat van de *Conservatives* heeft er, gezien de sociologische samenstelling van de kiesdistricten, immers geen enkele kans om de strijd te winnen.

Bijkomend heeft het al dan niet per voorkeur kunnen stemmen ook een invloed. Het gebruik van gesloten lijsten waarbij de politieke partijen al op voorhand hebben bepaald wie er in het parlement mag zetelen, heeft een negatief effect op de *turnout*, terwijl het kunnen uitbrengen van een voorkeurstem daarentegen een extra motivatie betekent om deel te nemen. Mijn persoonlijke voorkeurstem kan dan immers mogelijkerwijs het verschil maken voor de kandidaat van mijn preferentie.

Ten slotte is er een grote invloed van de registratieprocedure. In België worden we wat dat betreft verwend: het zijn de gemeentediensten die bijhouden waar we wonen en die ons automatisch een oproepingsbrief opsturen, drie weken voor de verkiezingen plaatsvinden. Maar in vele andere landen verloopt de kiezersregistratie veel moeizamer. Moet ik verplicht registreren alvorens ik op de dag van de verkiezingen kan meestemmen of berust de registratie op vrijwillige basis? Worden lijsten continu bijgehouden (zoals de diensten van de burgerlijke stand in België bijhouden wie waar woont en sinds wanneer – dit laatste is bijvoorbeeld van belang in het kader van het stemrecht voor migranten) of worden die lijsten speciaal opgesteld of aangemaakt met het oog op de verkiezingen? Gebeurt die registratie op staatsinitiatief of op kiezersinitiatief? Kan de registratie elektronisch of niet? En kan ik mij op de dag zelf nog laten registreren als kiezer of moet dat veel eerder gebeuren? In Zuid-Afrika, bijvoorbeeld, moeten kiezers die zich willen laten registreren om aan de verkiezingen deel te nemen, zich drie weken voor de verkiezingen reeds presenteren bij het stembureau. De (opportuniteits)kost om aan de verkiezingen deel te nemen is voor die kiezers dus vele keren groter dan bij ons (López Pintor & Gratschew, 2002).

5.   Toevallige factoren die invloed hebben op de opkomst

Ten slotte zijn er ook toevallige factoren die niet zozeer met een maatschappelijke organisatie of met het kiesstelsel als zodanig te maken hebben. Zo is er bijvoorbeeld een negatief effect op de opkomstplicht wanneer de verkiezingen op een dag in de week plaatsvinden. Het verschil tussen stemmen op een weekdag (zoals dat in Nederland, het Verenigd Koninkrijk en de Verenigde Staten gebeurt) en een verkiezing op een rustdag (zoals in België, Frankrijk, Duitsland, Spanje en Italië) bedraagt tussen 5 en 9 %. De opkomst ligt dus merkelijk hoger wanneer er op zondag wordt gestemd dan wanneer er in de week wordt gestemd.

Figuur 16: Verband electorale strijd – opkomst (Verenigd Koninkrijk, 2005)

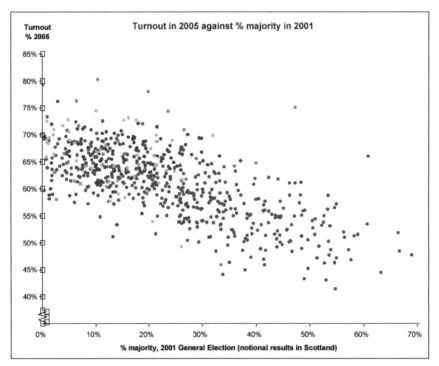

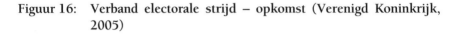

Bron: Mellow-Facer, Young & Cracknell, 2005, p. 53.

Ten tweede kan de opkomst ook verklaard worden door een toevallige tweestrijd tussen twee valabele kandidaten of partijen. In tegenstelling tot de *Conservative*kiezer in Liverpool die we daarnet aangehaald hebben en die steeds weer met het gebrek aan steun voor zijn eigen partij geconfronteerd zal worden, hebben we het hier over een echt toevallige samenloop van omstandigheden. Ook hier komt het neer op de vraag: 'Heeft mijn stem wel zin?'. Uit figuur 16 blijkt een duidelijk positieve correlatie tussen de opkomst en de mate van aangekondigde strijd in een bepaalde kieskring (hier afgemeten aan de voorsprong in 2001 van de partij die de zetel behaalde). Waar de winnende partij in 2001 een ruime voorsprong had op de andere politieke partijen, ligt de opkomst merkelijk lager dan in de kieskringen waar de strijd in 2001 veel heviger was geweest.

Ten slotte is er ook een invloed van de weersvoorspelling. Wanneer er zeer zonnig weer voorspeld wordt of wanneer het pijpenstelen regent, zal menig kiezer ervoor opteren om toch maar niet aan de verkiezingen deel te nemen. Naar verluid is dat, historisch gezien, ook een van de redenen waarom er in België nooit verkiezingen gehouden worden in de maand september, omdat dan de oogst van de landbouwakkers binnengehaald moet worden en de landbouwers slechts node gemist kunnen worden op het veld.

Wanneer alle factoren samen in een wetenschappelijk model worden gegoten, blijkt dat de institutionele en de maatschappelijke factoren op een ongeveer gelijke manier bijdragen tot de verklaring van het opkomstcijfer. Wanneer zo veel mogelijk factoren onder controle worden gehouden, blijkt dat de opkomst gemaximaliseerd wordt in landen met evenredige vertegenwoordiging, met kleine kiesdistricten, regelmatige maar niet-frequente verkiezingen op het nationale niveau, in sterk competitieve partijsystemen en in presidentiële eerder dan in parlementsverkiezingen. Maar wanneer deze institutionele factoren onder controle gehouden worden, stelt men significante verschillen vast in opkomstcijfers, naargelang het niveau van menselijke ontwikkeling, socio-economische ontwikkeling en culturele en maatschappelijke houding van de bevolking ten aanzien van de politiek. De formele regels helpen de opkomstcijfers tussen diverse landen te verklaren, maar binnen één en hetzelfde land bemerken we een toename in de deelname aan de verkiezingen van het hooggeschoolde, welgestelde en politiek geïnteresseerde deel van de bevolking (Norris, 2004, p. 157).

IV. Vrouwen en verkiezingen

Wanneer we het over deelname aan de verkiezingen hebben, kunnen we ook niet heen om de vraag naar het effect van een kiesstelsel op de vertegenwoordiging van vrouwen in de politiek. Die positie is lange tijd niet rooskleurig geweest. De voorbije jaren werden er talrijke initiatieven genomen om vrouwen meer bij de politiek te betrekken. Zij worden immers op vijf mogelijke manieren gedwarsboomd in hun politieke aspiraties (Leyenaar, 2004). Het 'model van Leyenaar' gaat uitvoerig in op de wijze waarop vijf fasen ingrijpen op het al dan niet uitbouwen van politieke carrières door vrouwen. Die fases zijn: haar *stem uitbrengen*, de brede *rekrutering* van politieke talenten door de politieke partijen, de *selectie* van kandidaten voor vertegenwoordigende mandaten uit die brede vijver van politieke talenten, de *verkiezing* door de bevolking zelf in het electorale proces en ten slotte de wijze waarop vrouwelijke parlementsleden hun *vertegenwoordigingstaak* op zich nemen.

Wanneer we het specifiek over de invloed van het kiesstelsel op de positie van vrouwen in de politiek hebben, moeten we het onderscheid maken tussen twee aspecten: de evolutie in de deelname van vrouwen aan de verkiezingen enerzijds en de aanwezigheid van vrouwen in het parlement anderzijds. Wat dat laatste betreft, ontstonden er op het einde van de 20ste eeuw felle debatten in heel wat westerse democratieën over de mate waarin het geoorloofd was om van overheidswege minimumquota op te leggen en hoe dat dan precies gerealiseerd moest worden.

1. De electorale participatie van vrouwen

De deelname van vrouwen aan verkiezingen werd pas verworven in de 20ste eeuw. Nieuw-Zeeland was in 1893 het allereerste land ter wereld dat erin toestemde dat vrouwen hun stem uitbrachten, maar ze konden zich nog geen kandidaat stellen om in het parlement te zetelen. Dat recht werd hun pas in 1919 verleend. Intussen had Finland daar wel al in toegestaan. Dat gebeurde in mei 1906, intussen dus ruim meer dan honderd jaar geleden. Noorwegen (1913), Denemarken en IJsland (1915) volgden enkele jaren later het Finse voorbeeld. De grote golf van toekenningen van stemrecht aan vrouwen kwam er evenwel pas na de Eerste Wereldoorlog, toen Oostenrijk, Duitsland, Letland, de Sovjet-Unie (1918), Luxemburg, Nieuw-Zeeland, Wit-Rusland en Nederland (1919) er ook in toestemden om vrouwen zowel het actieve als het passieve stemrecht te geven. Het actieve stemrecht houdt in dat vrouwen hun stem mogen uitbrengen, het passieve stemrecht dat ze ook zelf kandidaat kunnen zijn om in het parlement te zetelen. De Verenigde Staten (1920) en het Verenigd Koninkrijk (1928) volgden.

Net zoals in Frankrijk (1944) en Italië (1945) duurde het in België (1948) daarentegen tot na de Tweede Wereldoorlog vooraleer het actieve stemrecht aan vrouwen werd toegekend. Vreemd genoeg hadden ze het passieve stemrecht wel al verworven in 1919.[123] De goedkeuring van het wetsvoorstel in 1948 verliep bovendien niet zonder slag of stoot. De socialistische en de liberale partij waren immers bevreesd dat de vrouwen massaal op de christendemocratische partij zouden stemmen, omdat ze ervan uitgingen dat heel wat vrouwen onder invloed stonden van kerkelijke overheden. Na de verkiezingen van 1950, toen de CVP op een haar na de absolute meerderheid haalde in zowel Kamer als Senaat, is het nooit bewezen dat het toekennen van het vrouwenstemrecht de verhoudingen tussen de partijen heeft gewijzigd.

---

123. Ook in Noorwegen en Nederland verliep de toekenning van het passieve stemrecht voor het toekennen van het actieve stemrecht (Rule, 2000, p. 346).

De deelname van vrouwen aan verkiezingen is intussen een verworven recht in zo goed als alle staten in de wereld, hoewel het niet altijd een evidente zaak was. In Zwitserland duurde het tot 1971 vooraleer vrouwen hun stem mochten uitbrengen, in Portugal tot 1976 en in Zuid-Afrika tot 1994 (Rule, 2000, p. 346). Bovendien blijven vrouwen in een aantal landen nog steeds verstoken van alle rechten. In Saoedi-Arabië, Qatar, Oman en de Verenigde Arabische Emiraten kunnen mannen noch vrouwen stemmen of zich kandidaat stellen voor de verkiezingen. In Koeweit werden op 16 mei 2009 voor het eerst vrouwen (vier in totaal) verkozen in het parlement, nadat ze tot in de 21ste eeuw zelfs geen actief stemrecht genoten.

In landen met stemrecht zorgde de toekenning van het stemrecht voor vrouwen in eerste instantie steeds voor een daling van de procentuele opkomst bij de verkiezingen. Oudere vrouwen zijn het immers niet gewend om te stemmen en verzaken vaak aan dat stemrecht. Pas enkele verkiezingen later herstelt het opkomstcijfer zich en bereikt het zijn oude niveau (Norris, 2004). In zoverre zelfs dat er sinds de jaren negentig meer vrouwen gaan stemmen dan mannen, en dit terwijl ze veel langer op het stemrecht hebben moeten wachten dan het mannelijke deel van de bevolking (López Pintor & Gratschew, 2002). Landen die het vrouwenstemrecht reeds voor de Tweede Wereldoorlog invoerden, hebben een gemiddelde opkomst van 69 % in de jaren negentig, terwijl landen die pas ná 1945 vrouwen stemrecht gaven, gemiddeld 61 % opkomst laten noteren (Norris, 2004).

2. Vrouwen in het parlement

Nu het stemrecht voor vrouwen in zowat alle landen verworven is, gaat de aandacht de jongste decennia veeleer uit naar een tweede lacune, met name de aanwezigheid (of beter: afwezigheid) van vrouwen in de regering en in het parlement. Tot op heden hebben slechts een 40-tal landen ooit een vrouwelijke eerste minister of president gekend (Norris, 2004); Golda Meir (Israël), Margaret Thatcher (Verenigd Koninkrijk), Gro Harlem Bruntlant (Noorwegen), Benazir Bhutto (Pakistan), Mary Robinson (Ierland), Angela Merkel (Duitsland) en Dilma Rousseff (Brazilië) blijven witte raven.

Twintig jaar geleden bestond er op wereldvlak nauwelijks enige wetgeving over het passief kiesrecht van vrouwen; het was allesbehalve een *issue* dat hoog op de politieke agenda stond. Sindsdien hebben talrijke initiatieven om via speciale wetgeving te voorzien in een minimumvertegenwoordiging van vrouwen in het parlement, het debat verder aangewakkerd. In België resulteerde dat op 24 mei 1994 in de goedkeuring van de zogenaamde wet-Smet-Tobback, waardoor het verboden werd om meer dan twee derde van de kandidaten van hetzelfde geslacht op de kieslijsten te plaatsen.[124] De wet werd in augustus 2002 aangepast, waardoor de pariteit op de kieslijsten verzekerd werd.[125] Desondanks blijft de beoogde pariteit onder de gekozenen een onverwezenlijkte droom. Na de federale verkiezingen van 2007 en de vele opvolgingen in de Kamer die de moeilijke regeringsvorming nadien veroorzaakte, veroveren de vrouwen 37% van de zetels (Kamer, 2008). In 1971 bedroeg het aantal vrouwelijke Kamerleden amper 2,8 %, in 1981 al 11,6 % en nadat de wet was ingevoerd, in 1999, al 28,2 %. De wet is er zo in geslaagd om een doorbraak te forceren en de geesten te openen van zowel de toppolitici die de lijsten samenstellen als van de burgers die een steeds groter aantal voorkeurstemmen op vrouwen uitbrengen. Sindsdien wordt de deelname van vrouwen aan de politiek ernstig genomen. Als voorbeeld daarvan kan verwezen worden naar het feit dat de Vlaamse overheid in het nieuwe Gemeentedecreet vastlegde dat vanaf 1 januari 2007 elk college van burgemeester en schepenen minstens één vrouw onder zijn leden moest tellen.

Tabel 63:   Relatie tussen disproportionaliteit en vrouwenvertegenwoordiging

Variatie in disproportionaliteit	Aantal landen	Gemiddeld (%) aantal vrouwelijke parlementsleden
0,28-4,99	34	24,83
5,21-9,52	25	18,94
10,25+	19	13,58

Bron: Farrell, 2011, p. 161.

Zoals in de voorbije hoofdstukken reeds meermaals werd beklemtoond, stelt men een aanzienlijk effect vast van het kiesstelsel dat gehanteerd wordt. In proportionele systemen (met een lage disproportionaliteitsindex) geraken veel meer vrouwen tot in het parlement dan in meerderheidssystemen (met een hoge disproportionaliteitsindex) (tabel 63). Ook wanneer de uitsplitsing naar verschillende kiesstelsels wordt gemaakt, zijn de verschil-

---

124. Wet van 24 mei 1994 ter bevordering van een evenwichtige verdeling van mannen en vrouwen op de kandidaatslijsten voor de verkiezingen, *BS* 1 juli 1994.
125. Wet van 17 juni 2002 tot waarborging van een gelijke vertegenwoordiging van mannen en vrouwen op de kandidatenlijsten voor de verkiezingen van het Europees Parlement, *BS* 28 augustus 2002; Wet van 18 juli 2002 tot waarborging van een gelijke vertegenwoordiging van mannen en vrouwen op de kandidatenlijsten voor de verkiezingen van de federale wetgevende Kamers en van de Raad van de Duitstalige Gemeenschap, *BS* 28 augustus 2002; Bijzondere wet van 18 juli 2002 tot waarborging van een gelijke vertegenwoordiging van mannen en vrouwen op de kandidatenlijsten van de kandidaturen voor de verkiezingen van de Waalse Gewestraad, de Vlaamse Raad en de Brusselse Hoofdstedelijke Raad, *BS* 13 september 2002.

len erg opvallend (tabel 64). Vrouwen hebben twee keer zoveel kans om tot parlementslid gekozen te worden in een stelsel van proportionele vertegenwoordiging als in een meerderheidsstelsel.

Onder de landen met hoge aantallen vrouwelijke parlementsleden treffen we vooral Scandinavische landen aan: Zweden (2002: 45,3 %), Finland (2003: 37,5 %), Denemarken (2005: 36,9 %) en Nederland (2006: 40 %). Aan het andere einde van het spectrum vinden we landen als Slovenië (2004: 12,2 %), Frankrijk (2002: 12,2 %), Italië (2001: 11,5 %), Malta (2003: 9,2 %) en Hongarije (2002: 9,1 %) (Fiers, Servranckx & Pilet, 2006). Bij de verkiezingen van juni 2007 verkozen de Franse kiezers evenwel een recordaantal vrouwelijke parlementsleden: 107 op 577 (30,7 %).

Tabel 64: Relatie tussen kiesstelsel en aantal vrouwelijke parlementsleden

	Procent vrouwen in het Lagerhuis (2000)	Aantal landen
Meerderheidsstelsels	10,5	72
Alternative Vote	8,5	4
Bloc Vote	7,4	10
Tweerondensysteem	12	20
First Past the Post	11,4	35
SNTV	3,1	3
Gemengde stelsels	13,6	36
Parallelle stelsels	12,6	27
Mixed-Member Proportional	16,8	9
Proportionele stelsels	19,6	67
Single Transferable Vote	11,3	2
Lijstproportionele stelsels	19,9	64

Bron: Norris, 2006, p. 187.

Zoals Leyenaar er in haar model op wees, verloopt de weg naar het parlement voor vrouwelijke kandidaten met parlementaire aspiraties evenzeer via de politieke partij. Het zijn de politieke partijen die toekomstige talenten rekruteren, opleiden en finaal ook selecteren om op een verkiesbare plaats op de lijst te staan. Wanneer er dan gesleuteld moet worden aan het aantal vrouwen in het parlement, kan men niet om de rol van de politieke partijen heen. Sommige partijen hebben zichzelf daarvoor eigen quotaregelingen opgelegd. Van de 76 Europese partijen die in het jaar 2000 meer dan tien leden in hun eigen nationale parlement telden, legde een derde zichzelf een minimumaantal vrouwelijke kandidaten op. Twee derde van hen telde meer dan 24 % vrouwen onder hun parlementsleden. Gemiddeld was een op de drie parlementsleden van deze partijen een vrouw. Bij de partijen die zichzelf geen genderquota oplegden, daarentegen, was slechts 18 % vrouw. Onder de eerste categorie partijen bevinden zich opvallend veel linkse en groene politieke partijen (Norris, 2004).

Het aantal vrouwen in het parlement kan echter ook via wetgeving bevorderd worden, en wel op twee manieren. Ten eerste kan men in het parlement een vast aantal zetels reserveren voor vrouwelijke *verkozenen*. Dat is een relatief oude vorm om het aantal vrouwelijke parlementsleden op te krikken. India was een van de eerste staten die dergelijke gereserveerde zetels (*reserved seats*) voorzag; dat gebeurde reeds in de jaren dertig. In de jaren veertig volgde Taiwan en een decennium later ook Pakistan. Het aantal staten dat met gereserveerde zetels werkt, blijft relatief beperkt en dan vooral nog in Afrika en Azië. Zo bijvoorbeeld zijn 30 van de 325 zetels in Marokko gereserveerd voor vrouwelijke verkozenen. In Bangladesh gaat het om 30 zetels op 300. Soms heeft dit echter wel wat weg van willekeur. Zo worden er in Botswana twee plaatsen (op een totaal van 44) gereserveerd voor vrouwelijke vertegenwoordigers. Ze worden echter niet door de bevolking maar door de president zelf aangeduid. Geen enkel West-, Centraal- of Oost-Europees land maakt gebruik van een dergelijke gereserveerdezetelstechniek.

De meer gebruikelijke weg loopt via het opleggen van quotawetgeving, zodat een aantal plaatsen voor de *kandidaten* wordt vrijgehouden voor vrouwen. Deze praktijk is sinds de jaren negentig en het begin van de 21ste eeuw bijzonder populair (voor een overzicht, zie Krook, 2006). Wat België betreft, hebben we al verwezen naar de zogenaamde wet-Smet-Tobback van 24 mei 1994. In een eerste fase stipuleerden ze dat een derde van de kandidatenlijsten uit vrouwelijke kandidaten moest bestaan. Omwille van het ingrijpende karakter van deze beslissing en de gevoeligheid die dit creëerde in de politieke partijen werd een overgangsbepaling opgenomen, waardoor bij de eerstvolgende verkiezingen (voor gemeente- en provincieraden in oktober 1994) slechts een kwart van de plaatsen geruimd moest worden voor vrouwelijke kandidaten. Het effect van deze wetgeving was evenwel beperkt. Het aandeel van de vrouwelijke verkozenen steeg weliswaar, maar toch bleef het aantal vrouwelijke vertegenwoordigers erg beperkt. De vrouwen kregen immers niet voldoende verkiesbare plaatsen toegewezen.

Zodra dit minimale effect duidelijk werd, werd in de zomer van 2002 een akkoord uitgewerkt om de wet te verstrengen. De nieuwe wetten (want de regels golden zowel voor de regionale verkiezingen als voor de federale parlementsverkiezingen) van 18 juli 2002 bepaalden dat voortaan de helft van de kandidaten op de lijsten uit vrouwen moest bestaan. Ze schreven eveneens voor dat ook de eerste twee plaatsen op de lijsten niet door personen van hetzelfde geslacht mochten worden ingenomen. Ook wat dit laatste betrof, gold een uitzondering, met name dat bij de verkiezingen van 2003 en 2004 de eerste *drie* plaatsen niet door personen van hetzelfde geslacht konden worden ingenomen.

Het is uiteindelijk de verstrenging van de wet in 2002 die voor de doorbraak heeft gezorgd. Het percentage vrouwelijke Kamerleden steeg van 19,3 % (in 1999) naar 37 % (in 2007) en het percentage vrouwelijke leden in het Vlaams Parlement steeg van 21,8 % in 1999 naar 31,8 % in 2004.

Het tweede voorbeeld is Frankrijk. In 1999 werd er een wetgeving gestemd waarbij bepaald werd dat politieke partijen bij de parlementsverkiezingen tussen 48 % en 52 % kandidaten van hetzelfde geslacht mochten presenteren. Indien ze niet aan deze regel voldeden, konden ze hun overheidsdotatie verliezen. Ondanks de schijnbare ingrijpendheid van deze maatregel had hij nauwelijks gevolgen. Het aantal vrouwen in de Franse *Assemblée nationale* steeg met amper acht eenheden. De reden was dat de politieke partijen wel probeerden te voldoen aan deze regel maar vooral met vrouwelijke kandidaten uitpakten in kieskringen waar ze weinig kans maakten om de zetel binnen te rijven (Bird, 2004). Pas bij de verkiezingen van juni 2007 werd een doorbraak geforceerd en steeg het aantal vrouwelijke parlementsleden spectaculair van 12,2 % in 2002 tot 30,7 %.

Ten slotte kan er ook verwezen worden naar het oudste voorbeeld van een quotaregeling, met name Argentinië. Ondanks een lager quotum blijkt het toch veel efficiënter te werken. Sinds 1991 staat in de kieswetgeving ingeschreven dat elke politieke partij 30 % van de kandidaten en 30 % van de verkiesbare plaatsen voor vrouwen moet reserveren. Het Argentijnse voorbeeld wordt in de internationale literatuur vaak als succesverhaal aangehaald: het aantal vrouwelijke vertegenwoordigers steeg van 5 % in 1991 over 14 % in 1993 tot 31 % in 2001. 'De kracht van de Argentijnse quotawet ligt niet enkel in het feit dat ze optimaal inspeelt op de modaliteiten van het kiesstelsel waarin zij van toepassing is. De wet put eveneens kracht uit het feit dat ze niet omzeild kan worden.' (Meier, 2004, p. 97) Het toont meteen het grote belang aan van het moment waarop de quota ingrijpen, om te bepalen of het een doeltreffend wapen is of niet (Meier, 2004; Meier & Celis, 2006). Het is dus niet omdat er een wetgeving is opgemaakt om het aantal vrouwen in het parlement op te krikken, dat dit daarna dan ook automatisch gebeurt.

Hoofdstuk 10

DE PRESIDENTIALISERING VAN DE WESTERSE DEMOCRATIEËN?

I. Inleiding

De voorbije hoofdstukken hebben we vooral aandacht gehad voor de mechanische effecten van de verschillende kiesstelsels: de effecten die deze stelsels hebben op het aantal partijen in een land, de voordelen en de nadelen van elk stelsel, etc. In dit afsluitende hoofdstuk willen we nog even dieper ingaan op een aantal sluimerende ontwikkelingen die zich sinds een aantal jaren steeds sterker aftekenen in de westerse polyarchieën. Over de ontwikkelingen in België in de relaties tussen de wetgevende en de uitvoerende machten hebben we het al ruimschoots gehad in het zesde hoofdstuk. De carrières in de politiek worden steeds korter en politici stappen op steeds jongere leeftijd uit de politiek om een andere functie op te nemen in een vereniging uit het maatschappelijke middenveld of een bedrijf uit de privésector. Deze processen zullen dan ook niet meer aan bod komen in dit hoofdstuk. Op die manier kan alle aandacht gaan naar de zogenaamde presidentialiseringstendens in de westerse democratieën.

Wie er de internationale pers op naslaat, leest de laatste jaren inderdaad steeds geregelder allusies op een presidentiële stijl van regeren van toppolitici, ook in landen die geen presidentieel regime kennen. Veruit de meest overtuigende analyse werd geleverd door Michael Foley in zijn boek *The British Presidency* (2000). Het boek verscheen in de loop van het eerste mandaat van Tony Blair als eerste minister en deed danig veel stof opwaaien in de Britse publieke opinie. Anderen, zoals de invloedrijke columnist en auteur Peter Hennessy, gingen nog verder en noemden Blair zelfs de 'Caesar van onze tijd' (*Daily Telegraph*, 13 juli 1999). Ook in wetenschappelijke tijdschriften vindt men geregeld artikels die verwijzen naar een zogenaamde *Blairite* manier van regeren (Finlayson, 2002). Tony Blair trad daarmee als Brits premier in de voetsporen van een van zijn illustere voorgangers. Margaret Thatcher (premier van 1979 tot 1990) had haar bijnaam 'de IJzeren Dame' (*the Iron Lady*) niet gestolen.

Dit fenomeen van steeds invloedrijkere eerste ministers beperkt zich niet alleen tot het Verenigd Koninkrijk. Ook in andere West-Europese landen vinden we referenties naar 'presidentiële' eerste ministers. Zo is er de Italiaanse eerste minister Silvio Berlusconi (2001-2006 en 2008-2012), die niet alleen een meerderheid in het parlement had, maar via zijn eigen televisie-imperium Mediaset ook nog eens meer dan de helft van de Italiaanse tv-kij-kers bedient. Voordien was er Duits bondskanselier Helmut Kohl geweest (1982-1998) die, mede dankzij zijn indrukwekkende postuur, veel meer op de Duitse politiek woog dan menig van zijn voorgangers.[126] Bij de parle-mentsverkiezingen van 1994 stond hij centraal op de campagnefoto afge-beeld te midden van een mensenzee, zonder enige verwijzing naar zijn eigen partij CDU. De Duitse kiezer kreeg dus als het ware de keuze tussen oppo-sitiepartij SPD en 'president' Kohl, de verpersoonlijking van de succesvolle Duitse eenmaking van oktober 1990. Sindsdien worden de parlementsver-kiezingen in Duitsland steeds als een tweestrijd tussen de kandidaat-kanse-liers van SPD en CDU voorgesteld: in 1994 kanselier Kohl versus Rudolf Scharping (SPD), in 1998 kanselier Kohl versus Gerhard Schröder (SPD), in 2002 kanselier Schröder versus Edmund Stoibler (CDU). In september 2005 was dat zeer nadrukkelijk het geval, tussen aftredend kanselier Schrö-der en CDU-voorzitter Angela Merkel. De nipte verkiezingsoverwinning van de CDU/CSU (35,2 % vs. 34,3 % voor de SPD) maakte een traditionele coalitie met de geprefereerde liberale partner FDP onmogelijk. Na onge-woon lange coalitiebesprekingen werd een *grosse Koalition* opgezet tussen SPD en CDU/CSU, met Merkel als nieuwe kanselier. In 2009 bond Merkel succesvol de strijd aan met haar vicekanselier, Frank-Walter Steinmeier (SPD). In 2013 was Peer Steinbrück (SPD) haar uitdager.

In België stelde Herman Van Impe (1978) reeds op het einde van de jaren zeventig presidentiële trekjes vast in ons parlementair bestel. Niet alleen heeft het volk nood aan een vaderfiguur, zo stelt Van Impe, de eerste minis-ter haalt ook voordeel uit de splitsing van de politieke partijen, de toegeno-men staatsinmenging en de opkomst van de televisie. Het meest sprekende voorbeeld uit die periode is ongetwijfeld Leo Tindemans, christendemocra-tisch premier van 1974 tot 1978. Met sterk gepersonaliseerde kiescampag-nes – en legendarische slogans als 'Met deze man wordt het anders' (1974) en 'Meer dan ooit Tindemans' (1977) – was hij een voorloper van de presi-dentialisering in Vlaanderen, hoewel alleen de Antwerpse kiezers op hem konden stemmen.

Sindsdien en vooral sinds de jaren 90 komen deze elementen steeds sterker naar voren in de Belgische politiek en in de electorale campagnes in het bij-zonder. Zo was er in oktober 2006 naar aanleiding van de gemeenteraads-verkiezingen veel commotie over de zogenaamd presidentiële campagne van de Antwerpse burgemeester Patrick Janssens. Hij liet 52 kunstige zwart-witaffiches ontwerpen met bekende Antwerpenaars uit de socioculturele wereld. Op de affiches stond in het handschrift van de afgebeelde persoon

---

126. De eerste (West-)Duitse kanselier Konrad Adenauer (1949-1963) niet te na gespro-ken.

enkel de naam 'Patrick' geschreven, zonder verwijzing naar zijn partij of lijstnummer. Evenzo werd eerste minister Guy Verhofstadt in de lente van 2007 geïnspireerd tot de uitgave van een fotoboek met de titel *8JV* (*Acht jaar Verhofstadt*), dat op een oplage van 300 000 exemplaren gratis aan de bevolking werd uitgedeeld. Ook in deze glossy uitgave stonden veel foto's van de eerste minister in het gezelschap van andere eerste ministers en presidenten, en veel minder verwijzingen naar zijn eigen partij (Open Vld).

Deze voorbeelden uit binnen- en buitenland zetten een internationaal team van wetenschappers ertoe aan om de validiteit van deze zogenaamde presidentialiseringstendens te onderzoeken. Zes jaar intensief studiewerk en een aantal bijeenkomsten later leidde dit studiewerk tot de publicatie van een verzamelwerk getiteld *The Presidentialization of Politics. A Comparative Study of Modern Democracies* (Poguntke & Webb, 2005). Na de aanvankelijke en gerechtvaardigde scepsis had het team immers voldoende aanwijzingen gevonden om te spreken van een veralgemeenbaar proces, dat zich vertaalde in de zogenaamde *presidentialiseringsthesis*. Daarbij argumenteren de wetenschappers dat er zich een proces ontwikkeld heeft met een verschuiving van een collectieve naar een individuele verantwoordelijkheid, zonder dat de (grond)wettelijke verhoudingen tussen de instellingen gewijzigd zijn.

Maar om deze stelling goed te begrijpen, moeten we eerst enkele eeuwen terug in de tijd, naar een boek van de Franse politiek filosoof Montesquieu.

II. De erfenis van Montesquieu

Het is algemeen bekend dat Montesquieus boek *L'esprit des lois* uit 1748 de inspiratiebron vormde voor de ordening van onze hedendaagse westerse democratieën. Hij introduceerde de idee van drie machten die elkaar in evenwicht houden: de wetgevende, de uitvoerende en de rechterlijke macht. Het leidt geen twijfel dat de wetgevende macht de belangrijkste was voor Montesquieu. De uitvoerende macht moest in zijn ogen immers voor elke beslissing op een meerderheid kunnen rekenen in het parlement, terwijl de rechterlijke macht de controle op de naleving van de wetten (en dus de uitvoerende macht) voor haar rekening zou nemen.

Dit model, dat gemeenzaam het model van 'de scheiding der machten' genoemd wordt, is in de loop der tijd verfijnd tot drie types van democratische staatsordening. Zoals op talrijke plaatsen in dit boek aangetoond, zijn België, het Verenigd Koninkrijk, Nederland en Duitsland enkele typevoorbeelden van het *parlementaire stelsel*. Dit systeem kenmerkt zich ten eerste door een gebrek aan strikte scheiding tussen de uitvoerende en de wetgevende macht. De regering berust immers op een parlementaire 'investituur', wat inhoudt dat het parlement eerst het vertrouwen moet geven aan de regering voor er *überhaupt* geregeerd kan worden. Daar komt bovenop dat de regering het parlement kan ontbinden door nieuwe verkiezingen uit te schrijven. Maar tegelijk is er de dreiging dat het parlement de regering ten val kan brengen door geen meerderheid te verlenen aan wetsontwerpen van regeringsleden. In sommige landen (Duitsland sinds 1949, België sinds 1993, het Verenigd Koninkrijk sinds 2011) is het recht van het parlement om de regering ten val te brengen wel aan banden gelegd. Het parlement kan de regering slechts ten val brengen als het meteen een alternatieve premier voorstelt die wél op een parlementaire meerderheid kan rekenen. Dit is de zogenaamde *constructieve motie van wantrouwen*. Tevens maakt de notie van het 'legislatuurparlement', met name dat het parlement zal zetelen voor de volle vier jaar (of vijf jaar, zoals in het Verenigd Koninkrijk en in het Belgische federale parlement na 2014), het voor de regering moeilijker om zomaar het parlement te ontbinden en nieuwe verkiezingen uit te schrijven.

Parlement en regering zijn dus sterk met elkaar verbonden en van een strikte *scheiding* der machten kan dus geen sprake zijn, temeer omdat het tot het midden van de jaren tachtig in een aantal westerse landen heel gebruikelijk was dat regeringsleden tijdens hun ministeriële mandaat lid bleven van het parlementaire halfrond waarvoor ze verkozen waren. Daardoor controleerden ze in hun hoedanigheid van parlementslid hun eigen werkzaamheden die ze als lid van de regering hadden beslist of uitgevoerd. In België is in 1993 komaf gemaakt met deze bizarre situatie, waardoor regeringsleden zich voortaan voor de duur van hun ministeriële ambt laten vervangen door hun opvolgers.

Ten tweede is er in een parlementair stelsel een tweehoofdig leiderschap: naast het staatshoofd (een koning of een ceremoniële president) opereert een leider van de regering: de eerste minister.[127] Er zijn dus diverse personen die aan het hoofd van een land staan, maar doordat de ceremoniële koning of president geen of nauwelijks feitelijke politieke macht uitoefent, ligt het zenuwcentrum van de politiek bij de eerste minister en zijn regering. Ten derde treedt de regering op als een collectief orgaan. Het is zeer ongebruikelijk en eigenlijk *not done* dat een regeringslid kritiek uitoefent op het beleid van de regering waarin hij/zij zetelt. Wie het niet eens is met een beslissing die in de schoot van de regering genomen is, moet zwijgen of opstappen ('*on se soumet ou on se démet*'). Daaruit vloeit voort dat de regering in principe collectief ontslag neemt wanneer haar voorgestelde beleid niet kan rekenen op een meerderheid in het parlement. Tenzij er uiteraard

---

127. Men mag er met andere woorden niet van uitgaan dat alle politieke stelsels met een president aan het hoofd meteen ook presidentiële systemen zijn. In een parlementaire democratie is het doorgaans de regel dat de president slechts een ceremoniële functie uitoefent, dus met beperkte bevoegdheden.

sterke vermoedens of aanwijzingen zijn van persoonlijke fouten van individuele ministers, of van een individuele verantwoordelijkheid. We komen
hier later nog op terug.

Naast de parlementaire stelsels zijn er de zogenaamde *presidentiële* stelsels.
Een typevoorbeeld daarvan is de Verenigde Staten. De politieke ordening
wordt er gekenmerkt door een strikte scheiding tussen de wetgevende en de
uitvoerende macht. De president kan het Amerikaanse parlement, *the Con-
gress*, niet ontbinden, en omgekeerd kan het Congres ook geen einde maken
aan een presidentiële termijn, tenzij in uiterst zeldzame gevallen (bijvoorbeeld bij het opstarten van een *impeachment*procedure om de president uit
zijn ambt te ontzetten) (Kerremans, 2001). De electorale kalenders liggen
vast en als de wetgevende en de uitvoerende macht met elkaar in conflict liggen, dan is dat maar zo, en anders moeten ze proberen een compromis uit
te werken. Het is daarom erg belangrijk voor een president om in het Congres over een meerderheid te kunnen beschikken, al is dat de voorbije
decennia eerder de uitzondering dan de regel geweest. Als gevolg van deze
strikte scheiding mag de Amerikaanse president bijvoorbeeld niet in het
Congres komen, tenzij om er zijn *State of the Union* uit te spreken. Hij is
enkel verantwoording verschuldigd aan het Amerikaanse electoraat, niet
aan zijn politieke partij of aan het Amerikaanse Congres.

Het tweede kenmerk van een presidentieel stelsel is het samenvallen van de
functies van staatshoofd en regeringsleider. Het is de president zelf die de
werkzaamheden van de regering aanstuurt, waardoor er in de Verenigde
Staten dus geen functie van eerste minister is. Bovendien zijn de ministers
persoonlijke medewerkers van de president; er is met andere woorden een
individuele band tussen de regeringsleden en de president. Dat heeft ook
gevolgen voor de duur van de ministeriële mandaten. Het gebeurt in een
presidentieel systeem veel vaker dat een minister de laan wordt uitgestuurd
of vervangen wordt tijdens de legislatuur zelf. In een parlementair stelsel is
dat vaak moeilijker omdat de politieke partij het dan als een 'motie van wantrouwen' kan ervaren wanneer iemand de laan wordt uitgestuurd en daarbij
haar steun aan de coalitie kan dreigen op te zeggen (en de ganse regering
kan doen vallen).

Ten slotte is er nog een derde soort politieke stelsels: de zogenaamde
semipresidentiële stelsels (Duverger, 1980; Elgie, 1999). We hebben in
hoofdstuk vier al gezien dat de oorsprong van dit stelsel teruggaat naar de
eisen die Charles de Gaulle stelde om opnieuw een actieve rol in de politiek
op te nemen. Het stelsel wordt gekenmerkt door zowel een rechtstreeks verkozen president als een eerste minister die op basis van parlementsverkiezingen een meerderheid in het parlement heeft behaald. Dat dit duaal
leiderschap soms problemen oplevert, spreekt voor zich, en overigens niet
alleen tijdens periodes van *cohabitation*. Het is opmerkelijk dat *cohabitation*

in de andere landen waar dit semipresidentiële stelsel van toepassing is (waaronder Ierland, IJsland en Oostenrijk), veel minder aanleiding geeft tot politiek gekibbel.

Als we deze stelsels naast elkaar zetten, krijgen we een situatie zoals in figuur 17. Een democratische staat kan niet zomaar, via een wetswijziging of via nieuwe gebruiken, van het ene naar het andere stelsel overgaan. Een dergelijke overgang is ingrijpend en vereist immers een wijziging van de grondwet, en dat gaat gepaard met lange besprekingen en een grondige hertekening van de staatsinstellingen.

Figuur 17: Presidentialisering en politieke stelsels

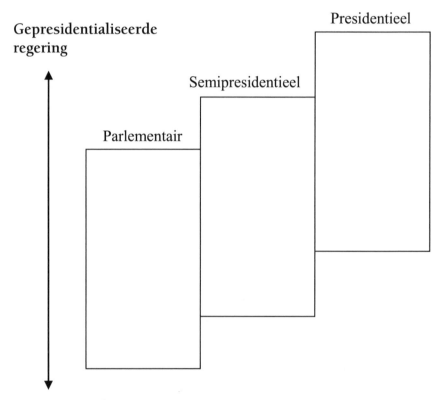

Bron: Poguntke & Webb (2005), p. 6.

Ondanks het feit dat een echte verandering van systeem een grondwetswijziging vereist, en dus niet zo frequent voorkomt, merken we dat in parlementaire stelsels sinds een aantal decennia steeds vaker elementen opduiken van presidentiële systemen. Dat zou een verklaring kunnen zijn voor de variatie die vastgesteld wordt tussen landen die onder dezelfde categorie vallen. Het gaat dan om de variatie op de verticale as, in de richting van een meer presidentiële stijl van regeren (zoals in het Verenigd Koninkrijk gebeurt), dan wel een door politieke partijen gedomineerd systeem (zoals in Nederland, bijvoorbeeld, waar de regeringsleider sterk afhankelijk is van de coalitiepartijen). Aan de ene kant zouden we dan in elk politiek systeem landen krijgen waar de politieke partijen een sterke greep hebben op de regering en aan de andere kant landen met meer bewegingsruimte voor de eerste minister om zelf een presidentieel beleid uit te tekenen, zonder dat die landen grote grondwettelijke veranderingen moeten ondergaan.

III. Politieke en electorale presidentialisering

Indien er werkelijk sprake is van presidentialisering, zouden er dus typische kenmerken van presidentiële stelsels moeten opduiken in de betrokken parlementaire stelsels. Zoals een aanzienlijke (toename van) macht voor het leiderschap, doordat bijvoorbeeld de regeringsleider minder vaak verantwoording verschuldigd is aan het parlement of de partijleider minder rekening moet houden met een getrapte besluitvorming binnen zijn partij. Dit zal wellicht ook gepaard gaan met een grotere mate van autonomie of zelfbeschikkingsrecht voor de leider, die op zijn beurt in de hand gewerkt wordt of voortvloeit uit een vorm van directe verkiezing, net zoals dat voor een president het geval is. Die autonomie kan zich ook veruiterlijken in een grotere zeggenschap van de eerste minister over de samenstelling van de regering. Ten slotte zou er ook sprake moeten zijn van een grotere personalisering van het electorale proces, zoals dat bij presidentsverkiezingen het geval is.

Wanneer we dit in een definitie proberen te gieten, dan verstaan we onder *presidentialisering* de geleidelijke verschuiving in het politieke bestel van een collectieve naar een individuele controle en verantwoordelijkheid (Poguntke & Webb, 2005, pp. 4-11). Die elementen treffen we zowel aan in de verhoudingen in politieke instellingen zelf als in de electorale campagne. Omdat dit om twee 'gezichten' van eenzelfde fenomeen gaat, maken we het onderscheid tussen een *politieke presidentialisering* (die op haar beurt onderverdeeld kan worden in een presidentialisering op het niveau van de regering en een presidentialisering op het niveau van de politieke partijen) en een *electorale presidentialisering.*

1.   De politieke presidentialisering in de regering

De *politieke presidentialisering* doet zich zowel voor in de regering als bij de politieke partijen zelf, zo stellen de auteurs in de diverse hoofdstukken van het boek vast (Poguntke & Webb, 2005). Het komt er evenwel op aan om duidelijke criteria af te bakenen op basis waarvan we de presidentialisering op een systematische wijze kunnen vaststellen. Op het niveau van de regering kunnen we het vooreerst afmeten aan het stijgende aantal middelen dat de *eerste minister* ter beschikking heeft om het regeringsbeleid te beïnvloeden. Alle eerste ministers hebben een eigen kabinet waarover ze kunnen beschikken om hun beleid uit te tekenen. Om hoeveel personen het precies gaat, is niet altijd even duidelijk. Toch bestaat er in een aantal landen duidelijkheid over. Zo beschikte de Britse premier Tony Blair op het einde van zijn mandaat over ongeveer 150 medewerkers in zijn *Prime Minister's Office* en kon hij daarenboven nog rekenen op de diensten van 25 *special advisors*. Bij zijn voorganger, John Major, waren dat respectievelijk 120 medewerkers en 8 *special advisors* (Heffernan & Webb, 2005). In Duitsland is de stijging nog indrukwekkender. Onder Konrad Adenauer maakten ongeveer 120 leden deel uit van het *Bundeskanzleramt*, terwijl Gerhard Schröder aan het begin van de 21ste eeuw al kon beschikken over 500 personeelsleden (Poguntke, 2005). In Zweden, zo stelt Nikolas Aylott (2005), gaat de stijging van 46 medewerkers voor premier Göran Persson in 1990 naar 63 medewerkers in 2003, terwijl het aantal kabinetsmedewerkers in Frankrijk steeg van 18 voor Michel Debré, de eerste premier uit de Vijfde Republiek, tot ongeveer 50 (officiële) medewerkers onder Jospin (premier van 1997-2002) (Clift, 2005).

Voor België is het niet eenvoudig om een juiste inschatting te maken van het aantal kabinetsleden omdat er nog steeds een taboesfeer hangt rond de ministeriële kabinetten. Concrete cijfers zijn moeilijk te krijgen. Annie Hondeghem (1996) schat de toename van het aantal kabinetsleden van 750 in 1960 tot een hallucinant cijfer van 3500 kabinetsleden in 1991 (voor de hele regering welteverstaan). Volgens Lieven De Winter et al. (2000) varieert het aantal kabinetsleden van 'enkele dozijnen tot tweehonderd per kabinet'. Ondanks de beloftes van enkele regeringen zijn de kabinetten nog steeds niet afgeschaft. Ze blijven belangrijk in het uittekenen van het regeringsbeleid en dit zowel op het federale als op het deelstatelijke niveau. Wel is er een belangrijke trend gezet richting afslanking van ministeriële kabinetten, vooral binnen de Vlaamse regering.

Een tweede factor op het regeringsvlak is een gecentraliseerde coördinatie van het beleid. Doordat de eerste minister geen (of amper een klein) ministerieel departement onder zich heeft, is hij in staat om het geheel van de regeringsoperaties te overzien. Bovendien heeft hij zijn handen vrij om in te grijpen wanneer een dossier slecht dreigt af te lopen. Denken we aan de eerste crisis rond Brussel-Halle-Vilvoorde in 2005 of het dossier van de nacht-vluchten en het dossier DHL (2005-2006). Dat laatste dossier trok eerste minister Guy Verhofstadt naar zich toe in een poging een uitweg uit de crisis te vinden, terwijl het formeel gesproken niet aan hem toekwam om in dat dossier in te grijpen, aangezien het onder de bevoegdheid van andere ministers ressorteerde. Bovendien brokkelt stilaan maar zeker het collectieve karakter van de regering af. In 2012 kwam de ministerraad als collectief orgaan slechts 34 keer fysiek bijeen. Daarnaast waren er 22 'elektronische' ministerraden, waarbij dringende aangelegenheden gestemd werden via een elektronische procedure op het digitale platform van de regering 'e-pre-mier'. Het kernkabinet daarentegen, met enkel de eerste minister en de vice-eerste ministers, kwam in dat jaar doorgaans twee keer per week samen (op woensdag en vrijdag), en zelfs dagelijks tijdens de begrotingsonderhande-lingen. Die manifeste verschuiving van beslissingscapaciteit van de minis-terraad naar het kernkabinet wijst op een concentratie van de activiteiten, en op een afbrokkeling van het collectieve karakter van de regering.

Specifiek voor België en andere gefederaliseerde staten komen daar de gevolgen van de staatshervorming bovenop. Zo is er in de grondwet duide-lijk gestipuleerd dat wanneer een taalgroep in het federale parlement of een meerderheid in een deelstaatparlement de zogenaamde alarmbel luidt en een bevoegdheids- of een belangenconflict inroept tussen de gemeenschap-pen of de gewesten van het land, dat dossier overgedragen wordt aan een interministerieel overlegcomité. Dit comité wordt voorgezeten door de federale eerste minister, waardoor deze laatste opnieuw een belangrijkere positie inneemt dan voorheen. In 2012 kwam dit overlegcomité tien keer samen, waaronder ook één keer op elektronische wijze. De staatshervor-ming heeft bovendien nog op een tweede manier gezorgd voor een centrali-sering van het beleid. Door het gebrek aan ontmoetingsplaatsen tussen de diverse parlementaire fracties van eenzelfde partij zijn de partijvoorzitter en de eerste minister of de vicepremiers vaak de enigen die nog het overzicht kunnen behouden in het institutionele kluwen. Automatisch versterkt dat hun positie ten aanzien van de andere politici en ministers van hun eigen partij.

Ook de toenemende europeanisering van de binnenlandse politiek versterkt de 'presidentiële' rol van de eerste minister. Zo neemt hij samen met zijn of haar collega's van de andere EU-lidstaten deel aan de vergaderingen van de Europese Raad. Deze toppen kunnen steevast op veel mediabelangstelling rekenen en vormen een uniek forum voor een premier om namens zijn land te spreken en publiek stelling te nemen. Maar ook in de dagelijkse praktijk draagt Europa bij tot de presidentialisering aangezien alle Europese beslis-singen die geïmplementeerd moeten worden, via de nationale of de federale overheid passeren. Europa kent immers alleen lidstaten, geen deelstaten (van lidstaten). Niet zelden speelt de premier (en zijn diensten, bekend onder de naam 'kanselarij') hier een centrale en coördinerende rol (Beyers & Bursens, 2006).

Ten derde is er de geïntegreerde communicatie van het regeringsbeleid door de regeringsleider. Ook in België licht de premier elke vrijdag na de ministerraad rond 14 uur of 15 uur de belangrijkste beslissingen die genomen werden toe voor de verzamelde pers. Afhankelijk van de dossiers die ter tafel liggen, wordt de eerste minister af en toe geflankeerd door een andere minister. Het is uiterst uitzonderlijk dat deze persbriefing niet door de eerste minister gebeurt. In Nederland is dit persmoment zelfs helemaal geïnstitutionaliseerd. Elke vrijdagavond rond 22 uur zendt de openbare omroep op Nederland 2 een interview van een kwartier uit met de minister-president waarin hij toelichting geeft bij de belangrijkste beslissingen die eerder die dag op de ministerraad werden genomen.

Maar uiteraard gaat de coördinatie van het beleid veel verder dan dat. Tony Blair stond erom bekend dat hij zich heel sterk liet adviseren door zogenaamde *spin doctors*. De twee meestgekende namen daarbij zijn die van Alastair Campbell, zijn directeur communicatie en strategie van 1997 tot 2003, en Peter Mandelson, vriend van Blair, minister zonder portefeuille (1997-1998) en staatssecretaris (1998-2001) van handel en Noord-Ierland en Europees commissaris voor handel (2004-2009). Zij waren al verantwoordelijk voor de relaties met de media toen Tony Blair nog partijleider van Labour was (1994-1997). Ze orkestreerden de gedaanteverandering van *Labour* in *New Labour* en hadden bijzonder veel invloed op de wijze waarop de pers berichtte over het regeringswerk. Of zoals een commentator schreef: '*To compare [Campbell's] influence to that of a mere Cabinet minister is to insult him.*' (Seldon, 2005) Campbell en Mandelson waren zeer gedetermineerd om de 'juiste' boodschap over te brengen en ze schuwden daarbij geen dreigementen aan het adres van perscommentatoren (Bartle, 2006). Met enige zin voor overdrijving stelt Hennessy dat de nieuwe werkwijze van Campbell '*the biggest centralisation of power seen in Whitehall in peacetime*' is (Hennessy, 2000).

Ten vierde kunnen we een groeiende autonomie van de eerste minister afleiden uit de regeringssamenstelling. We stellen op het Europese continent immers een grote variatie vast in de mate waarin de eerste ministers zelf hun regeringsploeg kunnen samenstellen. De Britse eerste minister heeft wellicht de meest verregaande invloed op de samenstelling van zijn regering. Hij wordt daarin uiteraard geholpen doordat het meerderheidskiesstelsel hem een comfortabele meerderheid oplevert in het parlement, waardoor de regering uit maar één partij bestaat. Aan het andere uiterste situeren zich de Nederlandse en de Noorse eerste ministers (King, 1994). Zij hebben zelf weinig beslissingskracht en zijn grotendeels overgeleverd aan de coalitiepartijen die bepalen wie er in de regering zetelt. In België is de invloed van de regeringsleider op dit vlak ook aan de geringe kant, wegens onze traditie van overlegdemocratie en het feit dat de regering uit minstens vier politieke partijen bestaat. Nochtans merken we ook in België dat zowel de gemiddelde duur van een regering als het aantal regeringswissels per regering stijgt, de periode 2007-2011 uitgezonderd. Het wijst erop dat de regeringsleider een belangrijkere positie gekregen heeft, terwijl de positie van individuele ministers een stuk zwakker is geworden. In zijn getuigenis *Er is nog leven na de 16* geeft oud-premier Dehaene een aantal voorbeelden van tussenkomsten in de keuze van de regeringsleden van andere partijen. Het gaat onder meer over de opvolging van Louis Tobback (sp.a), Johan Vande Lanotte (sp.a) en Stefaan De Clerck (CD&V) in 1998 (Dehaene, 2002).

De stijging van het aantal ministeriële ontslagen blijkt ook overduidelijk uit de cijfers (Dumont, Fiers & Dandoy, 2009). Tussen 1946 en 1972 noteren we in de federale regering een totaal van 29 ontslagen van regeringsleden, ongeveer één per jaar dus. Daarna volgen vijf jaren van regeringsinstabiliteit (1973-1977), gevolgd door een stabiel decennium. Tussen 1988 en 2007 noteren we echter een stijging van het aantal ministeriële ontslagen tot gemiddeld drie per jaar. Aan de basis ligt voornamelijk een stijging van het aantal overstappen van federale ministers naar regionale regeringen (en omgekeerd), samen met een verstrenging van de regels over individuele ministeriële verantwoordelijkheden. In deze periode 1946-2007 noteren we een totaal van 128 ontslagen van regeringsleden, gemiddeld 3,5 ontslagen per regering. Maar daarbij gaan we voorbij aan het feit dat 18 van de 37 regeringen uit deze periode geen enkele wijziging ondergingen. Ontslagen deden zich frequenter voor in regeringen met vijf of meer partijen dan in regeringen die bestonden uit minder partijen. De stijging blijkt eveneens uit de gegevens van tabel 64. Ook in andere landen stellen we vast dat ministeriële carrières steeds korter worden. Dit is onder meer het geval in Denemarken, waar de ministeriële carrières gehalveerd zijn ten opzichte van de periode 1920-1940 (Pedersen & Knudsen, 2005).

Tabel 65:   **Aantal en gemiddelde duur van de Belgische regeringen (1944-2010)**

Decennium	Aantal kabinetten	Aantal partijen	Gemiddelde duur	Aantal ministers	Gemiddeld aantal wijzigingen per regering
1944-1954	11	1 tot 4	11 maanden	15-19	0
1954-1965	4	1 tot 2	2 jaar 9 maanden	16-24	1,75
1965-1974	5	2 tot 3	1 jaar 9 maanden	23-36	0.8
1974-1981	11	4 tot 6	8 maanden	29-36	0.9
1981-1991	5	4 tot 5	1 jaar 9 maanden	25-32	3.2
1991-1999	3	4	2 jaar 7 maanden	16-25	6.3
1999-2010	7	4 tot 6	1 jaar 9 maanden	14-22	2,6

Bron: Dewachter, 1995, p. 182; eigen berekeningen.

Wanneer een eerste minister veel of meer vrijheid heeft om zijn ploeg samen te stellen, doet hij ook vaker een beroep op extraparlementaire ministers. Deze zogenaamde technocraten – omdat ze veelal niet tot één politieke partij behoren – zijn een duidelijk teken van de autonomie die de regeringsleider zich veroorlooft ten aanzien van zijn eigen (en eventueel andere) partij(en). België heeft een sterke traditie wat de rekrutering van ministers uit het parlement betreft, waarbij de Kamer domineert over de Senaat.[128] In de periode van 1970 tot 1985 lag het percentage parlementsleden in de regering op 96 % (De Winter et al., 1996). Ook in de jaren negentig was het nog vrij ongebruikelijk dat een extraparlementair tot minister werd gekozen. Jean-Luc Dehaene en Mieke Offeciers (die van het Vlaams Economisch Verbond, de voorloper van VOKA, kwam) zijn twee van de weinige uitzonderingen op deze regel. Nochtans bemerken we sinds het begin van de 21[ste] eeuw een opmerkelijke toename in de keuze van extraparlementaire ministers: Kris Peeters en Inge Vervotte hadden in 2004 respectievelijk geen of weinig ervaring als partijpoliticus toen ze Vlaams minister werden. Peeters kwam van de zelfstandigenorganisatie Unizo en Vervotte was – de elf maanden dat ze voordien als Kamerlid had gezeteld even buiten beschouwing gelaten – een vooraanstaande vakbondsvrouw. De keuze van Johan Vande Lanotte om de KBC'er en voorzitter van de Belgische tak van Amnesty International, Bruno Tuybens, tot staatssecretaris van overheidsbedrijven te maken in oktober 2005, was een complete verrassing. Bij de moeizame regeringsvorming in december 2007 vielen Josly Piette (cdH, maar jarenlang het nummer twee van de christelijke vakbond) en Paul Magnette (PS, maar vooral bekend en gerespecteerd als politicoloog aan de ULB) uit de toon. En in 2013 werd Koen Geens (voorheen kabinetschef van Vlaams minister-president Kris Peeters) uit het niets tot federaal minister van Financiën benoemd. We zien dus dat partijleiders en regeringsvormers zich steeds minder laten leiden door elementen die voorheen wél van belang waren om tot minister verkozen te worden: een lange staat van dienst en loyaliteit ten aanzien van de partij, het geknipte traject volgen door eerst als basismilitant op te klimmen via de mandaten van gemeenteraadslid, provincieraadslid en parlementslid, en dergelijke meer.

Elk van de bovenstaande criteria wijst erop dat de positie van eerste minister veel meer inhoudt dan de functie van *primus inter pares*, zoals de traditionele lezing van de grondwet het ons voorhoudt.

Toch moeten we er rekening mee houden dat voorbeelden van deze politieke presidentialisering op het regeringsniveau minder uitgesproken aanwezig zijn in de Belgische consensusdemocratie dan in meerderheidsstelsels

---

128. Zes regeringen in de periode 1946-2007 rekruteerden voor meer dan 70 % uit Kamerleden. Het hoogste percentage senatoren werd bereikt bij de regering-Martens III (44 % senatoren) (Dumont, Fiers & Dandoy, 2009).

zoals die van het Verenigd Koninkrijk, Frankrijk en het Italië van na de grondwetswijziging in 1993. Bij ons wordt de eerste minister immers in zijn doen en laten beperkt door de overlegbesluitvorming tussen meerdere coalitiepartijen (minstens vier, soms zelfs zes partijen) en de functies van vice-eerste ministers die aan elke coalitiepartij worden toebedeeld. Toch kunnen we ook bij ons de grotere centralisering van het beleid afmeten aan de bovenstaande elementen. In het bijzonder gaat het dan over het overwicht van de bijeenkomsten van het kernkabinet ten opzichte van die van de voltallige ministerraad, het uitgebreide aantal kabinetsmedewerkers van de eerste minister en de coördinerende rol van de eerste minister in geval van conflicten tussen gemeenschappen en gewesten.

2.   De politieke presidentialisering in politieke partijen

Daar waar de traditie van consensusdemocratie in België de politieke presidentialisering in de regering nog voor een stuk tegenhoudt, manifesteert de presidentialisering *in de politieke partijen* zich wél heel nadrukkelijk. Een eerste factor waaraan we dit zouden kunnen afmeten, is een toename in de taken en de verantwoordelijkheden die een partijvoorzitter toebedeeld krijgt in de statuten van zijn partij. Dit zou een zeer duidelijk criterium kunnen zijn, ware het niet dat het statutenonderzoek in België in dit opzicht een zinloze aangelegenheid is (Maes, 1990; Fiers, 1998). De meeste partijstatuten geven immers geen goed beeld van wat de echte taken van de partijvoorzitters zijn en hoe zij hun invloed doen gelden. De artikels die betrekking hebben op het voorzitterschap zijn in zeer algemene bewoordingen opgesteld en laten dus te veel ruimte voor verschillende interpretaties en uiteenlopende invullingen. Bovendien hebben we vastgesteld dat de afgelopen twintig jaar slechts weinig partijstatuten fundamenteel gewijzigd zijn, met uitzondering van die van sp.a (waar in het begin van de jaren negentig de macht van de federaties aan banden werd gelegd en de centrale partijorganisatie gevoelig werd versterkt) en die van Open Vld (nadat de liberale Partij voor Vrijheid en Vooruitgang zich in 1992 had omgevormd tot Vlaamse Liberalen en Democraten).

Een tweede criterium dat zou wijzen op een toename van de macht en autonomie van de partijvoorzitter, is de groei van de equipe rond de voorzitter. Dit laatste gaat gepaard met een indrukwekkende toename van de middelen van de partijen (Weekers & Maddens, 2009). Die is onder meer te danken aan de ruime overheidssubsidies die de politieke partijen zichzelf toebedeeld hebben sinds de wet op de overheidsfinanciering van politieke partijen (wet van 4 juli 1989). Partijen krijgen subsidies op basis van het aantal stemmen dat ze behaald hebben bij de verkiezingen. In de loop der jaren kwamen ook de deelstaatparlementen met het idee om de politieke partijen te financieren, waardoor de budgetten spectaculair zijn toegenomen. Zo steeg het budget van de PS tussen 1991 en 2005 met factor zes, tot een totaalbedrag van 12,2 miljoen euro in 2005 (Pilet & Van Haute, 2006). Het grootste deel van dit budget wordt besteed aan de centrale partijwerking: zo gaat 3,8 miljoen naar salarissen van partijmedewerkers en een extra 3,0 miljoen naar administratie en beheer. Slechts een klein deel van het geld wordt overgeheveld naar de gedecentraliseerde organen of de lokale afdelingen. In dezelfde periode steeg het budget van CD&V, toen de grootste Vlaamse politieke partij, iets minder sterk: van 4,6 miljoen euro in 1991 tot 9,8 miljoen euro in 2006 (Noppe, 2007).

Een derde criterium is de rechtstreekse invloed van een partijvoorzitter op het partijprogramma en de partijwerking. Op dit vlak stellen we grote variaties vast tussen de verschillende politieke stelsels. Aan de ene kant zijn er landen als het Verenigd Koninkrijk en Duitsland, waar de eerste ministers in regel ook de politieke leiders van hun eigen partij zijn.[129] De politieke partijen hebben daar wel een partijvoorzitter naast de partijleider, maar die eerste heeft enkel een administratieve functie en geen politieke zeggingskracht. In deze landen is de invloed van de partijleider op die van de voorzitter uiteraard veel groter, aangezien het dan tegelijk gaat om het regeringsbeleid. In andere stelsels, voornamelijk in stelsels met coalitieregeringen, zien we een grotere spreiding van de invloed van toppolitici op het partijprogramma, aangezien er meer posities zijn met een politieke betekenis: partijvoorzitter, (vice-)eerste minister, etc. Nochtans merken we ook op dit vlak een toename van de autonomie van de partijvoorzitters op. Als we enkel naar de recente Belgische politieke geschiedenis kijken, stellen we vast dat elke voorzitter wel zijn stempel probeert te drukken op het partijprogramma en de partijwerking. Zo was het op het einde van de vorige eeuw *bon ton* om drastische wijzigingen door te voeren. Zo zijn sinds 1999 álle Belgische politieke partijen van naam veranderd, met uitzondering van PS en Ecolo. Soms ging het om een drastische omvorming van de partij (N-VA, Spirit en – zij het minder uitgesproken – ook sp.a), maar vaak was het louter een opsmukoperatie door een pasverkozen partijvoorzitter (de omvorming van VLD tot Open Vld in 2007 en in zekere mate ook de omvorming van Spirit tot VlaamsProgressieven, bijvoorbeeld).

Ook aan de structuren is gemorreld. Denken we aan de 'bijenkorven' die CD&V-voorzitter Stefaan De Clerck in 2001 lanceerde om personen die zich wel om het CD&V-gedachtegoed schaarden maar geen partijlid waren, kansen te geven om mee het CD&V-programma te bepalen. Met 'operatie-Innesto' probeert CD&V-voorzitter Wouter Beke in 2013 eveneens zijn partij een nieuw elan te geven. Open Vld-voorzitter Bart Somers nam in aanloop naar de verkiezingen van 2007 een soortgelijk initiatief, de

---

129. Met uitzondering van Gerhard Schröder die zijn functie als kanselier niet combineerde met het voorzitterschap van de SPD.

zogenaamde open ateliers. Maar net zoals de bijenkorven weinig structurele vernieuwing hebben gebracht, zijn ook de open ateliers een zachte dood gestorven. Voordien al experimenteerde de VLD bij haar oprichting in 1992 met zogenaamde 'geregistreerde kiezers', dit waren een 4000-tal personen die zich tot liberaal bekenden, maar voor wie de stap naar een partijlidmaatschap nog te groot was. Over dat experiment is niets meer vernomen, en het kreeg ook bij de andere partijen geen navolging. Maar dankzij de opgang van de sociale media en de idee van 'participatieve democratie' maken deze experimenten recentelijk een comeback. Zo hengelt Open Vld-voorzitter Gwendolyn Rutten onder het motto van 'de geëngageerde burger' bij een breed niet-partijgebonden publiek naar liberaal geïnspireerde standpunten en ideeën (en mogelijk nieuw politiek personeel).

De vierde factor is de toegenomen rechtstreekse communicatie van de partijvoorzitter met zijn partijleden. In het verleden werd de boodschap van het centrale partijbestuur trapsgewijs overgebracht op de arrondissementsbesturen van de partijen en van daaruit verder naar de afdelingen en naar de individuele leden. Tegenwoordig gebeurt de communicatie rechtstreeks *top-down* zonder de net aangehaalde omslachtige procedure. Niet alleen slaagt de partijleiding er zo in om de intermediaire structuren van de partij te omzeilen, tevens geeft dit het idee dat de partijleden daadwerkelijk belangrijk zijn – ook al is dit omwille van de ruime overheidsfinanciering niet meer het geval. Dat de communicatie met de eigen leden *au sérieux* genomen wordt, bewijzen de glossy uitgaven die de partijbladen geworden zijn. Ze worden volgeschreven door professionals, niet langer door amateurjournalisten. De mogelijkheden die het internet en de sociale media (en dan vooral Facebook en Twitter) bieden om rechtstreeks en tegen een zeer lage kostprijs te communiceren, bieden enorme opportuniteiten om boodschappen snel en doeltreffend over te brengen.

Ten slotte, en wellicht de belangrijkste wijziging die de positie van de partijvoorzitter ten goede gekomen is, is zijn rechtstreekse verkiezing. Het is hét element van presidentialisering bij uitstek. Alle politieke partijen, op Vlaams Belang na, hebben deze verandering doorgevoerd. Bovendien gebeurde dat op een relatief korte termijn (sinds 2001, hoewel de PSC (cdH) het als eerste partij invoerde in 1970). Het is onmiskenbaar de sterkste uiting van een 'persoonlijk mandaat' voor de partijvoorzitter, hem toegekend door een paar duizend partijleden. Vergeleken met de vroegere situatie, waar de voorzitter door een handvol partijleiders werd aangeduid in een weinig transparant proces, betekent dit een grote verandering. Een voorzitter die kan bogen op de steun van duizenden partijleden, staat een heel stuk sterker ten opzichte van de andere partijleiders dan wanneer hij – zoals vroeger het geval was – het mandaat uit hun handen ontvangen heeft.

Maar deze verkiezing heeft ook een minder fraaie kant. Doordat tezelfdertijd een aantal intermediaire organen aan belang ingeboet hebben of zelfs afgeschaft werden, komt het individuele en geatomiseerde partijlid in een ongelijke positie te staan ten opzichte van de goed geïnformeerde beroepspolitici aan het hoofd van zijn partij. Dit leidt tot wat men de paradox van de interne partijdemocratie zou kunnen noemen: de grotere inspraak van de partijleden in de keuze van hun partijleider heeft hun invloed op de partijwerking *de facto* zwaar teruggedrongen. Omdat zij niet over voldoende informatie of tijd beschikken om daadwerkelijke controle op hun partijleiders uit te oefenen, zijn ze niet in staat om hun partijleiders tot de orde te roepen. In plaats van een stap vooruit is de zo geroemde interne partijdemocratie voor de gewone leden een stap in de verkeerde richting.

3. De electorale presidentialisering

Ten slotte is er het derde gezicht van de presidentialisering, met name de *electorale presidentialisering*. Deze vertaalt zich in een grotere focus op het partijleiderschap in de campagnes van de politieke partijen (zowel in verkiezingstijd als daarbuiten), in de media en in ons eigen stemgedrag. De parlementsverkiezingen van 10 juni 2007 leverden voor elk van deze elementen voorbeelden in overvloed.

Presidentialisering van de campagnes – In 2007 waren er voor het eerst drie zelfverklaarde kandidaten voor het premierschap: Yves Leterme (CD&V), aftredend eerste minister Guy Verhofstadt (Open Vld) en sp.a-outsider Johan Vande Lanotte. Aan Waalse zijde deden Elio Di Rupo (PS) en Didier Reynders (MR) schuchtere pogingen om ook in aanmerking te komen, maar de echte strijd ging tussen de drie eerstgenoemden. Opvallend was dat de campagnes van hun respectieve partijen helemaal op die driestrijd geënt waren. Bij sp.a was dat niet meteen een bewuste keuze maar eerder het gevolg van het mislukken, nauwelijks zes maanden voor de verkiezingen, van verwoede pogingen om tot een linkse frontvorming te komen. In allerijl werd een campagne opgezet, met Johan Vande Lanotte als centrale figuur, terwijl ook het kartel CD&V/N-VA, met Vlaams minister-president Yves Leterme, en Open Vld, met aftredend eerste minister Guy Verhofstadt, de persoonlijke kaart trokken. Dit omdat de media nagenoeg alleen oog hadden voor deze zogenaamde *horse race* tussen de 'grote drie', zoals blijkt uit de reclame van de VRT voor 'De Ultieme Confrontatie' die op één werd uitgezonden op 3 juni 2007 (zie figuur 17). Het leverde de drie protagonisten een totaal aantal voorkeurstemmen op van 1,596 miljoen (dit is 39 % van alle uitgebrachte stemmen voor het Nederlandstalige kiescollege) en Yves Leterme een persoonlijke score van 796 000 voorkeurstemmen.

Figuur 18: VRT-promotie voor het verkiezingsdebat op televisie van 3 juni 2007

© *VRT*

Maar de eerste voorbeelden van presidentialisering vinden we reeds lang voordien. In 1925, bijvoorbeeld, voerde de Nederlandse Anti-Revolutionaire Partij campagne met de beeltenis van haar politieke leider en de slogan ''s Lands stuurman. Stemt H. Colijn'. En in 1977 was er de uitgesproken presidentiële campagne van de PvdA met de foto van Joop den Uyl, 'Kies de minister-president'. In België waren er de opgemerkte campagnes van aftredend eerste minister Achilles Van Acker in 1958 ('Geen avonturen. Van Acker moet voortbesturen'), de campagne rond het sleutelplan van Gaston Eyskens in datzelfde jaar en de invoering van de campagnes in Amerikaanse stijl door Paul Vanden Boeynants in 1965.[130] In de daaropvolgende verkiezingen kwamen steeds meer elementen van persoonlijke campagne aan bod

---

130. De Franstalige Brusselse christendemocraat Paul Vanden Boeynants (alias ?VDB?) vond zijn inspiratie in de ?presidentiële? kiescampagne van Amerikaans president John F. Kennedy (?JFK?). Hij was daarvoor speciaal op studiereis naar de VS vertrokken om het verloop van de presidentiële campagnes van naderbij te bekijken.

(De Ridder, 1999). Verkennend onderzoek naar de personaliseringsgraad van de verkiezingsaffiches van de Vlaamse socialistische partij leert dat er in 1946 slechts één affiche was met de afbeelding van een van de socialistische leiders. In 1965 daarentegen droeg reeds 37 % van de affiches de beeltenis van een van de leiders en vanaf 1991 was dat 100 % (Marynissen, 2006).

Presidentialisering in de media – De aandacht voor individuele politici tijdens de verkiezingscampagne is dus geenszins een nieuw fenomeen: reeds vanaf de jaren zestig is er sprake van een toename in het personaliseren van de politiek (Poguntke, 2005). Maar de voorbije twee decennia is de focus sterk verschoven van het in beeld brengen van partijprogrammatorische aspecten naar een bijna exclusieve focus op personen. De verbreiding van het medium 'televisie' vanaf het einde van de jaren tachtig vervulde daarbij, in al zijn vluchtigheid, een onmiskenbare rol. In de 21ste eeuw zien we een gelijkaardig fenomeen met de opkomst van de nieuwe media: een toename van regionale en commerciële tv-stations, het *boomen* van persoonlijke websites en blogs en de wijze waarop politici gebruikmaken van internetfora, YouTube, Facebook, tot het creëren van een eigen karakter in de virtuele wereld van Second Life. Ze stellen de persoon in het licht, niet zozeer de principes of overtuigingen van zijn of haar partij.[131]

De media vertekenen ten voordele van een handvol toppolitici en benadelen zo de grote massa van andere kandidaten. Vooral in meerderheidsstelsels met een natuurlijke aanleg om het politieke debat te verengen tot een tweestrijd voor het premierschap of het presidentschap, is deze trend sterk aanwezig. Bij de Britse verkiezingen van 1997 werden de aftredende conservatieve eerste minister John Major (17,7 %) en zijn uitdager Tony Blair (Labour, 19,7 %) vermeld in meer dan een derde van alle 6072 krantenartikels uit de periode van 17 maart tot 1 mei 1997. Andere leiders van de *Conservatives* en van *Labour* verschenen maximaal in 4,6 % van de artikels, net zoals de leider van de derde grootste partij, Paddy Ashdown (*Liberal Democrats*, 4,3 %). Nochtans waren de drie leiders nagenoeg evenveel op radio en televisie verschenen (Foley, 2000). In aanloop naar de Franse presidentsverkiezingen van 2002 kreeg eerste minister Lionel Jospin 4 uur, 47 minuten en 53 seconden aandacht op de journaals van de Franse televisiezenders en aftredend president Jacques Chirac 4 uur 16 minuten en 22 seconden. De derde meest vermelde kandidaat, Jean-Pierre Chevènement, moest het met minder dan een derde van die toegemeten tijd stellen (1 uur, 20 minuten en 26 seconden).

---

131. Trendsetter wat het gebruik van sociale media betreft, was de 'Yes We Can'-campagne van Barack Obama in 2008.

Sommigen van de overige dertien kandidaten, zoals Claudine Taubira, moesten het met nauwelijks 12 minuten en 9 seconden rooien (*Le Monde*, 22 maart 2002).[132] Ondanks de strikte regels die de *Conseil supérieur de l'audiovisuel* (CSA) tijdens de verkiezingscampagnes aan de zenders oplegt, leverden de verkiezingen van 2007 evenzo bewijzen voor deze stelling.[133] In de eerste tien weken van het jaar 2007 kregen de twee voornaamste kandidaten voor het presidentschap, Ségolène Royale (PS) en Nicolas Sarkozy (UMP), elk iets meer dan 32 % van de aandacht op televisie. François Bayrou (UDF, later MoDem) haalde nauwelijks 18 % en Jean-Marie Le Pen (FN) 11 %. Andere kandidaten vergaarden niet meer dan 6 % van de zendtijd (*Le Monde*, 22 maart 2007). Enkel Sarkozy en Royale haalden de tweede ronde van de presidentsverkiezingen.

Die doorgedreven aandacht voor toppolitici tekent zich uiteraard ook buiten de campagneperiode af. Onderzoek van Walgrave en de Swert (2005) leert dat eerste minister Verhofstadt over het hele jaar 2003 4771 seconden in beeld was geweest tijdens het VRT-journaal van 19 uur en 4923 seconden op het VTM-nieuws van 19 uur. De tweede in de rij, telkens toenmalig sp.a-voorzitter Steve Stevaert, haalde nauwelijks 1767 (VRT), respectievelijk 2593 (VTM) seconden. De leider van de belangrijkste oppositiepartij CD&V, Stefaan De Clerck, volgde op een vierde plaats met telkens iets meer dan 1600 seconden. De kanseliersbonus blijkt evenwel enkel voor de federale eerste minister op te gaan, niet voor de Vlaamse minister-president. De federale eerste minister kreeg in 2003 9,56 % van de aandacht in de Vlaamse kranten en 10,52 % van de aandacht op televisie. De Vlaamse minister-president moest het daarentegen stellen met 2,59 %, respectievelijk 2,89 % van de aandacht. In de Nederlandse context is er nog meer sprake van een bonus voor de minister-president. Bij de verkiezingen van 1998 kreeg de aftredende minister-president Wim Kok (PvdA) twintig keer meer dan gemiddeld aandacht in de media en drie keer zo veel als andere vooraanstaande ministers uit zijn *equipe*. Vooral op televisie was het effect meetbaar: Kok was het onderwerp van ruim 16 % van alle media-aandacht (Kleinnijenhuis et al., 1998). De personaliseringsgraad bereikte een hoogtepunt bij de verkiezingen van 2002, toen 65 % van de mediaberichtgeving in de weken die

---

132. Onderzoek gevoerd bij de zenders TF1, France2, France3, Canal + en M6, in de periode van 1 januari 2002 tot 15 maart 2002.

133. De wet van 14 maart 1964 legde op dat elke kandidaat voor het presidentschap kon beschikken over 120 minuten zendtijd op televisie en 120 minuten zendtijd op de radio. Door de toename van het aantal kandidaten werd de beschikbare zendtijd node verspreid over alle kandidaten, met een beperking van de zendtijd per kandidaat tot gevolg. In 1995 kreeg elke kandidaat van de eerste ronde nog 90 minuten zendtijd op televisie en de kandidaten uit de tweede ronde elk 79 minuten. In 2002 daalde de zendtijd in de eerste ronde verder tot 48 minuten en tot 60 minuten voor kandidaten die de tweede ronde haalden.

aan de verkiezingen voorafgingen, focuste op individuele politici (Kleinnijenhuis et al., 2003). Sommige politici profiteren daarbij van hun goede relaties met bepaalde tv-zenders. Zo was in Italië in 2001 de aandacht voor de rechtse kandidaat Silvio Berlusconi en de linkse voorman Francesco Rutelli op de openbare zenders RAI 1, RAI 2 en RAI 3 gelijk verdeeld: elk kreeg 400 minuten van de zendtijd toebedeeld. Op de druk bekeken Mediasetkanalen haalde Berlusconi echter 1427 minuten en Rutelli slechts 887 minuten. Behalve de uiterst rechtse kandidaat Gianfranco Fini (met 200 minuten zendtijd) kreeg geen enkele andere kandidaat op de Mediasetkanalen meer dan 40 minuten zendtijd (Calise, 2005, pp. 100-101). Dat is geen wonder voor wie weet dat de Mediasetkanalen behoren tot het media-imperium van Silvio Berlusconi zelf.

Presidentialisering in ons stemgedrag – Het is uiteraard een belangrijke vraag of deze grotere aandacht voor politici in de campagnes en in de media ook effect ressorteren in ons stemgedrag. Het antwoord blijkt heel duidelijk uit de analyse van het voorkeurstemgedrag van de Belgische kiezers (Dewachter, 1967; Wauters & Weekers, 2008). Terwijl in 1919 iets meer dan 10 % van de kiezers voor de Senaat en 18 % voor de Kamer een voorkeurstem uitbrachten, is dit percentage gestegen tot 58,9 %, respectievelijk 61,3 % bij de verkiezingen van 2007.[134] Het is het resultaat van een gradueel proces dat pas vanaf de eerste gepersonaliseerde campagnes van 1958 een hoge vlucht begon te nemen. De toename begint echter vanaf het midden van de jaren negentig: in 1991 waren de percentages nog een aanzienlijk stuk lager, met 41 % voorkeurstemmen voor de Senaat en 48 % voor de Kamer. Drie oorzaken kunnen daarvoor erkend worden: de invoering in 1994 van de mogelijkheid om meerdere voorkeurstemmen uit te brengen, het groeiende bewustzijn van de kiezers van het feit dat een voorkeurstem de enige manier is om de nuttige volgorde die door de partij werd bepaald, te doorbreken, en de wijziging van de wijze waarop de Senaat wordt samengesteld, met twee grote kiescolleges en campagnes over heel Vlaanderen, respectievelijk het Franstalige landsgedeelte.

De graad van personificatie komt bovendien sterk tot uiting in een meer gedetailleerde analyse van deze voorkeurstemmen. Van alle Open Vld-kiezers die in 2007 een voorkeurstem uitbrachten, stemde 89,2 % op aftredend eerste minister Guy Verhofstadt, terwijl bij CD&V/N-VA 88,2 % van de kiezers die een voorkeurstem uitbrachten ook minstens een van hun voorkeurstemmen aan kopman Yves Leterme gaf. Het onderstreept de personificatiegraad van beide partijen. De lijsttrekkers van Groen! (partijvoorzitster Vera Dua) en Vlaams Belang (voorzitter Frank Vanhecke) daar-

---

134. In feite daalt zowel in de Kamer als in de Senaat het aantal uitgebrachte voorkeurstemmen ten aanzien van de verkiezingen van 2003, toen de percentages voorkeurstemmen respectievelijk 66,5 % en 68,0 % bedroegen.

entegen halen veel lagere scores: respectievelijk 65,0 % en 58,1 %. Het zijn niet toevallig twee partijen die veel minder persoonlijke campagnes voeren, maar strijd voeren om welbepaalde thema's.

IV. Oorzaken van de presidentialisering

Het team van onderzoekers dat deze presidentialiseringstendens voor verscheidene westerse democratieën in kaart heeft gebracht (Poguntke & Webb, 2005), wijst op vier structurele elementen die ervan aan de basis liggen. Vooreerst is er de groei van de staat, die niet alleen zorgde voor een professionalisering van de politici maar ook voor een resem nieuwe thema's op de politieke agenda. Toen de Belgische staat in 1831 werd ingericht, bestond de regering uit vijf ministeriële departementen. Er was een minister van Binnenlandse Zaken, Buitenlandse Zaken, Financiën, Justitie en Oorlog. Tegenwoordig moet de overheid zich echter ook bezighouden met complexe materies als ICT-toepassingen allerhande, rechten op privacy, de 'vrijheid, blijheid'-regels op het internet met de gevaren van cybercriminaliteit, cyberpesten en *suicide chatrooms*, de verschillende normen inzake nachtvluchten rond Brussel als symbool van de moeilijke grens tussen economische expansie en ecologisch welzijn, de toekomstige effecten van klimaatsverandering en de noodzaak van een mentaliteitsverandering bij de huidige bevolking. Stuk voor stuk dossiers die niet eenvoudig op te lossen zijn en toch een daadkrachtig optreden van de overheid verlangen.

Het tweede element ter verklaring van de presidentialisering is de teloorgang van de traditionele breuklijnen in de politiek sinds het einde van de jaren zestig. De ontzuiling die daarvan het gevolg was, luidde ook de komst van de zwevende kiezer in. Als gevolg daarvan gingen politieke partijen steeds vaker hun boegbeelden uitspelen in de verkiezingscampagnes, veeleer dan de kiezer op basis van grondig uitgewerkte programmatorische analyses en voorstellen tot remedies te verleiden. Dit proces van personalisering van de campagnes werd, ten derde, versterkt door het gewijzigde medialandschap. Vooreerst zorgde de komst van de televisie op het einde van de jaren vijftig voor een ware ommekeer. Sommige politici kregen nationale bekendheid, terwijl anderen handig gebruikmaakten van het medium om op een snelle manier bekendheid te verwerven. Vanaf het einde van de jaren zeventig steeg het belang van het televisiemedium, dankzij de toegenomen concurrentie tussen publieke en private omroepen.[135] De strijd om de kijkcijfers vereist immers een vereenvoudiging van de politieke boodschap en concentreert zich automatisch op het leiderschap, terwijl de medialogica

---

135. Vlaanderen hinkte op dit vlak lange tijd achterop: de eerste commerciële televisie kwam er pas in februari 1989.

vereist dat een journalist zich pas tevreden stelt met een *quote* van een ondergeschikte in de partijhiërarchie indien werkelijk geen enkele van de partijleiders zelf aan het woord kan komen.

Ten slotte is er ook de internationalisering van de politiek. Een Belgische eerste minister die voor de start van een NAVO-top of een andere politieke hoogmis staat te keuvelen met de grote wereldleiders dwingt vertrouwen, respect en bijgevolg *goodwill* van zijn burgers af. Het is tekenend in dit verband dat de eerste en de laatste pagina van het boekje *8JV* (*Acht jaar Verhofstadt*), dat de eerste minister gratis uitdeelde in de aanloop naar de verkiezingen van juni 2007, net foto's bevatten van de Belgische eerste minister op de internationale scène. Op de eerste pagina zien we de eerste minister in een apartje met George W. Bush, de president van de Verenigde Staten, en op de laatste pagina een foto van Verhofstadt die de algemene vergadering van de Verenigde Naties toespreekt. Toen Guy Verhofstadt in december 1999 de balans opmaakte van zijn eerste zes maanden als eerste minister, verbaasde hij zich erover dat hij meer dan de helft van zijn tijd aan internationale politiek besteedde (*De Standaard*, 1 december 1999). Overigens haalt een federale eerste minister net op het vlak van de internationale relaties zijn grote voordeel ten aanzien van de minister-presidenten van de deelregeringen in ons land. Onder meer gehinderd door strenge Europese regels die enkel lidstaten en geen deelstaten erkennen, spelen deze laatste regeringsleiders nauwelijks enige rol van betekenis op de internationale scène.

Deze vier structurele elementen kunnen versterkt of verzwakt worden door toevallige factoren, zoals de persoonlijkheid van de partijleider en de eerste minister of de context waarin die personen het leiderschap op zich nemen. Deze elementen kunnen niet in een algemeen geldend rooster gegoten worden, terwijl ze uiteraard wel de mate van presidentialisering bepalen. Toch een aantal voorbeelden: eerder verwezen we reeds naar de ommezwaai in populariteit van Margaret Thatcher na de Falklandoorlog. Terwijl de presidentiële allure van de Duitse bondskanselier Helmut Kohl wellicht niet dezelfde proporties had aangenomen als de Berlijnse Muur (november 1989) niet gevallen was, en hij niet de forcing had gevoerd om Duitsland snel te herenigen (3 oktober 1990). Oud-partijvoorzitter Frank Vandenbroucke getuigt in 2010 al niet meer op de 'interne organisatie van de massapartijen' te rekenen om het vertrouwen van de socialistische achterban te winnen in de aanpak van de financiële en economische crisis: 'Het gaat meer dan vroeger om het persoonlijke vertrouwen in leidersfiguren die via de media met de achterban communiceren' (*De Standaard*, 24 maart 2010).

V. De gevolgen van de presidentialisering

Ten slotte gaan we nog even in op de vraag of dit er nu werkelijk toe doet. Dat politiek leiderschap soms zeer ruim ingevuld wordt waarbij men soms de democratie wat geweld aandoet, is van alle tijden. Op zich is dat dus inderdaad niets nieuws. Maar de collectieve controle die daarbij vroeger aanwezig was, is de jongste decennia verengd tot een individuele controle (zie bijvoorbeeld het grote aantal parlementaire commissies van de voorbije jaren om de politieke verantwoordelijkheid van individuele politici na te gaan) en de collectieve verantwoordelijkheid tot een individuele, ondanks het feit dat de verhoudingen tussen de instellingen niet gewijzigd zijn. In een gepresidentialiseerd landschap is de relatie tussen de kiezers, de partijen en de regerings- en partijleiders nochtans totaal gewijzigd. Bijgevolg zouden ook de controlemechanismen aangepast moeten worden. Bij een gebrek aan adequate controlemechanismen dreigt de kloof tussen de wereld van de professionele politici en het electoraat alleen maar groter te worden. Immers, het is niet meer dan billijk dat wanneer de spelregels van de democratie gewijzigd worden, álle spelers (politici, pers en kiezers) daarvan op de hoogte zijn. En dus hun gedrag eventueel kunnen aanpassen. Maar dat is – helaas – vaak niet het geval.

BIBLIOGRAFIE

Agh, A. (2008). La Hongrie. In J.M. Dewaele & P. Magnette (eds.). *Les démocraties européennes* (pp. 189-201). Parijs: Armand Colin.

Alexander, G. (2004). France: Reform-Mongering Between Majority Runoff and Proportionality. In J.M. Colomer (ed.). *Handbook of Electoral System Choice* (pp. 209-221). Basingstoke: Palgrave MacMillan.

Almond, G. & Verba, S. (1963), *The Civic Culture. Political Attitudes and Democracy in Five Nations*. New Jersey: Princeton University Press.

Andeweg, R. (2005). The Netherlands: The Sanctity of Proportionality. In M. Gallagher & P. Mitchell (eds.). *The Politics of Electoral Systems* (pp. 491-510). Oxford: Oxford University Press.

Andeweg, R. & Thomassen, J. (2007). *Binnenhof van binnenuit. Tweede Kamerleden over het functioneren van de Nederlandse democratie*. Den Haag: Raad voor het Openbaar Bestuur.

Andeweg, R. & Timmermans, A. (2003). The Netherlands: Rules and Mores in Delegation and Accountability Relationships. In T. Bergman, W. C. Müller, K. Strom (eds.). *Delegation and Accountability in Parliamentary Democracies* (pp. 498-522). Oxford: Oxford University Press.

Arnold, W. (2010). The Supreme Court of the United Kingdom: 'Something Old' and 'Something New'. In *Commonwealth Law Bulletin*, vol. 36 (3), pp. 443-451.

Auel, K. & Rittberger, B. (2007). Fluctuant nec merguntur. The European Parliament, National Parliaments and European Integration. In J. Richardson (ed.). *The European Union. Power and Policy-Making* (pp. 121-145). Abingdon: Routlegde.

Aylott, N. (2005). 'President Persson' – How Sweden Get Him? In T. Poguntke & P. Webb (eds.). *The Presidentialization of Politics. A Comparative Study of Modern Democracies* (pp. 176-198). Oxford: Oxford University Press.

Bakan, F. & Gney, A. (2012). Turkey's June 2011 Parliamentary Elections. In *Journal of Balkan and Near Eastern Studies*, vol. 14 (1), pp. 165-174.

Bartle, J. (2006). The Labour Government and the Media. In J. Bartle & A. King (eds.). *Britain at the Polls 2005* (pp. 124-150). Washington: CQ Press.

Beauvallet, W. & Michon, S. (2007). Strasbourg. In Y. Déloyé & M. Bruter (eds.). *Encyclopaedia of European Elections* (pp. 461-463). Basingstoke: Palgrave MacMillan.

Berlinski, S., Dewan, T., Dowding, K. & Subrahmanyam, G. (2009). Choosing, Moving and Resigning at Westminster, UK. In K. Dowding & P. Dumont (eds.). *The Selection of Ministers in Europe* (pp. 58-78). Abingdon: Routledge.

Berman, G., Bolton, P., Booth, L., Richard Cracknell, R., Hardacre, J., Keep, M., Keith, K., Tetteh, E. & Thompson, G. (2010). *General Election 2010. Preliminary analysis. Research Paper 10/36*. London: House of Commons. [22.08.2013, House of Commons: http://www.parliament.uk/documents/commons/lib/research/rp2010/RP10-036.pdf].

Beyers, J. & Bursens, P. (2006). *Europa is geen buitenland. Over de relatie tussen het federale België en de Europese Unie*. Leuven: Acco.

Bird, K. (2004). The Effects of Gender Parity in Elections: The French Case. In J. Gaffney (ed.), *The French Presidential and Legislative Elections of 2002*. Aldershot: Ashgate.

Bitsch, M-T. (2007). European Parliamentary Assembly. In Y. Déloyé & M. Bruter (eds.). *Encyclopaedia of European Elections* (pp. 179-182). Basingstoke: Palgrave MacMillan.

Blais, A. & Massicotte, L. (2000). Turnout, Minimum Requirements. In R. Rose (ed.). *International Encyclopedia of Elections* (p. 322). Londen: MacMillan.

Bootsma, P. & van der Heiden, P. (2007). Het beleid van de kabinetten Balkenende I en II. In K. Aarts, H. van der Kolk & M. Rosema (eds.), *Een verdeeld electoraat. De Tweede Kamerverkiezingen van 2006* (pp. 31-53). Utrecht: Spectrum.

Boundary Commission for England (2007). *Fifth Periodical Report. Volume 4*. London: The Stationery Office. [25.08.2013, The Stationery Office: http://webarchive.nationalarchives.gov.uk/20091009065536/http://www.official-documents.gov.uk/document/cm70/7032/7032_iv.pdf].

Boundary Commission for Scotland (2007). *Fifth Periodical Report. Appendix F*. Edinburgh: The Stationery Office.

Brinckman, B., Albers, I., Samyn, S. & Verschelden, W. (2008). *De zestien is voor u*. Tielt: Lannoo.

Celis, K. & Meier, P. (2006). *De macht van het geslacht: gender, politiek en beleid in België*. Leuven: Acco.

Centraal stembureau voor de verkiezing van de leden van de Tweede Kamer der Staten-Generaal (2012). *Proces-verbaal van de zitting van het centraal stembureau tot het vaststellen van de uitslag van de verkiezing van de leden van de Tweede Kamer (Model P 22-1)*. Den Haag: Kiesraad. [17.09.2012, Kiesraad: https://www.kiesraad.nl/sites/default/files/Proces-verbaal%20-%20Centraal%20stembureau%20-%20vaststelling%20uitslag%20TK2012.pdf].

Chagnollaud, D. (1993). *La vie politique en France*. Paris: Editions du Seuil.

Clift, B. (2005). Dyarchic Presidentialization in a Presidentialized Polity: The French Fifth Republic. In T. Poguntke & P. Webb (eds.). *The Presidentialization of Politics. A Comparative Study of Modern Democracies* (pp. 128-158). Oxford: Oxford University Press.

Coleman, J. (1988). Social Capital and the Creation of Human Capital. In *American Journal of Sociology*, vol. 94 (1), pp. 95-120.

Collard, S. (2013). The Expatriate Vote in the French Presidential and Legislative Elections of 2012: A Case of Unintended Consequences. In *Parliamentary Affairs*, vol. 66 (1), pp. 213-233.

Colomer, J.M. (2001). *Political Institutions*. Oxford: Oxford University Press.

Colomer, J.M. (2004) (ed.). *Handbook of Electoral System Choice*. Basingstoke: Palgrave MacMillan.

Corbett, R., Jacobs F. & Shackleton, M. (2003). *The European Parliament*. London: Harper.

Costa, O. & Kerrouche, E. (2007). *Qui sont les députés français? Enquête sur des élites inconnues*. Paris: Presse de Sciences Po.

Costa, O. (2013). Introduction: Parliamentary Representation in France. In *The Journal of Legislative Studies*, vol. 19 (2), pp. 129-140.

Craeghs, J. (2011). *Wegwijs in het nieuw lokaal en provinciaal kiesdecreet. Beleidsmonitoring*. Brussel: Agentschap voor Binnenlands Bestuur. [22.08.2013, Agentschap voor Binnenlands Bestuur: http://binnenland.vlaanderen.be/sites/default/files/BinnenBand-oktober-2011.pdf].

Cuppens, J. (s.d.). *De Belgen in het Europees Parlement sinds 1979. Van Aelvoet tot Zrihen.* Brussel: Informatiebureau Brussel van het Europees Parlement.

D'Alimonte, R. (2005). Italy: A Case of Fragmented Bipolarism. In M. Gallagher & P. Mitchell (eds.), *The Politics of Electoral Systems* (pp. 253-276). Oxford: Oxford University Press.

Debuyst, F. (1967). *La fonction parlementaire en Belgique: mécanismes d'accès et images.* Leuven: UCL, Institut supérieur du travail.

Dehaene, J.L. (2002). *Er is nog leven na de 16.* Leuven: Van Halewyck.

Delmartino, F. & Swenden, F. (2002). *De drie tenoren van Europa.* Leuven: Garant.

Déloye, Y. (2007). Second Order Elections. In Y. Déloye & M. Bruter (eds.), *Encyclopedia of European Elections* (pp. 440-441). Basingstoke: Palgrave MacMillan.

Depauw, S. (2002). *Rebellen in het parlement.* Leuven: Universitaire Pers.

Depauw, S. & Fiers, S. (2008). Komen onze Kamerleden ervaring tekort? In W. Dewachter & S. Depauw (eds.), *Res Publica Politiek Jaarboek 2007* (pp. 89109). Leuven: Acco.

Depauw, S. & Van Hecke, S. (2006). Brussel-Straatsburg enkele reis? De Belgische Europarlementsleden sinds 1979. In S. Fiers & H. Reynaert (eds.). *Wie zetelt? De gekozen politieke elite in Vlaanderen doorgelicht* (pp. 143-162). Leuven: LannooCampus.

De Ridder, H. (1999).*Vijftig jaar stemmingmakerij. 17 verkiezingscampagnes (19461995).* Gent: Uitgeverij Scoop.

Der Spiegel. *Wahlsonderheft*, 19 september 2005.

Dewachter, W. (1967). *De wetgevende verkiezingen als proces van machtsverwerving in het Belgische politieke bestel.* Antwerpen: Standaard Uitgeverij.

Dewachter, W. (1995). *Besluitvorming in politiek België.* Leuven: Acco.

Dewachter, W. (2001). *De mythe van de parlementaire democratie.* Leuven: Acco.

Dewachter, W. (2003). De zoektocht naar een democratische legitimiteit. 'Vertegenwoordigers van de natie' via verkiezingen en politieke partijen sinds 1918. In E. Gerard, E. Witte (e.a.) (eds.). *Geschiedenis van de Kamer van Volksvertegenwoordigers* (pp. 63-86). Brussel: Kamer van Volksvertegenwoordigers.

Dewachter, W. & De Winter, L. (1981). *Over partricatie.* Leuven: KUL, Afdeling Politologie.

De Winter, L. (2005). Belgium: Empowering Voters or Party Elites? In M. Gallagher & P. Mitchell (eds.). *The Politics of Electoral Systems* (pp. 417-432). Oxford: Oxford University Press.

De Winter, L., Della Porta, D. & Deschouwer, K. (1996). Comparing Similar Countries: Italy and Belgium. In *Res Publica*, vol. 38 (n° 2) p. 215-236.

De Winter, L. Timmermans, A. & Dumont, P. (2000). Belgium: On Government Agreements, Evangelists, Followers and Heretics. In K. Strøm & W. Müller (eds.). *Coalition Governments in Western Europe* (pp. 253-280). Oxford: Oxford University Press.

De Winter, L. & Dumont, P. (2003). Belgium: Delegation and Accountability under Partitocratic Rule. In K. Strøm, W.C. Müller & T. Bergman (eds.). *Delegation and Accountability in Parliamentary Democracies* (pp. 253-280). Oxford: Oxford University Press.

Dinas, E. (2008). The Greek General Election of 2007: You Cannot Lose If Your Opponent Cannot Win. In *West-European Politics*, vol. 31 (3), pp. 600-607.

Dowding, K. & Dumont, P. (2009). *The Selection of Ministers in Europe*. Abingdon: Routledge.

Duhamel, O. (1993). *Le pouvoir politique en France*. Paris: Editions du Seuil.

Dumont, P., Fiers, S. & Dandoy, R. (2009). Belgium. Ups and Downs of Ministerial Careers in a Partitocratic Federal State. In K. Dowding & P. Dumont (eds.). *The Selection of Ministers in Europe* (pp. 125-146). Abingdon: Routledge.

Duverger, M. (1951). The Influence of Electoral Systems on Political Life. In *International Social Science Bulletin*, vol. 3, pp. 314-352.

Duverger, M. (1980). A New Political System Model: Semi-Presidential Government. In *European Journal of Political Research*, vol. 8 (2), pp. 165-187.

Elgie, R. (ed.) (1999). *Semi-Presidentialism in Europe*. Oxford: Oxford University Press.

Elgie, R. (2005). France: Stacking the Deck. In M. Gallagher & P. Mitchell (eds.). *The Politics of Electoral Systems* (pp. 119-136). Oxford: Oxford University Press.

Farrell, D. (2011). *Electoral Systems. A Comparative Introduction*. Basingstoke: Palgrave.

Farrell, D. & McAllister, I. (2005). Australia: The Alternative Vote in a Compliant Political Culture. In M. Gallagher & P. Mitchell (eds.). *The Politics of Electoral Systems* (pp. 79-98). Oxford: Oxford University Press.

Feldkamp, M.F. & Schöbel, B. (2005). *Datenhandbuch zur Geschichte des Deutschen Bundestages 1994 bis 2003*. Berlin: Deutscher Bundestag.

Fiers, S. (1998). *Partijvoorzitters in België of Le parti, c'est moi? Rolverwachtingen, rolpercepties en rolgedrag van de voorzitters van de politieke partijen in België in de periode 1981-1996*. Leuven: Afdeling Politologie.

Fiers, S. (2001). Carrièrepatronen van Belgische parlementsleden in een multi-level omgeving (1979-1999). In *Res Publica*, vol. 43 (1), pp. 171-192.

Fiers, S., Noppe, J. & Depauw, S. (2004). *Het profiel van de kandidaten op de lijsten bij de Vlaamse, Europese en Brusselse verkiezingen van 13 juni 2004*. Leuven: KUL, Afdeling Politologie.

Fiers, S. (2006). De evolutie van het parlementaire bestel. In E. Witte & A. Meynen (eds.), *België na 1945* (pp. 263-288). Antwerpen: Standaard Uitgeverij.

Fiers, S., Gerard, E., Van Uytven, A. (2006). De uitverkorenen? De federale en Vlaamse parlementsleden (1946-2003). In S. Fiers & H. Reynaert (eds.). *Wie zetelt? De gekozen politieke elite in Vlaanderen doorgelicht* (pp. 87-112). Leuven: LannooCampus.

Fiers, S. & Krouwel, A. (2005). The Low Countries: From Prime Minister to Minister-President (pp. 128-158). In T. Poguntke & P. Webb (eds.). *The Presidentialization of Politics. A Comparative Study of Modern Democracies* (pp. 128158). Oxford: Oxford University Press.

Fiers, S. & Reynaert, H. (eds.) (2006). *Wie zetelt? De gekozen politieke elite in Vlaanderen doorgelicht*. Leuven: LannooCampus.

Fiers S., Servranckx, E., Pilet, J.-B., et. al. (2006). *Studie met betrekking tot de deelname van mannen en vrouwen aan de Belgische politiek*. Brussel: Instituut voor Gelijkheid van Vrouwen en Mannen.

Finlayson, A. (2002). Elements of the Blairite Image of Leadership. In *Parliamentary Affairs*, vol. 55 (3), pp. 586-599.

Foley M. (2000). *The British Presidency*. Manchester: Manchester University Press.

Franklin, M. (2007). European Elections and the European Voter. In J. Richardson (ed.). *The European Union. Power and policy-making* (pp. 227-246). Abingdon: Routledge.

Freedom House (2013). *Freedom in the World 2013*. Washington: Freedom House. [22.08.2013, Freedom House: http://www.freedomhouse.org/sites/default/files/FIW%202013%20Booklet.pdf].

Gallagher, M. (2008). *Electoral Systems*. Dublin: Trinity College. [23.09.2008, Trinity College: http://www.tcd.ie/Political_Science/staff/michael_gallagher/ElSystems/].

Greffet, A. (2007). Abstention. In Y. Déloye & M. Bruter (eds.). *Encyclopaedia of European Elections* (pp. 1-6). Basingstoke: Palgrave MacMillan.

Heffernan, R. & Webb, P. (2005). The British Prime Minister: Much More Than 'First Among Equals'. In T. Poguntke & P. Webb (eds.). *The Presidentialization of Politics. A Comparative Study of Modern Democracies* (pp. 26-62), Oxford: Oxford University Press.

Hennessy, P. (2000). *The Prime Minister. The Office and its Holders since 1945*. Londen: Allen & Unwin.

Hewlett, N. (2012). Voting in the Shadow of the Crisis. The French Presidential and Parliamentary Elections of 2012. In *Modern & Contemporary France*, vol. 20 (4), pp. 403-420.

Heylen, W. & Van Hecke, S. (2008). *Regeringen die niet regeren. Het malgoverno van de Belgische politiek (1978-1981)*. Leuven: LannooCampus.

Heywood, A. (2002). *Politics*. New York: Palgrave Macmillan.

Hillebrand, R. (1992). *De Antichamber van het Parlement: kandidaatstelling in Nederlandse politieke partijen*, Leiden: DSWO Press.

Hix, S. (1999). *The Political System of the European Union*. New York: St. Martin's.

Hondeghem, A. (1996). De politieke en ambtelijke component in het openbaar bestuur. In R. Maes & K. Jochmans (eds.). *Inleiding tot bestuurskunde*, Brussel: STOHO.

Indridason, I. & Kam, C. (2009). Cabinet Dynamics and Ministerial Careers in the French Fifth Republic. In K.M. Dowding & P. Dumont (eds.). *The Selections of Ministers in Europe: Hiring and Firing. Routledge Advances in European politics* (pp. 41-57). London: Routledge.

Karp, J. (2006). Political Knowledge about Electoral Rules: Comparing Mixed Member Proportional Systems in Germany and New-Zealand. In *Electoral Studies*, vol. 25, pp. 714-730.

Katz, R. (1984). The Single Transferable Vote and Proportional Represenation. In A. Lijphart & B. Grofman (eds.). *Choosing an Electoral System: Issues and Alternatives*, New York: Praeger.

Katz, R. (1998). Malapportionment and Gerrymandering in Other Countries and Alternative Electoral Systems. In M.E. Rush (ed.). *Voting Rights and Redistricting in the United States*, Westport (Conn.): Greenwood Press.

Kerremans, B. (2001). *De hoed van Uncle Sam*. Leuven: Acco.

King, A. (1994). Chief Executives in Western Europe. In I. Budge & D. McKay (eds.). *Developing Democracy: Comparative Research in Honour of J.F.P. Blondel* (pp. 150-164). London: Sage.

Kleinnijenhuis, J., Oegema, D., de Ridder, J.A., Ruigrok, P.C. (1998). *Paarse polari-satie. De slag om de kiezer in de media.* Alphen aan den Rijn: Samsom.

Kleinnijenhuis, J., Oegema, D., de Ridder, J.A., van Hoof, A. & Vliegenthart, R. (2003). *De puinhopen in het nieuws. De rol van de media bij de Tweede-Kamer-verkiezingen van 2002.* Alphen aan den Rijn: Kluwer.

Klingemann, H.D. & Wessels, B. (2001). The Political Consequences of Germany's Mixed Member System: Personilization at the Grass Roots? In M.S. Shugart & M.P. Wattenberg (eds.). *Mixed-Member Systems: the Best of Both Worlds?* (pp. 279-296). Oxford: Oxford University Press.

Kreuzer, M. (2004). Germany: Partisan Engineering of Personalized Proportional Representation. In J.M. Colomer (ed.). *Handbook of Electoral System Choice* (pp. 222-236). Basingstoke: Palgrave.

Krook, M.L. (2006). Reforming Representation: The Diffusion of Candidate Gender Quotas Worldwide. In *Politics & Gender*, vol. 2 (3), pp. 303-327.

Krouwel, A. (2000). *The Presidentialisation of East-Central European Countries.* Paper presented at ECPR Joint Sessions of Workshops, Copenhagen, April 1419th, 2000.

Lacouture, J. & Rotman, P. (2000). *Mitterrand. Le roman du pouvoir.* Paris: Editions Le Seuil.

Langer, A.I. (2007). A Historical Exploration of the Personalisation of Politics in the Print Media: The British Prime Ministers (1945-1999). In *Parliamentary Affairs*, vol. 60 (3), pp. 371-387.

Leyenaar, M. (2004). *Political Empowerment of Women. The Netherlands and Other Countries.* Leiden: Martinus Nijhoff Publishers.

Leyrit, C. (1997). *Les partis politiques. Indispensables et contestés.* Parijs: Les MondeEditions.

Lijphart, A. (1999). *Patterns of Democracy. Government forms and performance in thirty-six countries.* New Haven: Yale University.

Lijphart, A. (2000). Turnout. In R. Rose (ed.). *International Encyclopedia of Elections* (pp. 314-322) Londen: MacMillan.

Lopez Pintor, R., Gratschew, M. & Adimi, J. (eds.). (2002). *Voter Turnout Since 1945.* Stockholm: IDEA.

Lopez Pintor, R. & Gratschew, M. (eds.) (2004). *Voter Turnout in Western Europe.* Stockholm: IDEA.

Lucardie, P., Marchand, A. & Voerman, G. (2007). Frictie in de fractie. Den Haag: Ministerie van Binnenlandse Zaken. (Webuitgave: http://www.minbzk.nl/actueel?ActItmIdt=107176).

Luff, P. (1992). *The Simple Guide to Maastricht.* Londen: The European Movement.

Luther, K.R. & Deschouwer, K. (1999). *Party Elites in Divided Societies: Political Parties in Consociational Democracy.* Londen: Routledge.

Maddens, B. (2006). *Kiesstelsels.* Leuven: Acco.

Marrel, G. (2007). Dual Mandates. In Y. Déloye & M. Bruter (eds.). *Encyclopedia of European Elections* (pp. 78 – 84). Basingstoke: Palgrave MacMillan.

Maes, M. (1990). De formele aanstelling van de partijvoorzitters in België, 1944-1990. In: *Res Publica,* vol. 32, (1), pp. 3-62.

Magnette, P. & Pilet, J.-B. (2008). La Belgique. In J.M. De Waele & P. Magnette. *Les démocraties européennes* (pp. 51-68). Parijs: Armand Colin.

Marrel, G. & Payre, R. (2007). Tenure. In Y. Déloye & M. Bruter (eds.). *Encyclopedia of European Elections* (pp. 474-476). Basingstoke: Palgrave MacMillan.

Marynissen, T. (2006). *Zijn de Belgische Socialistische verkiezingscampagnes modern?* (PSW Paper 2006/03). Antwerpen: Universiteit Antwerpen.

McElroy, G. (2007). European Parliament. In Y. Déloye & M. Bruter (eds.). *Encyclopedia of European Elections* (pp. 172-179). Basingstoke: Palgrave MacMillan.

McLean, I. (1991), Forms of Representation and Systems of Voting. In D. Held (ed.); *Political Theory Today* (pp. 172-196). Cambridge/Londen: Polity Press.

Meier, P. (2004). De kracht van de definitie: een vergelijking van quotawetten in Argentinië, België en Frankrijk. In *Res Publica*, vol. 46, (1), pp. 80-100.

Mellow-Facer, A., Young, R. & Cracknell, R. (2005). *General Election 2005, House of Commons Research Paper 05/33*. Londen: House of Commons.

Mitchell, P. (2005). The United Kingdom: Plurality Under Siege. In M. Gallagher & P. Mitchell (eds.). *The Politics of Electoral Systems* (pp. 157-184). Oxford: Oxford University Press.

Montesquieu, C.L. (1748). *De l'esprit des lois*. Paris: Garnier.

Müller, W.C, Bergman, T. & Strøm, K. (2006). Parliamentary Democracy: Promise and Problems. In K. Strøm, W.C. Müller & T. Bergman (eds.). *Delegation and Accountability in Parliamentary Democracies* (pp. 3-32). Oxford: Oxford University Press.

Nagel, J.H. (2004). New Zealand: Reform by (Nearly) Immaculate Design. In J.M. Colomer (ed.). *Handbook of Electoral System Choice* (pp. 530-543), Basingstoke: Palgrave MacMillan.

Nandrin, J.P. (2003). Het parlementaire onderzoeksrecht. In E. Gerard, E. Witte (e.a.) (eds.). *Geschiedenis van de Kamer van Volksvertegenwoordigers* (pp. 291-310). Brussel: Kamer van Volksvertegenwoordigers.

Newton, K. & van Deth, J. (2003). *Foundations of Comparative Politics*. Cambridge: Cambridge University Press.

Nohlen, D. (2002). Wahlen und Wahlsysteme. In: H-J. Lauth (ed.). *Vergleichende Regierungslehre. Eine Einführung* (pp. 239-269). Wiesbaden: Opladen Verlag.

Noppe, J. (2007). Morfologie van de Vlaamse politieke partijen in 2005 en 2006. In *Res Publica*, vol. 49 (2-3), pp. 479-553.

Norris, P. (1999). Recruitment into the European Parliament. In: R. Katz & B. Wessels (eds.). *The European Parliament, the National Parliaments, and European Integration* (pp. 86-104). Oxford: Oxford University Press.

Norris, P. (2004). *Electoral Engineering. Voting Rules and Political Behavior*. Cambridge: Cambridge University Press.

Norris, P. & Franklin, M. (1997). Social Representation. In *European Journal of Political Research*, vol. 32, pp. 185-210.

Pasquinucci, D. & Verzichelli, L. (2004). *Elezioni europee e classe politica sovranazionale 1979-2004*. Bologna: il Mulino.

Pedersen, K. & Knudsen, T. (2005). Denmark: Presidentialization in a Consensual Democracy. In T. Poguntke & P. Webb (eds.). *The Presidentialization of Politics. A Comparative Study of Modern Democracies* (pp. 159-175), Oxford: Oxford University Press.

Pilet, J.-B. (2007). *Changer pour gagner? Les réformes des lois électorales en Belgique*. Bruxelles: Editions de l'Université de Bruxelles.

Pilet, J.-B. (2008). Les Pays-Bas. In J.M. Dewaele & P. Magnette (eds.). *Les démocraties européennes* (pp. 299-313). Parijs: Armand Colin.

Pilet, J.-B. & van Haute, E. (2006). Morphologie des partis politiques francophones en 2004-2005. In *Res Publica*, vol. 48 (2-3), pp. 297-335.

Poguntke, T. & Webb, P. (eds.) (2005). *The Presidentialization of Politics. A Comparative Study of Modern Democracies*. Oxford: Oxford University Press.

Poguntke, T. (2005). A Presidentializing Party State? The Federal Republic of Germany. In T. Poguntke & P. Webb (eds.). *The Presidentialization of Politics. A Comparative Study of Modern Democracies* (pp. 63-87). Oxford: Oxford University Press.

Print, M. (2007). *The Alternative Vote*. Gastlezing K.U.Leuven Campus Kortrijk, 19 oktober 2007.

Putnam, R. (1994). *Making democracy work: civic traditions in Modern Italy*. New Jersey: Princeton University Press.

Putnam, R. (2000). *Bowling Alone: The Collapse and Revival of American Community*. New York: Simon & Schuster.

Rae, D. (1967). *The Political Consequences of Electoral Laws*. New Haven: Yale University.

Rahat, G. & Hazan, R. (2005). Israel: The Politics of an Extreme Electoral System. In M. Gallagher & P. Mitchell (eds.). *The Politics of Electoral Systems* (pp. 333-351). Oxford: Oxford University Press.

Reif, K.-H. & Schmitt, H. (1980). Nine Second Order Elections: A Conceptual Framework for the Analysis of European Election Results. In *European Journal of Political Research*, vol. 8, pp. 3-44.

Reynolds, A., Reilly, B. & Ellis, A. (eds.) (2005). *Electoral System Design: The New International IDEA Handbook*. Stockholm: IDEA Institute.

Rose, R. (2004a). Voter Turnout in the European Member Countries. In R. Lopez Pintor & M. Gratschew (eds.). *Voter Turnout in Western Europe* (pp. 17-24). Stockholm: IDEA.

Rose, R. (2004b). *Europe Expands, Turnout Falls: The Significance of the 2004 European Parliament Election*. Stockholm: IDEA.

Rule, S. (2000). Women: Enfranchisement. In R. Rose (ed.). *International Encyclopedia of Elections*, (pp. 345-348). Londen: MacMillan.

Saalfeld, T. (2003). The United Kingdom: Still a Single 'Chain of Command'? The Hollowing Out of the 'Westminster Model'. In K. Strøm, W.C. Müller & T. Bergman (eds.). *Delegation and Accountability in Parliamentary Democracies* (pp. 620-648). Oxford: Oxford University Press.

Saalfeld, T. (2005). Germany: Stability and Strategy in a Mixed Member Proportional System. In M. Gallagher & P. Mitchell (eds.). *The Politics of Electoral Systems* (pp. 209-230). Oxford: Oxford University Press.

Sartori, G. (1976). *Parties and Party Systems: A Framework for Analysis*. Cambridge: Cambridge University Press.

Scarrow, S. (1997). Political Career Paths and the European Parliament. In *Legislative Studies Quarterly*. vol. 22, pp. 253-263.

Seldon, A. & Kavanagh, D. (2005), *The Blair Effect 2001-5*. Cambridge: Cambridge University Press.

Shugart, M.S. & Taagepera, R. (1989). *Seats and Votes: The Effects and Determinants of Electoral Systems*. New Haven: Yale University Press.

Statistischer Bundesamt Deutschland (2006). *Ergebnisse aus der Repräsentativen Wahlstatistik.* Wiesbaden: SBD. [23.09.2008, SBD: http://www.destatis.de/ jetspeed/portal/cms/Sites/destatis/Internet/DE/Presse/pk/2006/ Repraesentative__Wahlstatistik/Repraesentative__Wahlstatistik__05.psml].

Stengers, J. (1999). De Grondwet van 1831: theorie en praktijk. In V. Laureys, M. Van den Wijngaert, et al. (eds.). *De geschiedenis van de Belgische Senaat* (pp. 31-42). Tielt: Lannoo.

Thiébault, J.L. (2003). France: Delegation and Accountability in the Fifth Republic. In K. Strøm, W.C. Müller & T. Bergman (eds.). *Delegation and Accountability in Parliamentary Democracies* (pp. 253-280). Oxford: Oxford University Press.

Tsebelis, G. (1994). The Power of the European Parliament as a Conditional Agenda Setter. In *American Political Science Review,* vol. 88, (1), pp. 128-142.

van den Bergh, J. (2007). Parlementariërs in tijden van turbulentie. In K. Aarts, H. van der Kolk & M. Rosema (eds.). *Een verdeeld electoraat. De Tweede Kamerverkiezingen van 2006* (pp. 139-164). Utrecht: Spectrum.

van der Kolk, H., Aarts, K. & Rosema, M. (2007). Politiek: de knikkers en het spel. In K. Aarts, H. van der Kolk & M. Rosema (eds.). *Een verdeeld electoraat. De Tweede Kamerverkiezingen van 2006* (pp. 54-73). Utrecht: Spectrum.

Van Eenoo, R. (2003). Kiesstelsels en verkiezingen 1830-1914. In E. Gerard, E. Witte (e.a.) (eds.) *Geschiedenis van de Kamer van Volksvertegenwoordigers* (pp. 49-60). Brussel: Kamer van Volksvertegenwoordigers.

Van hee, D. (2004). De rol van de Vlaamse gemeenschapssenatoren in de Belgische federale staatsstructuur tijdens de legislatuur 1995-1999. In *Res Publica,* vol. 46 (1), pp. 122-141.

Van Impe, H. (1978). Presidentiële tendenties in het Belgisch parlementarisme. In *Tijdschrift voor Bestuurswetenschappen en Publiek Recht,* vol. 33, pp. 403-408.

Vanlangenakker, I., Weekers, K., Maddens, B. & Fiers, S. (2007). *Het profiel van de gekozenen bij de federale verkiezingen van 10 juni 2007,* Persnota Centrum voor Politicologie, Leuven.

Vanlangenakker, I. (2008). De werking van het Parlement van de Duitstalige Gemeenschap (1986-2004) en de invloed van zijn unieke karakter. In *Res Publica,* vol. 50 (3), pp. 5-30.

Verbeet, G., et.al. (2009). *Vertrouwen en zelfvertrouwen. Analyse en aanbevelingen. Parlementaire zelfreflectie.* Den Haag: Tweede Kamer der Staten-Generaal.

Verhofstadt, G. (2007). *Een open boek. 8 jaar Verhofstadt.* s. l.

Verzichelli, L. & Edinger, M. (2005). A Critical Juncture? The 2004 European Elections and the Making of a Supranational Elite. In *Journal of Legislative Studies,* vol. 11, pp. 254-274.

Wada, J. (2004). Japan: Manipulating Multi-Member Districts – from SNTV to a Mixed System'. In J.M. Colomer (ed.). *Handbook of Electoral System Choice* (pp. 512- 529). Basingstoke: Palgrave MacMillan.

Walgrave, S. & De Swert, K. (2005). De 'kanseliersbonus' revisited. Over de dominante aanwezigheid van de regering en de premier op het TV-nieuws. In M. Hooghe, K. De Swert & S. Walgrave (eds.). *Nieuws op televisie. Televisiejournaals als venster op de wereld* (pp. 79-98). Leuven: Acco.

Wauters, B., Noppe, J. & Fiers, S. (2003). Nationale kopstukken, lokale sterkhouders en onbekende kandidaten. Een analyse van de lokale verankering van kandidaten en gekozenen bij de parlementsverkiezingen van 18 mei 2003. In *Belgeo*, (2), pp. 165-182.

Wauters, B. & Weekers, K. (2008). Het gebruik van de voorkeurstem bij de federale parlementsverkiezingen van 10 juni 2007. In W. Dewachter & S. Depauw (eds.). *Res Publica Politiek Jaarboek 2007* (pp. 49-88), Leuven: Acco.

Weekers, K. & Maddens, B. (2009). *Het geld van de partijen.* Leuven: Acco.

Witte, E., Gubin, E., Gerard, E. & Nandrin, J.P. (2003). De Kamer van Volksvertegenwoordigers (1830-2002). Constanten en verschuivingen. In E. Gerard, E. Witte (e.a.) (eds.). *Geschiedenis van de Kamer van Volksvertegenwoordigers* (pp. 385 – 418). Brussel: Kamer van Volksvertegenwoordigers.

White, S. (2005). Russia: The Authoritarian Adaptation of an Electoral System'. In M. Gallagher & P. Mitchell (eds.). *The Politics of Electoral Systems*, (pp. 311-330). Oxford: Oxford University Press.

Wyplosz, C. (2007). Has Europe Lost Its Heart? In A. Åslund & M. Dàbrowski (eds.). *Europe After Enlargement* (pp. 6-28). Cambridge: Cambridge University Press.

Websites

Algemeen
IDEA: http://www.idea.int
IFES Election Guide: http://www.electionguide.org
Inter-Parliamentary Union: http://www.ipu.org

Verenigd Koninkrijk
Boundary Commission for England: http://boundarycommissionforengland.independent.gov.uk
UK Government: https://www.gov.uk
UK Parliament: http://www.parliament.uk

Frankrijk
Assemblée nationale: http://www.assemblee-nationale.fr
Sénat: http://www.senat.fr
Gouvernement: http://www.gouvernement.fr

Nederland
Eerste Kamer: http://www.eerstekamer.nl
Tweede Kamer: http://www.tweedekamer.nl
Kiesraad: https://www.kiesraad.nl
Regering: http://www.rijksoverheid.nl/regering

België
Kamer van volksvertegenwoordigers: http://www.dekamer.be
Senaat: http://www.senate.be
Vlaams Parlement: http://www.vlaamsparlement.be
Waals Parlement: http://parlement.wallonie.be
Parlement van de Franstalige Gemeenschap: http://www.pfwb.be
Brussels Hoofdstedelijk Parlement: http://www.parlbruparl.irisnet.be

Portaalsite federale overheid verkiezingen: http://www.belgium.be/nl/over_belgie/
overheid/democratie/verkiezingen en http://verkiezingen2010.belgium.be
Portaalsite verkiezingen Vlaanderen: http://www.vlaanderenkiest.be
Portaalsite verkiezingen Waalse gewest: http://elections2012.wallonie.be

Duitsland
Bundestag: http://www.bundestag.de
Bundesrat: http://www.bundesrat.de
Bundesregierung: http://www.bundesregierung.de
Bundeswahlleiter: http://www.bundeswahlleiter.de
Bureau voor statistiek in Duitsland: https://www.destatis.de

Europese Unie
Europees Parlement: http://www.europarl.europa.eu
Geschiedenis Europese integratie: http://www.cvce.eu (voorheen European NAvigator)
Europese wetgeving (EUR-Lex): http://eur-lex.europa.eu/nl/index.htm